RARA AVIS

Manon Rhys

Gomer

Argraffiad cyntaf – 2005

ISBN 1 84323 531 5

Dymuna'r cyhoeddwyr gydnabod cymorth
Cyngor Llyfrau Cymru.

Argraffwyd yng Nghymru gan
Wasg Gomer, Llandysul, Ceredigion

I
P. D. H.

Ar ynys unig fy nghenfigen
fe'ch clywn, fe'ch gwelwn,
fe'ch gwyliwn – bawb.

Glaw mân tu fas, eira lond y sgrin.

A'r lluniau niwlog yn troi rownd a rownd fel olwynion y
goetsh aur, a'r dorf ar strydoedd Llundain yn chwifio'u
Hiwnion Jacs, a'r ceffylau gwyn yn trot-trot-trotian, a Mike
a Phil a David yn rhes anesmwyth ar y sgiw. A Mr Meades
yn rhegi i'r cymylau wrth ffidlan â phob nobyn posib, a Mrs
Meades yn gweiddi ar ei mab ieuengaf sy'n sefyll o flaen y
sgrin.

'Jonathan! 'Ow are we to see the bloody Coronation with
you blockin' the bloody screen? An' you three over there –
stop your bloody shufflin'! We've 'ad this television special,
so watch it quiet an' behave!'

Mae Baby Jacqueline yn y pram mawr du yn syllu'n syn
â'i llygaid concers ar y sioe o'i chwmpas ac yn gwingo wrth
glywed dwrn ei thad yn taro'r television.

'Bloody Rediffusion! Wait 'till I gerr 'old of 'em! An'
'ow much are we payin' for this rubbish?'

'One an' 'leven a week.'

'Bloody waste o' money! Can't see a bloody thing!'

Mae Mrs Meades yn peswch cyn cynnau sigarét a rhoi
clipen fach i Jonathan. 'Move, you little bugger!'

Mae ei frodyr hŷn ar y sgiw yn pinsho'i gilydd yn
ddidrugaredd nes i Mr Meades roi bloedd.

'Stop it! Or the bloody coalshed it'll be for all of you!'

Ac mae'r llun yn llonyddu'n sydyn.

Croten fach, yn syllu'n drist o ddrych y wardrob fawr.

Mae hi'n mynd ati, yn estyn llaw nes bod eu dwylo'n cyffwrdd. Mae olion bysedd ar y gwydr, a ffrydiau brown o rwd.

Troi, a syllu ar y rhesaid 'plantos' sy'n eistedd ar y gwely mawr, a'r eiderdown gwyrdd fel lawnt o'tanyn nhw. Mair, y ddoli wyneb-china hardd; Siani Jên y ddoli rwber hyll; Doli'r ddoli ddu, macyn lliwgar wedi'i glymu am ei chyrls, clustdlysau a breichledau'n fflachio; Tedi â'r patshyn dros ei lygad; Goli â'i drowsus coch a'i sanau streip.

Maen nhw'n syllu'n swrth ar y llestri te bach plastig sydd o'u blaenau. Mae hi'n dringo atyn nhw, yn eistedd yn eu canol gan ddechrau mynd drwy'r mosiwns – esgus arllwys llaeth o'r jwg i gwpan, arllwys te o'r tebot, ychwanegu siwgr, rhoi bisgedi ar y platiau. Ac yna'n sydyn mae hi'n cau ei llygaid mewn anobaith ac yn chwalu'r cyfan nes bod y llestri'n hedfan a'r teulu dedwydd yn syrthio ar eu cefnau. Ac mae hithau'n gorwedd ar ei chefn gan syllu ar y craciau yn y nenfwd.

Mae'r dyn sy'n gwisgo'r clogyn disglair yn codi'i freichiau fry.

Mae'r goron berlog ar ben y fenyw ar yr orsedd.

'Behold the Queen of England!'

'Behold the Queen of England!' yn atseinio. A nodau trwm yr organ.

'It's the bloody anthem – come on you lot, on your feet!'

Mae pawb yn codi ar eu traed, gan gynnwys Baby Jacqueline sy'n protestio yn ei phram. Mae Mrs Meades yn canu'n uwch na neb.

'Very lucky little children you all are to see all this. You'll remember it forever.'

Horwth o bryfyn du, yn cynddeiriogi rhwng y craciau.

Bzz-bzz-bzz. Bowns bowns bzz-bzz-bzz.

Y tu fas i'r ffenest mae hi'n gallu clywed cyffro'r stryd. Dychmyga gyffro'r cwm i gyd – y partïon, y baneri a'r balŵns, y platiau llawn danteithion, y mygiau Coronation yn llawn pop, y canu a'r dawnsio a'r gorfoleddu.

'You comin' to the party, Branwen?'

'No.'

'Why's 'at?'

'Don't want to.'

A'r trafod yn ei chefn . . .

'Funny little girl she is.'

'What the 'ell d'you expect? Just 'er an' 'er Mammy in 'at big old 'ouse?'

''Er Mammy's odd as well.'

'Aye, ever since she lost 'er 'usband.'

'Sad it was . . .'

'Aye, very sad . . . Right 'en, we got work to do! Let's get this party on the road!'

Mae hi'n cau ei llygaid rhag y curo-gordd sy'n pwno'i thalcen. Clyw frân yn crawcian ar y goeden fwnci tu fas i'r ffenest. Clyw ddrws y stafell wely'n gwichian. Clyw'r canu grwndi.

Tabitha. Yn syllu arni. Yn jocôs. Yn disgwyl am wahoddiad mewn i'r gwely.

'Cer o 'ma, gath.'

Mae'r hen gath yn troi ei phen sgiw-whiff, yn syllu arni'n syn â'i llygaid lleuad-lawn . . .

'Glywest ti? Cer o 'ma! Nawr!'

. . . Cyn rhuthro mas trwy'r drws, ei chwt fel baner streips. A'i gadael hithau ar ei phen ei hunan unwaith eto.

Syllu ar y ffenest. Gweld stribyn cul o awyr lwyd a dafnau mân o law rhwng llenni trwm. Troi ei hwyneb at y wal, at y rhosys glas a'r eiddew. Ôl ewinedd ar ambell betal, ambell ddeilen wedi'i rhwygo, rhes o ddail ddim cweit yn cyffwrdd. Ac yn y cornel, o dan y nenfwd, y papur wedi'i dorri'n gam.

11

Troi ei llygaid at y sgribl cudd, cyfarwydd. Reit tu ôl i bostyn derw'r gwely. A neb yn gallu'i weld e. Neb ond hi.

B. D. R.

Mae'r eiderdown yn cael cic i'r llawr.
A gŵn-nos ei mam.

Gwynfa.

Tŷ caerog ac ymhongar ym mhen draw Bowen Street a'r waliau cerrig sy'n ei amgylchynu – â'u topiau'n drwch o ddarnau gwydr miniog – yn ddi-fwlch, heblaw am un gât haearn drom sydd bob amser wedi'i chau. Caewyd â brics y ddôr yn wal y cefn, sy'n wynebu at Waun Bowen. Un llwybr, bellach, sy'n arwain at y tŷ: hwnnw o gât y ffrynt. Does 'na fawr o dramwy trosto.

Petaech yn edrych lawr o ben Foel Ddu, yr ochor draw i'r cwm, gwelech Gwynfa fel enjin trên, a'r rhesaid tai gerllaw'n gerbydau yn ei sgil. O'i chuddfan fry ar ben y Waun, gwêl Branwen Dyddgu Roberts y tŷ mawr llwyd fel penglog neidr anferth, mwg yn chwydu mas o'i ffroenau a'i chorpws yn ymestyn hanner milltir i lawr y rhiw. Ei 'hen ddychymyg afiach' hi ar waith, fel arfer, yn ôl ei mam.

Ddecllath o dalcen Gwynfa daw Bowen Street i ben yn swta. Wal y Waun – y Broken Wall – yw ei phen draw pella; wal doredig a ddynodai ffin tiriogaeth Tyddyn Bowen ddyddiau a fu. Mae'r tyddyn hwnnw'n adfail bregus erbyn hyn, yn lle peryglus na ddylid mentro iddo, medden nhw.

Jonathan.

Gwallt melyn, llyged glas. Cudyn dros 'i dalcen, brychni haul ar fla'n 'i drwyn fel briwsion brown. O'dd e'n whare gyda'i frodyr, Mikey, Phil a David, draw ar bwys y Broken Wall. O'n nhw 'na'n amal – adeg gwylie, penwythnose, ambell nosweth ffein. Trowseri byr, jympers Fair Isle tyllog, sane llwyd wedi'u rowlo lawr at dop 'u sgidie-hoelion. Bayonets o bren, cerrig crwn yn hand grenades, helmets papur-brown. A finne'n pipo arnyn nhw drw'r ffenest ne' drw' farie'r gât, ne'n gwrando arnyn nhw o du ôl i'r wal.

Mikey'n gweiddi'r ordors.

'Right 'en, lessplay war. Me an' Phil's the British. You two can be the Germans-or-the-Japs.'

'Don' wan'o be the Germans-or-the-Japs. They always lose they do.'

'We gorro 'ave an enemy or no game. An' I'm the oldest so I can choose.'

'You always choose, you do.'

'You wan'o play or not?'

'Aye, all right . . .'

'Well then go away an' 'ide. An' then we'll come an' find you.'

'Sno' fair!'

'I said go away an' 'ide! Go on! Be-ind the Broken Wall!'

Sŵn crac-crac-crac a bang-bang-bang a whistlo whiiiiww!

'You're dead!'

'No I'm not – you missed!'

'I said you – are – dead! Now do as you are told – an' die!'

Un rhes o dai sydd yn y pen draw hwn i'r stryd.

Ar draws y ffordd mae rhesaid o alotments – sgwariau bach o dir wedi'u llogi o'wrth y cyngor. Mae'r mwyafrif wedi'u palu a'u plannu a'u chwynnu â balchder ac arddeliad; mae ôl diogi neu salwch neu farwolaeth yn amlwg ar ambell un.

Shed fach deidi yn y cornel neu dŷ gwydr digon deche wedi'u codi gan grefftwyr wrth eu gwaith; neu gwt go shabi wedi'i daflu at ei gilydd o hen ddrysau a styllod a darnau mawr o sinc. Ond mae hi'n bwysig codi ffens, un gadarn, uchel, rhag y defaid digywilydd, y 'pererinion preiddiol', chwedl Mr Godwin Bach Gweinidog ac yntau'n 'digwydd galw heibio' i Gwynfa yn ei gar bach du bob hyn a hyn.

'Be-wnawn-ni-â-*nhw*, Mrs Roberts fach? A hwythau ar eu cythlwng? Yn crwydro megis llwythau ar ddisberod! Be-wnawn-ni-â-*nhw*? Be-wnawn-ni-â-*nhw*!'

Go brin eu bod nhw 'ar eu cythlwng'. Ond mae porfa'r Foel yn brin a phorfa'r Waun yn sur a strydoedd cul y cwm yn llawn danteithion. Mae'r dacteg yn un syml: tipyn o strytan ewn fan hyn, dichell pur fan draw, yn arddull tylwythau'r Borges a'r Medicis; rhyw loetran ar gorneli a gorweddian yn ddioglyd yn yr haul gan gulhau eu llygaid slei yn ffug-feddylgar; ac yna'r ymosodiad sydyn. Moelyd y biniau sbwriel dros y pafin, neidio dros waliau a chloddiau fel ceffylau mewn Grand National, dihysbyddu'r gerddi a'r alotments o bopeth lled-fwytadwy. Ond gan mai Beecher's Brook i ddafad yw waliau uchel Gwynfa, a chan eu bod yn tybio – yn anghywir – fod yr ardd yn llawn danteithion, rhaid llercian yn rhesaid amyneddgar yng nghysgod wal y Waun i ddisgwyl eu cyfle. Johnny Vine the funny postman ac Eric Jones the cream yw eu cyfleon gorau gan fod y ddau'n mynnu gadael y gât ar agor yn llawn gwahoddiad. Ond siom sy'n disgwyl yr ymwelwyr gwlanog – siom o weld gardd mor anial a digroeso. Domi dros y llwybrau a thros steps y ffrynt yw'r dialedd gorau, gan daflu pip ddirmygus ar y fam a'r ferch sy'n chwifio'u breichiau fel melinau gwynt a gweiddi 'Shŵ! y twpsod twp!' A llithro ar y dom.

A chwerthin.

A'r ferch yn syllu ar ei mam.

A'r fam ar fin cwtsho'i merch.

Cyn tynnu 'nôl.

'She's a bloody eyeful, she is!'

Dou ddyn, newydd ddringo dros y Broken Wall o'r Waun. O'dd dryll ar ysgwydd un; o'dd y llall yn cario rhwbeth byw mewn sach. O'n nhw'n edrych arnon ni; finne â'r bwced dŵr a hithe â'r brwsh cans yn slosho pelets duon lawr trw'r gât i'r gwter. Hen job ddiflas. Ond o'dd hwyl ryfeddol arni wrth wafo'r brwsh diferol uwch 'i phen a dynwared llais sing-song Mr Godwin Bach Gweinidog.

'Y pererinion preiddiol, Mrs Roberts fach! Be-wnawn-ni-â-nhw? Be-wnawn-ni-â-nhw!'

O'dd e newydd ddreifo bant mewn hwyl go ddrwg ar ôl slipo ar y dom nes bod 'i siwt e'n stecs.

'Sbïwch ar fy siwt! Mae hi'n ysglyfaethus! Wedi'i difetha'n lân! A minna ag angladd pwysig yn Aberdâr am dri!'

A fy mam yn hwpo'r brwsh i ben-ôl rhyw ddafad ddychmygol.

'Twll tin 'i bererinion preiddiol!'

A finne'n wherthin nes o'n i'n dost.

'Bloody sheep, eh, love?'

'Bloody nuisance, eh?'

Fe rewodd hi. Yn gorn. A'r ddou ddyn yn gwenu arni drwy fwg y sigaréts o'dd yn hongian o'u gwefuse.

'We're talkin' to you, love!'

'Branwen, paid â chymryd sylw.'

'What's your problem, love?'

'She's talkin' Welsh.'

'Dere!'

Fe droiodd hi a rhedeg am y tŷ a finne ar 'i hôl, yn bracso lan trw'r stecs.

'Cau'r drws! Glou! A'i follto'n sownd!'

A finne'n gneud. A hithe'n sefyll. Yn stond. Fel delw. A'i hwyneb doli-china'n welw fel y galchen a'i gwefuse'n crynu. A lleisie'r dynion y tu fas yn gweiddi.

'We didn' mean to eat you, love!'

'Nor 'alf we didn'!'

'Aye, she's a bloody eyeful, she is!'

A'u wherthin a'u peswch a clinc-clinc-clinc 'u sgidie hoelion yn diflannu draw i'r pellter. A fy mam yn cau 'i llyged, yn pwyso'i phen yn erbyn drws y ffrynt. Yn estyn am 'yn llaw. Yn tynnu 'nôl yn sydyn. A throi a rhedeg lan y staere.

A drws y stafell wely'n cau.

Clep.

A finne'n sefyll yn y cyntedd oer yn gwrando ar dic-dic-dic y meter letrig a toc–toc–toc hen gloc Mam-gu. A'r llong hwylie'n siglo 'nôl-a-mla'n-a-'nôl-a-mla'n ar donne gwynion o dan awyr las a haul mowr melyn a finne'n cofio am regata Cei a'r cychod fel petale lliwgar ar y môr a'r gwylanod yn sgrechen wa-wa-wa fel côr o fabis uwchben mast y *New Quay Belle* a basgedi'r brodyr Jenkins yn llawn o fecryll marw'n syllu'n syn a chyllell John yn sheino yn yr haul a phenne pysgod a pherfeddion jeli-coch yn tasgu plop i'r bwced drewllyd a'r pryfed glas yn hofran a Jac yn hwpo'i fysedd miwn i ben bach gwaedlyd a'r safn yn gwenu ac yn sibrwd yn 'y nghlust.

'Helô, shwt wyt ti Branwen? Mwc y Macrel odw i.'

A theimlo 'nhra'd yn wlyb yn sydyn. A mynd mas i'r gegin i dynnu'n welingtons ac arllwys yr hen ddwrach brown i'r sinc. O'n i'n 'i weld yn debyg i'r grefi gwan y bydde fy mam yn llwyddo i bido â'i losgi ar ambell ddydd Sul da. Golchi'r welingtons yn lân o dan y tap a'u gosod wrth y Rayburn a sylwi bod y tân yn isel a bod y bwced glo yn wag. A mynd mas i'r cwtsh i godi glo a gweld dwy shîten lipa'n hongian fel drychiolaethe yn y niwl a rhedeg draw a'u tynnu odd'ar y lein a'u cario miwn i'r gegin a gweld bod streipen ddu ar draws y shîten leilac a rhwto clwtyn drosti nes creu patshyn llwyd fel cwmwl storom a'i stwffo miwn i'r sinc i socan a gollwng y craswr dillad yn ofalus îc-îc-îc o'r nenfwd a phlygu'r shîten arall drosto a thrio codi'r cwbwl 'nôl ond y blwmin peth yn mynd yn sownd a phallu symud lan na lawr.

A Tabitha'n pipo arna i . . .

'Cer o 'ma, gath!'

A'r dagre'n pigo . . . A wedyn . . .

Stop.

Fy Nghath

Enw fy nghath yw Tabitha. Cath drilliw yw hi, "Tabi Cat" yn Saesneg. Mae hi'n gath bert iawn. Rydym yn ffrindiai mawr ac yn hoffi chwarae gydan gilydd. Weithiai rwy'n ei gwisgo mewn dillad dolis ac yn trio mynd a hi am dro yn y pram bach llwyd. Ond nid yw'n hoffi hynny ac mae hi'n strancio ac yn sgramo. Mae hi'n galli bod yn ddrwg iawn ambell waith a lladd yr adar yn yr ardd. Mae hi'n ciddion llonidd o dan y llwyni ac yn gwilio'r adar cyn neidio arnyn nhw ai lladd. Os byddaf yn ei gweld yn ciddio byddaf yn gweiddi "Shŵ Tabithar hen gath ddrwg!" a bydd hi'n rhedeg i ffwrdd yn grac. A bydd yr adar yn saff. Tan y tro nesaf. Rwy'n falch fy mod yn galli achib yr adar. Rwy'n hoffi achib anifeiliaid. Corin yn y bath, pryfin ar y ffenest, aderin yn yr ardd. Byddaf yn trio bod yn neis wrthyn nhw i gyd. Popeth ond y defaid twp. Ond ni fyddwn am ladd dafad. Pan fydd Tabithan gath dda mae hi'n hoffi chwarae gyda fi ac eistedd ar fy nghôl a chysgi ar fy ngweli. Un tro, roeddwn yn eistedd yn y gadair siglo wrth y ffenest a Tabitha ar fy nglin. Roeddwn yn clywed plant yr ochr draw i'r wal yn chwarae ar y stryd. Aethom allan i'r ardd ffrynt ac aeth Tabitha i orwedd yn y cysgod o dan y goeden fwnci ac fe es i i bipo ar y plant trwy'r gât. Roedden nhw'n rhedeg yn wyllt ac yn gweiddi dros y lle ac roeddwn i'n poeni am fod Mami'n trio cysgi. Enw Mami yw Gwenda Mair Roberts. Mae hi'n hoffi cysgi yn y dydd am ei bod yn dost. Mae hi'n cysgi ar y soffa ambell waith neu yn y gwely. Yn y nos mae hi'n hoffi darllen llyfr yn y gwely. Ambell waith mae hi'n codi yn y nos a mynd am dro o gwmpas y tŷ neu allan i'r ardd neu dros y ffordd. Ac yna mae hi'n dod nôl i'r gwely ac yn cysgi'n drwm. Ond byddaf i ardd-ihin tan y bore.

'Lessplay cowboys!'
  'I'm Roy Rogers!'
  'An' I'm Gene Autrey.'
  'An' I'm the Ciscoe Kid.'
  'An' Jonathan can be an Injun.'
  'Don' wan'o be an Injun. They always lose they do.'
  'You gorro be an Injun or no game.'
  'Go on Jon, be an Injun, mun.'
  'Go an' 'ide be-ind the Broken Wall an' we'll come lookin' for you.'
  'We won' kill you, though. Just shoot you in the leg.'
  'An' then you can get better.'
  'An then you'll be an Injun guide, an' 'elp us 'unt more Injuns.'
  'Okay, Jonathan?'
  'Aye . . . Okay . . .'
  'Oh, no – look who's peepin' at us! Issat girl again, be-ind the gate by there.'
  'She's always starin' at us.'
  'Whasamatter with 'er?'
  'Go an' talk to 'er, Jonathan!'
  'Ask 'er to be your girlfriend!'
  'Ask 'er for a kiss!'
  'Ask to see 'er nics!'
  'Ask to take 'em down!'
  'Go on, you cissy!'

A Jonathan yn dod i bipo arna i.
  Yn cynnig rhwbeth i fi rhwng barie'r gât.
  'Bubble gum for you – if you show me your nics. Two if you take 'em down.'

'No.'

'Can I come in your garden?'

'No.'

'Why's 'at?'

''Cos my Mami says.'

'Tell your Mammy to fuck off.'

'Branwen? Pwy yw'r bechgyn 'na? You boys! Get away from here! Go on! Or I'll get the police on you!'

A Mikey'n gweiddi.

'Jonathan, you fuck off quick from there!'

A Jonathan yn rhedeg at 'i frodyr a rhoi naid ar gefen Mikey sy'n carthu'i wddw a phoeri fel John Wayne a saethu'i ddryll i'r awyr a chlico'i ddannedd a gweiddi 'Gee up, boys, lessgerr ourra town!'

A llais fy mam tu cefen i fi.

'Branwen – miwn i'r tŷ!'

'Mami, beth yw fuck off quick?'

'Miwn i'r tŷ, y groten ddrwg!'

A'r posse bach yn udo fel coyotes a charlamu lawr y bancin at y nant. A finne'r groten ddrwg yn ca'l 'y nhynnu mas o'r haul i dywyllwch Gwynfa.

Y bancin.

Llechwedd rhedynnog sy'n goleddu rhwng yr alotments a Nant Las. O'r llechwedd, heb wyro'ch pen i gyfeiriad y cwm islaw, gallwch dyngu eich bod yng nghanol gwlad: Waun Bowen yn ymestyn wrth eich cefn a'r Foel Ddu o'ch blaen, fel brenin boliog yn bolaheulo. Ddyddiau braf o haf fe welwch deuluoedd dedwydd yn picnica, a chariadon yn gorweddian yn fentrus agos yn yr haul. Yn yr hydref mae'r rhedyn fel petai ar dân, a'r fflamau'n rhuthro'n ddiymatal nes cael eu diffodd gan ddŵr crisial y Nant Las. Nosweithiau mwll o Dachwedd fe welwch wynebau'n fflam yng ngolau coelcerth a thân gwyllt. Ddyddiau ifori o aeaf, menter a sbri a pherygl yn y rhew a'r eira, a phlant yn gwichan, yn saff ar ysgwyddau llydan. Yn y gwanwyn, gwelwch drwch o ddaffodils a saffrwm yn ffinio'r nant â charped melyn a phiws a gwyn.

A'r nant ei hunan, yn rhubanu dros y creigiau ar ôl tasgu'n serth dros raeadr Pen-y-cwm, ar lethrau ucha'r Foel. Mor gyfnewidiol â'r tymhorau, yn llwydaidd, rhewllyd drymder gaeaf, yn adlewyrchu glas yr awyr ar anterth haf. Heb ledu na dyfnhau'n ddigon i'w galw'n afon, heb ei llygru gan y glo. Dim eto. Ymhen hanner milltir, yng nghyffiniau Pwll y Waun, y dechreua'r gweddnewidiad. Weddill ei siwrnai lawr y cwm, heibio i'r pyllau glo a'r ffatrïoedd a'r gweithfeydd, llifa Afon Las yn afon ddu, ewyn melyn yn tagu'i glannau a'i dŵr yn drwm gan sbwriel a charthion a chyrff defaid.

Draw'r tu hwnt i'r bancin mae'r Foel yn codi'n serth a llwm at wal sy'n cynnal y neidr hir o ffordd o dro pedol i dro pedol cyn diflannu rhwng dwy graig. Uwchben y ffordd mae sgri serth o gerrig mân, fel rhaeadr lonydd, lwyd.

Noson rewllyd.

Mae hi'n sefyll wrth y ffenest, yn magu Tedi, yn rhyfeddu at y lleuad lawn a'i gallu i droi nos yn ddydd.

Syllu draw ar draws y cwm. Gweld golau car yn troelli'n wyfyn unig lan y ffordd cyn ca'l ei lyncu gan y creigiau tywyll. Gweld y rhaeadr garegog yn disgleirio. Rhaeadr o sêr. Sêr yn winco. Sêr o rew.

Teimlo cryndod. Ias. Cwmwl dros y lleuad, dros y rhaeadr o sêr – a beth ddigwyddai? Fyddai'r sêr yn dadleth? A throi'n hen gerrig diflas, llwyd drachefn? A'r rheini'n dechrau llithro . . . Gan bwyll bach, fesul carreg . . . Ac yna mwy o gerrig, cerrig mwy, yn twmblo, yn llifeirio lawr y llethrau. Câi Gwynfa'i gladdu dan y tonnau trwm.

'Dy hen ddychymyg afiach, Branwen. A ta beth, mogi fydden ni, dim boddi. Wedyn dere 'nôl i'r gwely. Ti'n 'y nghadw i ar ddi-hun.'

Claddu, boddi, mogi, brawd-mogi-yw-tagu. Beth fyddai'r ots? Anadlu'n dod i ben yw marw. A dyna'i diwedd hi.

O ben Waun Bowen.

Fe welwch Gwynfa, a'i ddiffeithwch bach o ardd: coeden fwnci enfawr wrth y talcen pella, tair hen afallen sy'n dal i fwrw'u ffrwyth yn ffyddlon er gwaetha'u hoed, coeden leilac hesb, coeden fythwyrdd dalsyth ym mhob cornel fel milwyr yn gwarchod caer, llwyni celyn a rhododendron. Sgwaryn llwm o lawnt, gwely gwyllt o riwbob wrth y shed, clystyrau o rosmari a theim a mint, hen ŵr yn llercian yn y cysgod wrth y gât ac eiddew a mieri lond y waliau. A phopeth ar drugaredd y ladi wen sy'n eu tagu gan bwyll bach.

Ar anterth haf, fe welwch ferch fach ar ei bola ym mhorfa gras y Waun, yn chwifio hudlath ei dychymyg nes creu Gardd Eden yng ngardd Gwynfa. Myrdd o liwiau llachar: lawnt emrallt, blodau amryliw'r greadigaeth – dahlias, rhosys a chrysanths, lupins, leilac, gladioli tal. Coed yn drwm gan ffrwythau melys, rhesi o bys a ffa; sioe o foron, winwns, cennin – gwell na rhai Selwyn Jones ac Emrys Rees yn eu halotments dros y ffordd. Ac yn goron ar y cyfan, bwndeli o fefus blasus ym mhob twll a chornel. Yn yr hydref byddai'r dail dychmygol ar ei choed dychmygol yn troi eu lliw'n odidog cyn syrthio'n garped trwchus. Yn y gaeaf, gallai greu trwch o eira a'i daenu'n drefnus, fel llun ar garden Nadolig.

Bowen Street: y tai'n ymestyn yn stribyn hir, mwg yn ffrwtian o'u simneiau a siâp ambell H neu X o erial deledu'n crafangu lan i'r awyr. Y tu ôl i'r tai, mae'r gerddi'n dringo'n lleiniau cul a serth rhwng waliau cerrig, eu pridd yn wael a haul y prynhawn yn brin. Does 'na fawr yn ffynnu ynddyn nhw, dim ond llwyni gwydn bocs a grug a phrifet. Does 'na fawr o wyrddni porfa, fawr o flodau, fawr o lysiau. Fawr ddim byd ond concrit. Grisiau'n arwain lan yn serth at lwybr concrit a hwnnw'n arwain at fwy o stepiau a mwy o goncrit nes cyrraedd y tŷ-bach a'r shed neu'r cwt colomennod, a'r gât sy'n arwain i'r gwli cefn. Selwyn Jones ac Emrys Rees, y ddau gymydog rhadlon, y mêts mynwesol, yw'r garddwyr gorau. Mae eu gerddi a'u halotments yn ffinio'i gilydd, a phob blwyddyn fe fydd cystadleuaeth answyddogol rhwng eu dahlias a'u chrysanths, eu Maris Pipers a'u winwns coch. Maen nhw wrth eu rhychau'n gyson, ar benwythnosau a rhwng shifftiau'r pwll. Ac yna mwgyn bach hamddenol a phwyso ar eu rhofiau a rhoi'r byd yn deidi yn ei le. Ac maen nhw ar eu gwyliadwriaeth gyson am ddom ceffyl; y cyntaf mas â'i raw a'i fwced a gaiff yr hawl i'r twmpath stemllyd, maethlon.

'Rag-an-bones! Rag-an-bo-o-nes!'

Billy Bones, sgerbwd bach o geffyl addfwyn, amyneddgar Walter-Aven'-Gorra-Penny Lacey, yn hepian ar ei deircoes, ei ben yn suddo'n is ac yn is o hyd a Walter wrthi'n llwytho'i gart â thrugareddau diwerth.

'Good stuff 'at, my love. Pay you 'alf a crown for it.'

'Sorry, Mrs, just a bob for 'at – it's broken, see?'

'Tha's rubbish thar is, love! Take it off your 'ands for tuppence.'

Sbwriel yw'r cyfan, mewn gwirionedd, a thomen sbwriel fach symudol yw cart gorlawn Walter. Mae'r dyddiau'n llwm ar ôl y Rhyfel; mae defnydd da i bopeth; mae pobol yn ddarbodus, yn gyndyn o daflu dim, yn cwiro pethau, yn cadw pethau'n saff, 'rhag ofon'. I gart Walter neu i lori ludw'r cyngor yr â'r 'rubbish'.

Sut, felly, y gwna Walter unrhyw elw? Sut y mae'n ennill ei fywoliaeth? Cwestiynau dyrys. Drwy wneud dêl â rhywun arall, falle, rhywun a all droi sbwriel yn drysor gwerthfawr. Ond beth a wna Walter â'i sbwriel bob diwetydd? Dyna gwestiwn arall. Gwagio'i gart gan ychwanegu pentwr arall at y mynydd enfawr yn ei iard, a dechrau eto drannoeth? Ble mae ei iard? Ble mae ei gartref? Shanty bach ar ben y mynydd? Mansiwn mawr ym Mro Morgannwg? Ŵyr neb ei fynd-a'i-ddod ysbeidiol. Mae'r cyfan yn ddirgelwch.

''E's a millionaire is Walter! You mark my words!'

'I 'aven' gorra penny, mun!'

Ond ym mhoced ei grys brwnt, gwelwyd, unwaith, amlen frown yn orlawn o bapurau pumpunt. Does ryfedd fod Billy Bones yn nodo'i ben yn braf wrth hepian.

'Pop-an'-orange juice! Pop-an'-orange juice!'

Gweiddi'r bois Corona a thincial eu poteli, a Prince y cawr o geffyl gwedd yn stond-urddasol yn y shafftiau. Mae pawb islaw ei sylw – y llanciau swrth o yrwyr a'r twr cwsmeriaid sy'n heidio i ddewis eu diodydd am yr wythnos.

Un botel bop yr wthnos.

'Na beth o'n i'n 'ga'l. A gofalu dewis un o flas a lliw gwahanol er mwyn neud cymysgedd bach diddorol. O'dd Chol – cherry, orange a limeade – yn felys neis. Dablo – Dandelion-an-Burdock a thwtsh o Lemonade ac Orange – yn fwy wherw. Ond Dabacs o'dd y ffeina – Dandelion-an-Burdock ar ben American Cream Soda. O'n i'n cadw rhesed o boteli ar shilff y gegin-mas. Jyst y peth i whare siop a chaffi a the-parti-bach pen-blwydd. A hospital, wrth gwrs. Hen boteli moddion Wncwl William, a'u llond o bop. Hen bop sur, wedi colli'i ffiz.

Jyst y peth i'w arllwys i'r hen boteli sheri yn y shed. A whare meddwi. Meddwi hapus. Wherthin. Giglo. Pecial. Dim hen feddwi diflas, gorwedd-ar-y-soffa, cysgu-yn-ych-dillad-ganol-y-prynhawn a llefen-torri-calon.

Hen geffyl slei yw Lucky.

Mae gofyn iddo fod. Cic fach sydyn nawr ac yn y man yw ei unig amddiffyniad rhag poenydio cas y plant.

'Flick 'is tail!'

'Flick 'is ears!'

'Make 'im kick!'

'You lay off my 'orse!'

Ei amddiffynnwr a'i boenydiwr pennaf, Frederick Dando, Purveyor of Fresh Fruit and Vegetables.

'Leave the poor bugger alone, you bastards!'

'Mind your language, Dando! In front of all these children! An' weigh 'em carrots proper! Two pounds I want, two pounds I'm gettin', an' no nonsense, right?'

''Em apples 'ave seen a better day, Fred Dando!'

'Same as you, then, Mrs!'

'Look who's talking, you ugly little dwarf!'

A'r hen Lucky'n cael ei bwnad bach arferol gan ei feistr nes ei fod yn gwingo. Gallech dyngu, ambell waith, bod dagrau'n cronni'r tu ôl i'r blincers mawr.

GIRL HAS 'LUCKY' ESCAPE

Little Bronwen Roberts, 7, of Gwynfa, Bowen Street, has a new friend – Lucky the horse! She was shopping with her mother, Mrs Gwenda Roberts, in High Street on Saturday when she apparently slipped off the pavement into the path of local well-known greengrocer Fred Dando's horse and cart. Hero Lucky immediately stopped, and although he reared up in fright, managed to evade Bronwen, who suffered only minor cuts and bruises. Mrs Marjorie Evans, who witnessed the commotion, said that the little girl was right under the horse's hooves. "We all thought he was going to trample her but he didn't," she said. Bronwen was taken to nearby Woolworths Stores where she was given a cup of tea and attended to by local doctor Dr Mal Jenkins. She was also given a complimentary lollipop by Woolworths staff. Dark-haired Mrs Roberts, 41, said that she would always be grateful to Lucky for saving her daughter's life. Proud owner Mr Dando said that Lucky loved children and that it was typical of him to do his best not to trample the little girl. "He deserves a medal," said Mr Dando, "and I gave him an extra helping of hay that night." And what did little Bronwen think of it all? She managed to put a brave face on things and said that Lucky would be her friend for life.

'Moved on 'e 'as, ol' Dando.'
  'Died?'
'Good God, no! Still alive an' kickin' down in Cardiff somewhere, so they say. 'Im an' 'is nasty little 'orse!'
  'Best o' luck to 'im I say. 'E do need a lot o' luck 'e do.'
  'Aye, poor dab, with 'at big lump on 'im the way it is.'
  'Awful sight on 'im.'
  ''Is mother must 'ave loved 'im.'
  ''Ope to 'ell she did.'
  'An' 'at 'orse was dyin' on its feet an' all.'
  'Knacker's yard it needed.'
  'An' ol' Dando too.'

Mynwent fawr y Waun.
  Deugain erw, a ddygwyd, fel y gerddi llwm, o dir Waun Bowen. O ben y Waun fe welwch ei channoedd beddau mewn rhesi hirion, fel rhesi o welyau angau. Bydd y gwyll, neu niwl, neu law, neu'r cyfan gyda'i gilydd, yn cau fel amdo llwyd amdani. Ond ar Sul y Blodau braf fe fydd ar ei gorau, yn gwisgo'i ffrog Gymanfa: clystyrau o flodau lliwgar ar ddefnydd gwyrdd, gwanwynol. Yn y gaeaf, adeg rhew, mae'r cyfan yn disgleirio, a'r beddau'n berlau wedi'u gwnïo ar ffrog briodas. A'r cwm i gyd dan eira, cacen eisin fawr yw'r fynwent, a'r tip glo yr ochr draw i'r afon yn blwm pwdin.

Yng nghysgod y tip hwn fe welwch Cairo Row. Dwsin o fythynnod simsan a fu'n glynu wrth y Foel fel gelod styfnig ond sydd bellach yn dechrau colli'u gafael. Fe'u bolltiwyd, felly, wrth y graig â styllod derw enfawr. Ond does dim pall ar y dadfeilio – na chwaith ar ffydd a gobaith y trigolion y cânt eu symud i gartrefi diogel cyn y llithriad mawr.

Dros y ffordd i Cairo Row mae New Houses Road: stad o dai pre-fab, tai unnos wedi'r-rhyfel. Tai modern a chyfleus; tai dros-dro, parhaol. Mae eu gogoniant aliwminiwn yn dechrau pylu'n barod.

Mae'r strydoedd cul yn ymestyn am filltiroedd lawr y cwm, yn dringo'n simsan dros y llethrau, yn cris-croesi'n gymhleth fel gwe corryn. Yn eu canol, yn teyrnasu dros y toeon a'r simneiau, fel blaenor ar ei draed mewn Sêt Fawr, mae Capel Hebron. I'r dde, New Century Bridge, y tiwbyn hir o bont sy'n croesi'r afon at y parc a'r macyn o gae chwarae. Ac islaw, fel corryn du ar lawr y cwm, Pwll y Waun – ei brif adeilad yng nghanol rhwydwaith o lwybrau a chledrau a phentyrrau anniben o gytiau brics a phren a sinc, ei simne fawr yn chwydu'i mwg yn fygythiol, a'r olwyn windo yn y canol, fel tegan mawr Meccano.

Y Clirians Mowr Blynyddol.

Popeth mas o'r sang-di-fang. Pentwr o drugaredde – hen bapure a chylchgrone, canhwylle, tunie, jarie, potie jam, poteli, bocsys cardbord, rôls o bapur wal, dou fat tennis, dwy ffon hoci, satchel nefi blŵ, trimins Nadolig, sgidie, cotie – a'r cwbwl wedi llwydo. A'r hen Singer, yn segur dan 'i gaead, yn disgwl i Mam-gu ymweld â ni i wneud gwyrthie â hen gyrtens.

'Cyrtens gingham neis! Yn mynd i'r bin! 'Chlywes i 'riôd shwt ddwli!'

A finne'n goffod esgus bod yn falch o'r ffrog fach gingham las, er bod 'na bishyn mowr o'r bodis wedi'i ffado gan yr houl.

O'dd y cwbwl yn un jwmbwl ar lawr y cyntedd. A fy mam yn ishte yn 'i ganol, yn welw, eiddil, 'i gwallt yn hongian dros 'i

27

hwyneb, 'i sgwydde'n grwm. A finne'n ishte ar y staere, yn gafel yn Tabitha. Yn watsho popeth.

A'r olwyn windo ar y ford fach wrth y drws. Fel canhwyllbren fach ar allor. A fy mam yn syllu arni, yn estyn 'i llaw ati, yn 'i thwtsho â bla'n 'i bys, yn ysgafn, yn ofalus. A'i bysedd hir yn troi'r cylch bach bregus rownd a rownd a rownd.

Fe gododd 'i llyged i edrych arna i. Ond o'dd hi'n edrych drwydda i, fel 'sen i ddim 'na. A wedyn fe gododd hi a cherdded mas i'r gegin. A dim gair yn ca'l 'i weud. A finne'n ishte fan'ny ar y staere, yn gafel yn Tabitha, yn dynn fel feis, er mwyn 'i rhwystro rhag mynd a ngadel i. Ond o'dd hi'n gwingo, yn sgramo'n llaw i, ac o'dd rhaid i fi 'i gollwng hi, y gnawes fach, i redeg mas i'r gegin, 'i chwt lan fry.

A 'ngadel i ar ôl. Ar 'y mhen 'yn hunan. 'Mond fi a'r olwyn windo. A'r trugaredde lond y llawr. A'r cloc a'r meter letrig. Toc–toc–toc a tic-tic-tic. A'r llong yn hwylio 'nôl-a-mla'n-a-'nôl-a-mla'n.

Codi. Dechre clirio. Towlu popeth 'nôl i'r sang-di-fang. A chymryd ana'l hir.

Gafel yn yr olwyn windo. 'I chario'n ddeddfol a'i gosod yn ofalus ar yr union shilff. Yr union fan. Yn saff.

A chau drws y sang-di-fang am flwyddyn arall.

'Well-done you!

You're a very tidy little girl! Very concensus in everythin' you do. You're a credit to your Mammy.'

Mae Mattie Well-done wrthi'n esgus sgrwbo llawr y gegin mas. Mae hi eisoes wedi sylwi bod y llestri wedi'u golchi a'u sychu a'u gosod 'nôl yn deidi ar y silff. A nawr fe sylwa ar y pentwr dillad sydd wedi'u rhoi trwy'r mangl, y rhesaid sy'n crasu ar y rac a'r pentwr wedi'u plygu'n barod ar gyfer eu smwddio. Mae hi'n pwyso 'nôl, yn rhwbio'i chefn ac yn codi'i chorpws crwn, sylweddol i fynd i eistedd ar y stôl o flaen y Rayburn.

'My back is 'urtin' somethin' awful. Sitaiaca it is says Dr

Jenkins; got some tablets off 'im yesterday I did. They do make me very dozy, though. An' 'ow's your Mammy? Still in bed? Best place too if she's not well. Thass where I should be an' all. But "Keep Goin', Mattie" – thass my mortar. Time enough to sleep when I'm dead an' buried up the Cem.'

Đoes yma ddim ond tŷ o glai –
mae'r enaid fry yn llawenhau

he exchanged this mortal life
for life immortal

Yr Hyn a Allodd Hon
Hi a'i Gwnaeth

Deigryn hiraeth dreigla'n dawel

Gwerthfawr yng ngolwg yr Arglwydd
yw marwolaeth Ei Saint Ef

Cysgwch hun anwyliaid annwyl
Yn eich lletty tywyll llaith
Cyn bo hir ni ach dilynwn
Buan down i ben y daith

Holy stillness wrapt in sleep

HEDD PERFFAITH HEDD

29

'Nawrte, pawb yn ddistaw!'

Mae hi'n gwthio llond y pram bach llwyd o blantos swnllyd, anystywallt ei dychymyg ar hyd 'Rhododendron Row'.

'Mair! Dim mwy o gonan dwl! 'Sdim sŵn i fod mewn mynwent! A wy'n blino ar y wep fach salw 'na!'

Mae hi'n eu nabod nhw bob un. Mair, y snoben fach, yn achwyn rownd-a-bowt, a hithau'n ysu am roi clatshen ar draws ei hwyneb pert, angylaidd, ond byth yn gneud rhag cracio'r porcelain. Doli Ddu ddrygionus; Tedi unllygeidiog yn growlo'n gas nes cael ei ffordd; Goli'n dwp fel slej yn pallu gwrando dim; a Siani Jên, â'i photel yn ei cheg, yn pisho ar ei thraws â'r gwasgiad lleia ar ei bola.

'Y groten ddrwg! Dere 'ma i wisgo cewyn! Nawr bihafiwch, bawb!'

Dewis bedd, mynd i eistedd yn gylch bach hapus rownd y potyn blodau. Y llestri te bach plastig, teboted o ddŵr brown o dap y mortuary; porfa, pridd a deiliach ar y platiau, concers yn yr hydref, aeron lliwgar gefn gaeaf. A photelaid o bop coch a ginger nuts a bara-menyn-a-banana y byddai wedi llwyddo i'w smyglo mas o'r tŷ.

'Reit 'te, dewch i whare steddfod! A'r cystadleuydd cynta yw Miss Siani Jên Roberts! I adrodd "Dysgu Tedi". Dewch ymlaen i'r llwyfan, Siani Jên. A phawb i wrando'n astud! Rhaid cael perffaith chwarae teg i bob ymgeisydd!'

A Siani Jên yn pwyso'n simsan yn erbyn y pot blodau.

'Sefwch lan yn strêt! Dim pwyso! Dewch!'

A Siani Jên yn clirio'i llwnc a dechrau arni . . .

'"Nawr Tedi paid â siarad a phaid ag edrych draw oes raid i mi dy guro di â chansen ar dy law? O Tedi gest ti ddolur paid â llefen dyna . . . Paid â llefen dyna . . ." Stop! For shêm, Siani Jên! Wedi anghofio'r geirie'r groten ddrwg! Ma'n rhaid eich torri chi mas o'r gystadleuaeth! Ewch chi 'nôl i ishte. A dim pisho! A'r nesa yw Miss Doli Jingl i adrodd "Lle Bach Tlws". Dewch i'r llwyfan, Doli . . .'

A Doli'n ysgwyd ei jingilarins wrth adrodd yn llawn egni.

'"Mae yno goed yn tyfu o gwmpas y lle bach tlws a mwclis o ddail ar y brigau yn union 'run fath â drws." Stop! Ma'r geirie wedi'u drysu i gyd! Shwt allith mwclis fod fel drws, yr hen groten dwp! A ta beth o'ch chi'n mynd fel trên! Yn llawer rhy gyflym! Ewch 'nôl i'ch sedd! Wel! Neb yn deilwng yw hi yn y gystadleuaeth yna! Neb wedi ennill y rhuban bach coch a thystygrif i'w rhoi ar y wal! A fydd 'ych enwe chi ddim yn y *Western Mail* na'r *Cymro* na'r *Cwm Leader*! Ond 'na fe, beth allwch chi ddisgw'l 'da penne defed! Reit 'te, yr Unawd Bariton sy nesa – a'r cyntaf ar y llwyfan fydd Mr Tedi Brown. Ac ar 'i ôl e, Mr Goli Black. Ac i gau'r eisteddfod fe gawn ni'r Anthem Genedlaethol yn cael ei chanu gan Miss Mair Callas.'

Canu nes dihuno'r meirw.

Mewn ffordd o siarad.

Beddau'n derasau o dai-bach-twt cysurlon.

Llyfnder y rhai newydd yn disgleirio'n wydraidd yn yr haul. Gallwch weld eich llun ynddynt; gallwch orwedd ar y garreg gynnes, bolaheulo, teimlo anwes mwyn yr haul. Edrych lan i'r awyr las, gweld camel yn y cymylau, arth ac eliffant a jiráff, ceffyl, cawr, dyn eira ganol haf. Adar to'n heidio'n watwarus uwch eich pen; colomen ddof yn cylchu cyn dychwelyd 'nôl i'w chwt, brân ddu, swnllyd yn cwrso neidr wen awyren.

A'r hen demlau mawr o farmor coch neu wenithfaen llwyd, eu hurddas a'u hysgrifen wedi'u treulio gan y tywydd, ond eu stepiau a'u pileri a'u cilfachau cudd yn creu stafelloedd bach cyfleus.

A'r hen, hen rai ... ENTRANCE wedi'i gerfio ar eu talcenni, ambell ENTRANCE yn gilagored, yn llawn temtasiwn, yn denu rhywun mewn i'w ddyfnder llaith a thywyll, hyd yn oed ar anterth haul yr haf. Gallwch ddrewi'r perygl, synhwyro'r gwyro simsan, clywed eco oer eich llais. A synau rhyfedd – siffrwd, shyfflo; crafu pryfed, mwydod a chorynnod; sŵn pridd a cherrig rhydd yn shiffto. Rheini yw'r trigfannau – y cuddfannau – gorau.

Bedd o lechen lwyd.

Yng nghornel pella'r fynwent, yng nghysgod y wal gerrig. Bedd y teulu bach, John a Mary Hughes a Jane eu merch. Mae'r cofnod wedi hen, hen bylu, yn anodd iawn ei ddarllen. Ond mae ganddi gopi stensil ar rimynnau o bapur toilet. O'u rhoi'n ofalus at ei gilydd ar y borfa gallwch ddarllen y manylion trist. John yn marw'n ddeugain oed yn 1895, Mary dri mis wedyn a Jane chweblwydd ymhen y flwyddyn. Beth oedd eu stori? Beth oedd eu salwch a'u torcalon? A ddaeth Jane yn groten fach yn llaw ei mam i roi blodau ar fedd ei thad? Pwy afaelodd yn ei llaw i roi blodau ar fedd y ddau? Pwy fu'n ei gwarchod y flwyddyn ola honno? Pwy benderfynodd naddu *THREE OF THE BEST* ar eu carreg fedd?

Bedde, marwolaethe, pethe trist.

'Na beth o'dd yn llenwi 'mhen i'r dyddie hynny. A'r gân drista yn y byd i gyd, ne' fel'ny o'n i'n credu ar y pryd. Mam-gu wrth y piano, 'i bysedd gwythiennog yn bwrw'r node, fy mam yn sefyll tu ôl iddi, yn pwyso arni, a lleisie'r ddwy'n grynedig.

'Rest your head on my shoulder, Mammy,

Turn your face to the west,

Look beyond the heavens, Mammy,

To the place where Daddy loved best.'

A'r ddwy'n llefen. A Mam-gu'n gafel yndo i'n sydyn a 'ngwasgu'n dynn cyn rhedeg mas i'r gegin. A fy mam yn edrych arna i â golwg ryfedd ar 'i hwyneb cyn troi a mynd drw'r drws a lan y staere. A 'ngadel i ar 'y mhen 'yn hunan.

A finne'n jengid mas i'r fynwent. A theimlo'n berffeth hapus, yn gysurus, saff ymhlith y bedde – pwy fedd bynnag fydde'n digwydd bod yn ffefryn, yng nghwmi pwy fforddolyn bynnag fydde'n cerdded hibo yn 'y mhen.

'Lovely day today!'

Troi'n wyneb at yr haul, anwybyddu'r bobol cig-a-gwa'd, rheini o'dd yn codi'u haelie a siglo'u penne.

'Creepy place for a little girl to come an' play.'

'Funny little girl she is . . .'

Mynd i gwato adeg storom. Cripan miwn i hen, hen fedd. Clywed drip-drip-drip y glaw uwchben, rwmblan taran yn y pellter.

Fi a'r teulu bach – John a Jane a Mary, yn 'yn bedd. Neb yn dannod, neb yn holi. Neb yn becso'r dam.

Hedd perffeth hedd.

'An' whassa pretty little girl like you doin' 'idin' in a grave?'

Hen wahadden fawr. Ysgwyddau llydan yn cuddio golau'r haul. Llygaid bach yn gwibio rownd i bobman, yn sylwi ar y llestri te a'r plantos; trwyn pigfain yn twitsho, twitsho. Dannedd melyn. Dau ddant cam.

'Dangerous, you know! This big ol' piece o' marble fallin' down on top o' you. It could 'urt you! Kill you, even!'

Pam na eith e o 'ma?

Mynd i dorri mwy o fedde. Mynd i gladdu mwy o bobol. Mynd am smôc a dishgled 'da'r lleill, draw ar bwys y mort ble o'n nhw gynne. Pam na eith e atyn nhw? A gadel llonydd i ni whare?

'Do your Mammy know you're 'ere? A little girl like you, playin' on your own? An' in a cemetery?'

Sychu'i ddwylo yn 'i grys a'u hestyn ata i. Dwylo fel dwy raw. Blewiach tywyll, bysedd brown gan bridd.

'You come on out o' there. It's no place for little children. You should be down the park with all the others. Playin' on the swings an' things.'

Dwy raw yn estyn. Yn dod amdana i. Yn gafel dan 'y mreichie. Dechre halio.

'Come on, now, lovely . . .'

'Na! Pidwch! Cerwch!'

'Sorry, lovely. Can't talk no Welsh. You – speak – a – little – bit – of – English?'

A finne'n edrych arno'n syn, yn esgus bod yn dwp.

'Hey, Bob, mun – come by 'ere! Come an' talk in Welsh! This little girl don' talk no English!'

A hen ddyn drewllyd arall yn dod i bipo arna i.

'Now then, bach, this is Mr Jones – Bob – Bob Go-fetch to 'is friends. Nice 'e is an' 'e can talk good Welsh an' all – proper North Walian Welsh. Tell 'er, Bob – saw the doll's pram I did, parked by there. Tell 'er you'll take 'er 'ome . . .'

'Be 'di'r matar del a be ti'n neud yn fa'ma a rŵan rŵan paid â chrio a tyd ti efo Bob a phaid â phoeni dim amdano fo'r hen rwdlyn gwirion.'

A finne'n deall dim ond ambell air.

'Tyd o 'na del. 'Dan ni'n dallt ein gilydd 'tydan er 'mod i o'r North a chdi o'r Sowth. A dwi'n gwbod lle ti'n byw yn Gwynfa'n te? I know which house she lives in Tal, the big house end of Bowen Street. Mattie goes there every now-an'-then to help around the house. I'll take her home at once. A rŵan tyd ti efo Bob. Ac wyt ti'n nabod Mattie, 'dwyt? Rŵan gafael yn y dolis yli a'r tedi bach a'r goli dyna ni a'r pram mi awn ni rŵan a phaid â strancio mi fydd dy fam yn chwilio ym mhob twll a chornal amdanat poeni methu dallt lle wyt ti hogan fach fel ti.'

Ond do'dd hi'n becso mo'r dam. Shwt alle hi, a hithe'n cysgu'n sownd?

'I'll borrow you my gun, I will.

If you come an' play with me an' be my friend.'

Dau lygad glas drwy dyllau mwgwd du, yn pipo mewn drwy'r gât. A'r cudyn aur yn twmblo dros ei dalcen. Mae e'n gwthio pecyn bach drwy'r bariau.

'An' I'll give you all 'ese caps as well – for nothin'. You

can be a cowgirl, an' I'll teach you 'ow to shoot an' you can 'elp me catch the Injuns.'

Mae hi'n oedi, yn edrych lan at ffenest y stafell wely, yn gweld y llenni wedi'u cau.

'Or you can be Tonto, my trusted friend.'

Mae hi'n dal i oedi . . .

'Come on, mun! I got no company today. The others 'ave gone up the Foel without me. Wouldn't take me with 'em.'

Eiliad arall o betruso – ac yna mae hi'n agor y gât yn ofalus rhag iddi wichian ac mae'r ddau'n carlamu ar draws y ffordd i gyfeiriad wal y Waun.

'I'm Lone Ranger an' my 'orse's name is Silver! What's yours called?'

'Dunno – Dobbin?'

'Dobbin!? What kind o' name is 'at on a bloody 'orse? Call 'im a proper name like Troy or Star or Sandy.'

'Allright, I'll call him Gwyn because he's white.'

'You can't!'

'Why not?'

''Cos issa silly name an' all, an' 'cos my Silver's white an' we can't 'ave two white 'orses, an' anyway girls don' ride white 'orses! Only Lone Ranger or princes in shinin' armour.'

'Well that's not fair.'

'All right 'en – we'll play princes an' princesses an' I'm the 'ansome prince an' you're the beautiful princess . . .'

Mae ei gwên yn werth ei gweld . . .

'Allright then, cleversticks – your name is Pwyll and I'm Rhiannon and I ride a big white horse and you never catch me!'

. . . A'i grychu talcen yntau.

'Sounds a silly game to me . . . Silly names an' all. Lessplay somethin' else.'

'Allright – but I'm the chooser . . .'

'Just this once!'

Mae hi'n gwenu eto, wedi cael blas ar fod yn fòs y gêm o'r diwedd . . .

'Let's play ghosts . . .'

Mae hi'n troi ei llygaid i gyfeiriad Tyddyn Bowen . . .

'. . . up the ruined house . . .'

Mae ei lygaid yntau'n troi i'r un cyfeiriad, yn disgleirio'n las rhwng tyllau'r mwgwd du.

'Lessgo! An' last one's there's a baby!'

YR HEN FURDDIN

Mae ei waliai wedi syrthio at y llawr a'r to hefyd. Mae drain ac eiddew'n tyfi dros y cerrig a'r preniai. Does dim drws na ffenestri dim ond y tyllai lle roeddent arfer bod. Mae sŵn rhyfedd yno. Dim dim ond brain a defaid a'r gwynt yn chwythi drwy'r dail a brigau'r coed ond sŵn arall hefyd. Sŵn dim byd. Ystyr "sŵn dim byd" yw sŵn gwag, sŵn pethai wedi mynd ar goll, a phobl hefyd. Maen't yn dal i wneud sŵn yn eich pen er bod dim sŵn i gael. Mae murddin yn gallu bod yn lle peryglis iawn. Ni ddylai plant fynd yno i chwarae. Ond mae rhai plant drwg yn mynd yno siŵr o fod heb i'w mamai wybod.

'Ydi dy fam yn gwbod dy fod ti yma heddiw?'

'Ody.'

'Dy fod ti'n chwarae yma byth a hefyd?'

'Ody!'

Mae Bob yn gwthio'i gap-a-phig oddi ar ei dalcen ac yn arllwys te o'i thermos yn hamddenol.

'Mae hi'n hapus bod 'i hogan bach yn chwara ar 'i phen 'i hun mewn mynwant?'

'Wrth gwrs 'i bod hi!'

Troi'r papur rownd y baco shag â'i fysedd priddllyd. Poeri arno a'i osod y tu ôl i'w glust.

'A dyna'r gwir?'

'Cris-croes-tân-poeth!'

Codi'i aeliau blew coconyt a siglo'i ben yn drist.

'Ti'n deud celwydd. Dwi'n medru deud. A dwi'n gwbod y basa hi'n flin, 'yn basa, druan?'

'Ma' hi'n blino lot.'

'Yn flin – nid blino – yr Hwntw wirion!'

'Ody pawb sy'n dod o'r North yn siarad fel'na – yn od i gyd?'

'Hogan glyfar! Yn troi'r stori fatha cath yn badall!'

'Wel? Odyn nhw?'

'Ydan, tad. 'Nenwedig Cofis dre.'

'Pwy?'

'Hogia tre C'narfon. Hiraeth garw gin i, cofia. Hiraeth garw . . .'

A Bob yn syllu draw i'r pellter.

'Fan'na y cethoch chi'ch enw – Bob Go-fetch?'

'Naci, naci . . . Naci tad . . .'

Mae Bob yn sychu deigryn bach o dan ei lygad, yn arllwys gwaddod ei gwpan de i'r pridd ac yn mwmblan rhywbeth am fynd 'nôl i weithio.

'An' who's a pretty boy?'

'Joey Pretty Boy! Joey Pretty Boy!'

Mae'r budgie glas yn neidio 'nôl a mlaen yn ffrantig yn ei gaetsh.

'Good boy, Joey. Now then, Bob – go fetch a cup-o'-tea.'

Mae Bob yn codi'n ufudd a diflannu mas i'r gegin.

'An' fetch a glass-o'-pop for the little one by 'ere an' all. An' tell 'at dog to stop 'is barkin'!'

'Bydd ddistaw, Lad!'

'Tell 'im proper! So 'e'll understand!'

'Quiet, Lad!'

Tawelwch yn lle'r cyfarth ffrantig o'r iard gefn.

'Thank God for 'at!'

Mae Mattie'n rhoi ei gweu o'r neilltu ac yn plethu'i breichiau tew.

'Right, Madam Patti, do your Mammy know you're 'ere?'

'Yes.'

'You sure?'

'Yes!

'She do know about you goin' down the cem to play an' all? With 'at dolls pram o' yours?'

'I don't go there any more.'

'Good. I'm glad to 'ear it. Frightened our poor Bob you did. Right out of 'is skin, poor dab. 'Idin in 'at grave.'

'Playing I was, not hiding.'

'On your own? In a grave?'

'I like it on my own.'

'Funny little girl you are. Less see whass on the telly.'

Mae hi'n shyfflo at y television, yn ffidlo'n ddiamynedd â'r nobyn, yn twt-twt-twtian.

'Oh, this borin' *Brains Trust*! Ol' Doctor Bronowski an' all 'em. They should give us somethin' more excitin' on a Sunday evenin'. But there's *Wassmyline* after. Gilbert 'Ardin's good 'e is. 'E do say whass on 'is mind. Isobel Barnet's good an' all, although she's 'oity-toit. Don' like 'er Barbara Kelly, though. American she is.'

'Canadian, Mattie . . .'

'Bob – she can come from Timbuktu for all I care! I still don' like 'er dangly earrins.'

Mae hi'n tawelu'r drafodaeth ar y sgrin cyn ailafael yn ei gweu a sinco fel morfiles mewn i'r soffa. A daw Bob â'r ddishgled de a'r pop.

'Well done, Bob. An' who's a pretty boy, then, Joey?'

'Joey Pretty Boy!'

Mae Doctor Bronowski'n plethu'i fysedd ac amneidio'i ben yn ddoeth.

'Come on Bronowski, mun! Gerra move on! 'E do dant me somethin' awful! 'E do talk so blwmin' slow!'

'He's Polish, Mattie. He doesn't talk much English – same as me.'

'Bob – you got enough to say! Too much, if you ask me! Now go an' sit down quiet!'

Mae Bob yn mynd i'w gornel wrth y drws ac yn sibrwd wrth Joey Pretty Boy.

'A phwy sy'n hogyn del?'

Mae Joey'n troi ei ben i bipo'n gam drwy farie'i gaetsh.

'Tyd – pwy sy'n hogyn del?'

Yn sydyn mae Joey Pretty Boy yn ysgwyd ei adenydd glas a phigo'i hunan yn y gwydr bach yn ffyrnig nes bod y gloch yn canu tincl-tincl a'r hadau yn y cafn yn tasgu dros y caetsh.

'Bob! You upsettin' 'im again? Speakin' Welsh to 'im you are! You always do – to 'im an' 'at bloody dog!'

A Bob yn syllu ar ei ddwylo.

''Ow many times 'ave I got to tell you, Bob?'

A Doctor Bronowski'n ysgwyd ei ben yn ddigalon. A Beryl yn ymddangos yn ei ffrog frocêd a'i sodlau main a'i phersawr.

'Tell 'im wha' now, Mam? Oh, don' bother. I'm off out.'

'Out where?'

'Just out.'

'In your best dress? I know your game – you're goin' out with Whassisname.'

''Is name is Errol.'

'Well you look after yourself with 'im. An' you do know my meanin'. Nice young girls like you are very suspectable! An' don' you come back late!'

'An' don' you nag me, Mam!'

'No cheek from you, my girl, or else your father'll use 'is strap on you!'

Mae Beryl yn taflu un edrychiad o sarhad – neu dosturi, falle – at ei thad cyn swisho mas drwy'r drws a'i gau yn glep. A dim o'i hôl ond gwynt ei phersawr.

'Tha' girl'll be the death o' me.'

A Mattie'n gafael yn ei gweu a Joey Pretty Boy yn rhoi'i ben bach glas yn nwfn ei blu. A Bob yn eistedd yn ei gornel wrth y drws yn syllu ar ei ddwylo.

'So this little one don' go playin' down the cem no more. Tha' right, Bob?'

A Bob yn codi'i ben.

Yn gwenu arna i fel haul y bore.

'No, I haven't seen her lately, Mattie.'

A finne'n gwenu 'nôl. A Doctor Bronowski'n gwenu hefyd a gweud 'Good night, until next week'. A Mattie'n codi ac yn shyfflo i droi'r volume lan yn uwch.

'An' goodbye to you an' all, you borin' farts – 'scuse my language. An' good riddance to bad rubbish. Right, *Wassmyline* is comin' now. Good old Eamonn. Very amable 'e is like all the Irish. An' then we'll 'ave *The Black-an'-White-Minstrels* – good they are 'em negroes with big white eyes. Just like miners down Waun colliery they are – eh, Bob? Bob! Are you lisnin' to me?'

'Yes, I'm listening, Matt.'

'Well go fetch another cup-o'-tea. An' more pop for the little one.'

'Diolch, Bob.'

'Croeso'n tad . . .'

A dagre'n llenwi'i lyged e.

Well done, 'rhen Bob. O'dd e'n werth y byd.

Rwy'n dwli ar Mr a Mrs Bob a Mati Jones.
Rwy'n cael mynd i'w tŷ nhw ac eistedd ar ei soffa ac edrych ar ei television a chwarae gyda Lad ei ci a Joey ei byji

glas. Wel, nid wyf yn chwarae gyda Joey gan ei fod mewn cej ond rwy'n hoffi edrych arno'n neidio o un ochr i'r llall a throi ei ben fel petai'n gwrando ac yn siarad. Mae e'n gallu siarad tipyn bach a dweud "Joey Preti Boy" ac mae Mr Bob Jones yn trio dysgi Cymraeg iddo ond nid yw Mrs Mati Jones yn hoffi hynny. Rwy'n hoffi ei tŷ nhw er ei fod yn aniben tost ac mae popeth yn cael ei stwffio tu ôl i'r cwshins neu tu cefn i'r soffa neu o dan y ford ac mae ei bathrwm newidd yn llawn mess a'r bath yn llawn o ddillad a sachau glo a choed tân. Mae ei tŷ yn Tyle Hir Street sydd yn serth iawn ac fe gefais sioc wrth fynd mewn i'r tŷ am y tro cyntaf gan fy mod yn meddwl y byddai'r llawr yn slopo a'r dodrefn yn sleido am fod y tŷ'n slopo ar y tu allan. (Beth yw'r gair Cymraeg am "slopo"? bydd rhaid i fi ofyn i Mami.) Beth bynnag nid yw'r llawr yn slopo y tu fewn i'r tŷ ond mae rhai o'r waliau'n gam i gyd. "Sybsidi" mae Mrs Mati Jones yn ei alw. Bydd rhaid i fi ofyn i Mami beth yw hynny hefyd.

'Ble fuest ti, Branwen?'
    Ei llygaid yn llawn cyhuddiad.
    'Dim unman. Pam?'
    'Wy'n dy nabod di, 'na pam! A wy'n gofyn 'to – ble fuest ti? Ers orie!'

'Mas y bac yn whare.'

'Chlywes i mohonot ti.'

'O't ti'n cysgu.'

'Ond wy ar ddi-hun ers amser.'

'Es i lawr y basement. Darllen yr hen gomics a magazines . . .'

'Cylchgrone, Branwen.'

'. . . A whare gwisgo-lan – y dillad sy'n y bocs. Whare danso a priodas a conserts.'

'Ma' dy iaith di'n wallus iawn y dyddie hyn.'

'A wedyn es i mas i'r ardd i whare 'da Tabitha. Ti'n teimlo'n well erbyn hyn? Licet ti ddishgled fach o de?'

'Ti'n gamster ar droi'r gath yn 'badell, Branwen. Ond 'na fe, ma' raid i fi dy gredu di. A 'sdim rheswm 'da fi bido – o's e?'

'A beth am bishyn bach o dost?'

'Iawn. Diolch iti, Branwen. Ti'n groten dda i dy fam.'

'A Mami – beth yw "slôpo" yn Gymra'g?'

Do'dd dim syniad 'da hi.

'Mod i'n galw hibo i Bob a Mattie, yn ca'l edrych ar 'u television, yn ca'l mynd â Lad am wâc i ben y Waun. 'Mod i'n whare'n hapus ar 'y mhen 'yn hunan yn y fynwent, yn ffrinds â Jonathan o Cairo Row a'n bod ni'n cwrdd yn amal ar y slei a mynd i whare lawr y bancin, wrth yr afon, lan y Waun a Phen-y-cwm a'r Foel – llefydd digon pell o Gwynfa.

'Lessplay climbin' Everest.

I'm Sir Edmund 'Illary an' you are my faithful companion Sherpa Tenzing. Saw them on the television. Their beards all drippin' snow an' ice. Good it was.'

'No . . .'

'Come on, good game it is. I can tie my 'anky on a stick, like 'is, put it up the rock by there, let it be the Union Jack.

Come on Tenzing! Lessconquer Everest! The 'ighest bloody mountain in the bloody world!'

'No!'

'You are borin', you are. I may as well go back 'ome an' play with my big brothers.'

'No! We'll play another game.'

'Okay then, doctors-an-nurses an' I'm the doctor an' you're the patient or the nurse.'

'No, I'm the doctor.'

'No girls are doctors, mun!'

'Yes they are.'

'Who says?'

'My Wncwl William says.'

'Who's 'e when 'e's at 'ome?'

'My uncle. Works down Cardiff, in the hospital.'

'Don' care who 'e bloody is. You'll 'ave to be the bloody nurse or the bloody patient or else no bloody game.'

'All right! No need to swear! I'm the patient.'

'Right – this patch o' ground by 'ere's the surgery. This rock by 'ere's my desk. You sit by there, I'll sit by 'ere. Right, less see now, Mrs Roberts, whass bad with you today?'

'My little finger, Doctor Meades.'

'Bloody borin', mun! 'Ave a bad bum or somethin' good like 'at! I know, bad tits. More fun in 'em there is.'

'No, I'll have a bad bwtwn bola . . .'

'Bloody 'ell, thass silly! No one do 'ave a bad belly button, mun!'

'They do!'

'They don'!'

'I don't like this game. Let's play tŷ-bach-twt instead. Tidy house it is.'

'I know, you told me lots o' times. An' I told you – girls' game it is.'

'No it's not.'

'Okay, then, I'll be Dad an' you be Mam. But we got no bloody kids.'

'I should have brought my dolls.'

'Too late, too far. An' anyway boys don' play with dolls. Specially ones with funny names like yours.'

'Nice names, Mair and Siani Jên.'

'They're worse than yours, even!'

'You cheeky chops!'

'Why don' you call 'em proper names like Jean or Jacqueline? My Mam's Jean, my sister's Jacqueline. An' whass your black one's name?'

'Doli.'

'Stupid! She's gorro 'ave a proper name!'

'Allright, I'll call her Cheryl. But my Mami won't like it.'

'Tell your Mammy to go to 'ell. An' anyway, why don' she let me in your 'ouse?'

'She doesn't like strangers.'

O'n nhw'n gwlwm ar y soffa.

Fe ddes i miwn i'r tŷ ar flaene 'nhra'd, fel arfer, a siarso'r plantos i fod yn dawel. Tynnu'n sgidie a'u gadel wrth ddrws y cefen. Llusgo'r pram bach llwyd bwmp-di-bwmp a'i barco wrth y Rayburn. Dwy res frown, clai o'r fynwent, fel rheilffordd ar draws y leino. Cydio mewn clwtyn o'r cwpwrdd-dan-y-sinc a'u sychu'n lân. Tynnu'r plantos mas o'r pram a'u rhoi i bwyso ar 'i gilydd ar y ford. Wyneb rwber Siani Jên yn jamllyd – 'Gei di fynd i'r bath, meiledi!' a phawenne Tedi'n frwnt – 'A Tedi, aros di, gw-boi, fe sgwria i'r pawenne 'na nes bo' nhw'n sheino!' A thrw'r amser o'dd Tabitha'n swnan isie bwyd, yn canu grwndi'n ffrantig rownd 'y nghoese.

'Olreit! Dal sownd!'

Agor tun, rhoi lwmpyn o'r stwff afiach yn 'i soser, golchi 'nwylo dan y tap, tynnu 'nghot o'r diwedd a'i hongian ar y bachyn tu ôl i'r drws.

A gwrando.

Dim byd ond byta swnllyd yr hen gath bob yn ail â'i chanu

grwndi, a drip-drip-drip y tap. Mynd ar flaene 'nhra'd drw'r drws i'r cyntedd.

Tywyll.

Tawel.

Clywed sibrwd.

Sŵn bach arall.

Fel 'se rhywun yn joio byta rhwbeth neis.

Drws y stafell ffrynt yn gilagored.

Rhoi gole'r cyntedd 'mla'n.

Clic.

'Sh!'

Hwpo'r drws â bla'n 'y mys.

Gweld sgert y ffrog, yr un las, yr un brynodd hi yn Pollecoffs, Aberystwyth. Gweld 'i gwallt fel rhaeadr ddu dros fraich y soffa . . . Gweld bysedd hir yn clymu am 'i gwegil . . .

'Cer o 'ma, Branwen!'

Stop.

Noson hir, aflonydd . . .

Gorfod godde'r troi a'r trosi, y codi mas o'r gwely, yr ymddiheuro gwag, truenus – 'Sori, Branwen, ffaelu cysgu'; y llithro fel cysgod mas i'r landin a lawr y staere; y potran yn y gegin – llanw'r tegell, agor cwpwrdd, tinc-tinc-tinc y llestri te a'r botel laeth a'r llwyau, tincl gwydrau a photeli; sŵn drws y cefn yn agor ac yn cau a thraed yn crafu'r graean.

Y cerdded 'nôl a mlaen ar hyd y llwybr, 'nôl-a-mlaen-a-'nôl-a-mlaen. Y gât yn gwichian; sŵn traed yn croesi'r ffordd.

A'r tawelwch hir – heblaw am synau pell y nos. Rhygnu cyson Pwll y Waun – peiriannau, lorïau, trenau'n shyntio cyn cychwyn ar y siwrnai lawr y cwm; lleisiau dynion y shifft nos, cyfarth ci, mewian cwrcath lawr y gwli, brefiad ambell ddafad, hwtian gwdihŵ ac udo cadno ar y Waun.

Does dim rhaid codi i edrych mas drwy'r ffenest; mae hi'n gweld y darlun yn ei phen. Y ddrychiolaeth droednoeth wrth y wal, ei gwydr sheri yn ei llaw, yn tynnu ar ei sigarét a chwythu'r mwg yn gylchoedd draw at ffurf annelwig y Foel Ddu. Y gwallt yn wyllt, yn sypyn dros ei llygaid, gwynder ei siol a'i gŵn-nos satin yn felyn yng ngolau'r lamp a'i hwyneb hardd yn wrachaidd annaearol. Y llygaid gwag yn cael eu tynnu at oleuadau'r pwll ac at y lleuad lawn fel lantern rhwng brigau'r goeden fwnci.

A'r ddelw'n troi, yn syllu draw at Gwynfa, fel petai'n chwilio, chwilio'n ddyfal. Am rywbeth. Neu am rywun.

Allwn i ddim mentro edrych mas drw'r ffenest.

Rhag ofon iddi 'ngweld i. Rhag ofon i fi darfu arni. A do'dd dim hawl 'da fi neud hynny. A ta beth, o'dd ofon arna i. Nes bod 'y mola'n dost. Nes o'n i'n whys drabŵd o dan yr eiderdown.

O'dd hi'n ca'l y pwle hyn yn amal. A finne wedi mentro pipo arni sawlgweth. A hithe wedi sylwi arna i unweth. Dim ond unweth.

Noson stormus o'dd hi, a finne'n agor crac bach yn y cyrtens. 'I gweld hi o dan y lamp, y gwynt yn gafel yn 'i gwallt, yn hwthu'i gŵn-nos a'i siol. A fe gofia i am byth beth 'na'th hi. Edrych lan a 'ngweld i, codi llaw a thowlu cusan. A gwenu arna i. A finne'n gwbod 'i bod hi'n llefen. Yn gallu gweld y dagre ar 'i boche. Fel diferion glaw yn sheino'n felyn. Fe ga'th hi berffeth lonydd 'da fi 'ddar y nosweth honno.

Ar noswaeth oer y dieithryn ar y soffa fe lwyddes i fynd 'nôl i slwmbran. A dihuno i glywed y cloc yn taro tri. A Kathleen Ferrier yn y stafell ffrynt.

'What is life, to me, without thee?
What is left if thou art dead?
What is life, life without you,
What is life without my love?'

Es i lawr yn dawel fach. O'dd hi'n cysgu ar y llawr. Fel

angel. Os yw angylion yn cwrlo lan yn dynn a hwrnu'n ysgafn a rhoi ochened fach bob hyn a hyn. O'dd y stafell yn oer, y tân wedi hen ddiffodd. Ashtray gorlawn a phecyn gwag o sigaréts, a gwydr sheri wedi moelyd dros y carped.

'What is life, to me, without you,
What is left if thou art dead?'

'Na beth o'dd Kathleen Ferrier yn 'i ganu. Fe gofia i tra bydda i. Y llais fel cloch – na, fel cnul yr eglwys. Y geirie trist affwysol, y crafiade ar y record. Crafu, crafu trwydda i. Nes o'n i'n crynu. Cryndod tristwch. Unigrwydd. Ofon.

O'n i isie gweiddi mas. Boddi'r llais.

'What is left? I'll tell you what is bloody left! Me, me, me! Fi! Fi! Fi! Branwen Dyddgu Roberts!'

Ond 'nes i ddim. Dim ond sefyll 'na, yn dawel, ddiymadferth. Ddim yn gwbod beth i neud. Ddim yn gwbod ble i droi. O'n i isie'i shiglo hi, 'i dihuno hi, 'i gorfodi hi i blydi codi a mynd lan i'r blydi gwely'n deidi. Bihafio. Bod yn normal fel pawb arall. Bod yn Fami iawn fel Mamis pobol erill.

O'n i wedi mentro unweth. Gafel yndi. 'I dihuno. 'I thynnu lan o'r soffa. A o'dd hi wedi gwylltu'n gacwn. Wedi troi arna i a gweiddi 'Cer o 'ma, Branwen! Minda di dy fusnes!' A wedyn o'dd hi wedi tano sigarét, yfed rhagor o sheri a gwrando ar ragor o ganeuon trist.

Fe steddes i ar y llawr. A syllu arni. A physlan beth i neud. Mynd i orwedd ar 'i phwys hi, falle. Moyn carthen a'i rhoi amdani, amdanon ni'n dwy, yn gynnes neis. Cwtsho, cysgu 'da hi nes y bydde hi'n dihuno'n sydyn a chodi ar 'i thra'd â'r olwg wyllt arferol ar 'i hwyneb. A wedyn fe nelen i ddishgled fach o de iddi. Pishyn bach o fara-menyn-marmalêd.

Ond y cwbwl o'n i'n gallu'i neud o'dd edrych arni. A'i gweld mor bert. Mor drist. Mor fregus. A thrio pido llefen. A thrio pido gwrando ar y blydi gramophone yn crafu.

'Down by the Salley Gardens, my love and I did stand.
And on my leaning shoulder she laid her snow white hand.
She bid me take love easy, as the leaves grow on the tree;
But I being young and foolish, with her would not agree.'

Blydi Yeats. Blydi Kathleen Ferrier. Blydi tristwch a galar a thorcalon. Fues i jyst â diffodd y gramophone, torri'r blydi record yn ddarne mân. Fues i jyst â rhoi blydi clatshen iddi, neud iddi blydi gwrando. Gweiddi arni.

'Beth ddiawl wyt ti'n neud fan hyn am dri o'r gloch y bore? Yn y gwely ddylet ti fod! Yn cysgu! A finne hefyd! Dere! Cwyd! Cer lan i'r gwely! Nawr!'

Ond 'nes i ddim. Dim ond sefyll. Syllu ar 'i hwyneb porcelain . . . A chofio'n sydyn am y plantos ar ford y gegin. Es i mas i'w moyn nhw a'u cario lan y staere a'u rhoi i gysgu ar y gwely sbâr. A wedyn es i 'nôl i'r gwely mowr. Y gwely gwag. I gwato. I roi'r dillad dros 'y mhen rhag blwmin Kathleen Ferrier. Ond o'dd 'i llais hi'n dala yn 'y mhen.

'She bid me take life easy, as the grass grows on the weirs;
But I was young and foolish, and now am full of tears.'

Trio pido llefen. Codi, mynd i orwedd ar y gwely sbâr. Gyda'r plantos. A'u cwtsho'n dynn. A llefen-torri-calon . . .

'Ma beth ddylwn i fod yn neud, meddech chi. Cofio. Cyfadde. Crafu dan y wyneb.

Wel, 'neith hynna'r tro? Achos o'dd e'n blydi anodd.

Stop.

Torrwyd a bwriwyd i bant – winwydden
Yn nyddiau llawn ffrwythiant;
A dau o'i blodau lân blant
Yn y llwch hwn y llechant.

Mae hi'n syllu ar y sgrifen.

Yn dychmygu'r ddau frawd bach – Thomas John a William James – sy'n llechu yn y bedd. Wedi marw o fewn mis i'w gilydd. Haint wedi'u lladd nhw, siŵr o fod. 'Yr hen TB,' chwedl ei mam-gu. Neu diptheria falle – fel y ferch fach yn y ffilm, â'r powltis rownd ei gwddw, yn marw ym

48

mreichiau'i thad. A'r tân yn isel, a'r Indiaid yn carlamu rownd y wagon yn anialwch Arizona . . . Pa ffilm? Pryd? Dyw hi ddim yn cofio. Ei dychymyg eto, falle . . .

Mae hi'n sugno fruit gum, yn hanner chwarae'r Rowntree's Fruit Gum Game – 'be a record breaker!' Trio cadw'r losin yn ei cheg nes bod dim ar ôl ond sbecyn bach. Does dim problem â'r rhai chwerw, caled, gwyrdd a melyn; y rhai melys coch a du sy'n anodd. Maen nhw'n toddi yn eich ceg, yn llithro'n jeli lawr eich gwddw . . . Rhaid ymarfer, amseru'r broses â'r watsh fach Mickey Mouse. Mae hi'n ysu eisiau bod yn un o'r 'Little Gumsters' – 'Be a Gumster not a Glumster!' – cael gwisgo bathodyn bach siâp coeden, cael tystysgrif bert drwy'r post, gweld ei henw ar bosteri yn siop Woolworths a siop Whites a siop y Dairy a chael mynd bob cam i Birmingham i moyn y wobr – beic Raleigh, pert – ac aros mewn hotel a chwrdd ag Alma Cogan.

'And the new Rowntree's Fruit Gum Champion of the World is Branwen Dyddgu Roberts! All the way from Wales! Congratulations, Branwen! You are now a "Little Gumster". And you've won a year's supply of Fruit Gums!'

Ei hen ddychymyg dwl . . .

Mae rhywun yn ei chyfarch . . .

'Nice pram you have by there, bach. Nice dolls too. Nice place to take them for a walk an' all – the cemetery. Nice an' quiet. You come here often. I've seen you.'

Roedd hithau wedi sylwi arno yntau a'i gi a'r gadair olwyn. Y stwcyn byr â'r cap cam, ei ffon rhwng ei goesau, yn eistedd ar y sêt o dan yr ywen fawr; y ci defaid pert yn gorwedd wrth ei draed; y gadair olwyn wrth eu hymyl wedi'i pharcio'n saff, a menyw'n eistedd ynddi, cot frown amdani, hat lawr dros ei thalcen a sbectol drwchus ar ei thrwyn. Ond dim ond nawr y gwêl hi mor drwchus yw'r sbectol, mor ddi-siâp â sach o datws yw'r fenyw a mor hyll yw ei hwyneb, fel petai wedi'i wasgu'n gam i gyd. A dim ond nawr y sylwa ar lygad-latsh y dyn – fel marblen lwyd – a'r tri stwmpyn yn lle bysedd ar ei law chwith.

49

'Park your pram by there an' come an' sit by me to chat. An' put the brake on safe – else you'll see it rollin' down the hill to Hebron! Right down the river, maybe! Hope it floats an' all! Like Noah's Ark!'

Chwerthin sy'n troi'n sŵn crafu yn ei frest. A'r crafu'n troi'n hen beswch cras. Mae e'n plygu yn ei ddwblau, yn poeri hen stwff brown i'r borfa dan ei draed, yn tyrchu am facyn poced ac yn sychu'i geg a'i lygad ac yn chwythu'i drwyn.

'Sorry 'bout that. Bad cough . . . '

Tyrchu eto ym mhoced y siaced frethyn sy'n drwch o flewiach ci.

'Like a mint imperial?'

Pecyn papur wedi'i sgrwnsho. A'r ci'n codi'i ben yn awchus. A hithau'n sylwi ar ei lygaid – un yn frown, a'r llall yn llachar las fel saffir.

'Put those fruit gums in your pocket and help yourself. There's one each for you an' me an' Gwennie – an' Mot, of course. Get some more in Whites I will. Chapel sweets they are. Used to go to Hebron, but lapsed I have since years. Here you are, my Gwennie fach.'

A Gwennie'n agor ei cheg fel addolwraig mewn offeren a'r dyn yn rhoi minten ar ei thafod a thaflu un arall lan i'r awyr.

''Co ti, Mot bach. Ci da!'

A'r ci'n llamu mor osgeiddig ag acrobat mewn syrcas, ei gefn fel bwa blewog yn yr awel, a chipio'r loshin mewn i'w geg.

'Ci pert yw e, ontefe?'

Mae'r dyn yn troi ati a gwenu arni'n llawn rhyfeddod.

'Cymraes fach wyt ti! Pam na fyddet ti wedi gweud! A finne'n bracso'n Sisneg gore! Isaac Morgan yw'r enw. Byw lawr Hebron. A phwy wyt ti?'

'Branwen. Gwynfa.'

'Wrth gwrs!'

'Odych chi'n 'y nabod i?'

'Gwbod am dy fam . . . Cofio am dy dad . . .'

A'r dyn yn tynnu'i gap a rhoi ochenaid . . .

A fe a fi a Gwennie'n sugno'r losin.

A fynte'n nodo'i ben yn athronyddol . . .

'Ma' hyn yn apt, o styried . . .'

'Beth?'

'Bo' ni'n siarad Cymrâg mewn mynwent.'

'Pam?'

'Iaith farw yw hi, ontefe? Diolch i fois fel fi.'

'Dim ond pobol wedi marw sy fan hyn.'

O'n i'n meddwl 'mod i'n glefer, yn neud strocen. Wherthin nath e, nes i'r wherthin droi'n hen beswch unweth 'to.

'Ie, ti'n iawn. A ti'n ifanc. Yn iach. A gwyn dy fyd di. A g'na di'n fowr o'r iaith Gymrâg. Achos 'sdim lot ohonon ni ar ôl. Dim ffor' hyn, ta beth. Adar prin wyt ti a fi.'

'Branwen fach, ti'n dderyn prin . . .'

Wy'n 'i gofio fe'n troi i edrych arna i â'i un llygad. Wy'n cofio trio 'ngore i edrych yn ddiniwed. Cofio gwenu, a phenderfynu bod yn od.

'Wedodd rhywun hynna wrtha i rywbryd . . .'

'Pwy?'

'Sdim ots.'

A gwenu 'to. Wrth 'y modd 'i weld e'n pyslan, crychu'i dalcen.

'Un fach ryfedd iawn wyt ti. O's rhywun wedi gweud erio'd dy fod ti'n groten od?'

'O's! Lot o bobol!'

A fynte'n nodo'i ben unweth 'to, yn whare'r gêm.

'Wyt ti'n gwbod shwt gest ti'r enw "Branwen"?'

'Wrth gwrs bo' fi. O'r Mabinogion. Chi wedi darllen y storäis?'

'Naddo . . . Gwed ti wrtha i . . .'

A Branwen Dyddgu Roberts, y groten glefer, hunandybus, yn 'i gymryd e ar 'i air.

'Wel o'dd hi, y Branwen yn y stori, yn dywysoges bert. A fe

ga'th hi 'i hala bant – i Iwerddon. A o'dd pawb yn gas wrthi ac o'dd hireth arni a fe ddysgodd hi dderyn bach i siarad . . .'

'Budgie, ife?'

Wherthin. Peswch. Poeri.

'Nage, drudwy. A fe hedfanodd e'r holl ffordd 'nôl i Gymru. I weud wrth 'i brawd hi. A fe a'th e draw i'w hachub hi.'

'A "Happy Ever After", ife?'

'Nage. Fuodd lot o bobol farw. A Branwen hefyd, o dorcalon.'

'"Torcalon". Gair mowr i groten fach.'

'Wy'n gwbod lot o eirie fel'ny. A wy'n darllen lot.'

'A ti'n mynd i'r Ysgol Gymrâg newydd?'

'Odw.'

'Ti'n groten lwcus iawn.'

A fe droiodd e i edrych ar Gwennie, yn pendwmpian yn 'i chader.

'She's a lucky little girl, eh Gwennie fach? Clever, pretty . . .'

A Gwennie'n nodo'i phen yn ffyrnig.

'A hen gi pert yw Mot fan hyn. Ontefe Mot?'

A Mot yn siglo'i gwt.

'Ci defed da. Y gore weles i eriôd yn Shir Berteifi. Cardis y'n ni'n dou, ti'n gweld. A y'n ni'n dou'n ffrinds penna. On'd y'n ni, Mot?'

A Mot yn troi rownd a rownd a rownd ar ôl 'i gwt.

''Na fe! 'Na ddigon! Sit, Mot bach! Ci da!'

A Mot yn ishte'n ufudd.

'Hen ŵr didoreth odw i. Ond 'ma ti air o gyngor. Chei di ddim gwell ffrind na hen gi ffyddlon. O's ci 'da ti?'

'Na. Ond ma' 'da fi gath. Tabitha.'

'Twt! So cath yn dda i ddim ond dala llygod.'

'Ma' Tabitha'n ffrind i fi.'

Y Cathod Bach

Un tro, roeddwn wedi mynd i'r shed. Roeddwn yn hapis iawn gan fod Tabitha wedi cael pump o gathod bach. Roedden nhw'n lliwgar ac yn bert. "Hwrê!" gweiddais dros y lle. "Rwy'n hoffi'r cathod bach." Daeth Mami mewn i weld y cathod bach. "Wel, wel" meddai hi. "Dyna gathod bach pert. Ond beth wnawn ni a nhw?" Ac yna roedd hi'n amser te. Es i a Mami mewn i'r tŷ a chael pancos. Roedden nhw yn neis a doedden nhw ddim wedi llosgi. Rhoddais jam coch ar ben y pancos a mêl a siwgwr hefyd. Ac yna es i i ddweud nos da wrth Tabitha a'r cathod bach. Roedden nhw i gyd yn cysgi'n braf. Ac yna es i i'r gwely. Roeddwn wedi blino.

Mae Wncwl William yn brysur yn yr ardd.

Yn y cornel wrth y shed. Fforch arddio yn ei law, bocs sgidiau wrth ei draed a bwced â'i lond o ddŵr. Mae e'n plygu yn ei gwrcwd, yn agor caead y bocs, yn rhoi ei law mewn yn ofalus.

Yr un fach ddu-a-gwyn sy gyntaf. Mae e'n edrych arni, yn dwlpen ddiamddifad ar gledr ei law. Mae ei choesau gwan yn cico, ei phen yn troi'n wyllt, fel petai hi'n trio gweld. Ond 'wêl hi ddim yw dim. 'Wêl hi mo goleuni'r haul ond mae hi'n troi ei phen yn reddfol at ei wres; 'wêl hi mo Wncwl William yn syllu arni, 'wêl hi mo'r bwced na'r dŵr, ond mae hi'n gwingo wrth deimlo'i oerfel ar ei chorff. Mae Wncwl William yn ei gollwng yn garedig gan bwyll bach i'r dwfn. Eiliad fach o sioc – cyn dechrau nofio, yn gryf, yn wyllt, ei phawennau bach yn padlo, ei llygaid yn dynn ynghau a'i phen uwchben y dŵr. A'r patshyn ar ei thalcen fel cap nofio du.

Y ddwy fach ddu sy nesa. Ac yna'r ddwy fach drilliw. Pump o gathod bach yn llawn syndod yn y dŵr. Yn nofio'n reddfol, yn cadw'u pennau lan yn gryf, eu pawennau blaen yn mynd-a-mynd a throi-a-throi fel paddle steamers Weston-Super-Mare. Maen nhw'n gweu trwy'i gilydd, yn taro mewn i'w gilydd a suddo dan y dŵr cyn bownso 'nôl.

Mae Wncwl William yn gafael yn y fforch. Yn proco, proco'r cyrff bach lliwgar, yn eu hwpo lawr o dan y dŵr. Maen nhw'n suddo'n is ac yn is i ddyfnder mawr y bwced, yn bownso lan a'u cegau bach yn agor i lyncu dŵr wrth drio llyncu awyr. Mae'r un fach ddu-a-gwyn yn dechrau blino. Mae pen yr un fach ddu yn mynd ar dro i gyd. Mae mwydyn pinc o waed yn llifo o wegil trilliw.

'Ahoy there, Captain Ahab!'

Harpŵn arall ac un arall 'to yn sinco miwn i gorpws mowr y morfil gwyn sy'n hwthu gwaed o'i wegil nes bod y môr yn ferw o ffroth pinc fel candi fflos a finne'n dechre llefen a Wncwl William yn gweud 'Paid llefen dim ond ffilm yw hi ac acto ma'n nhw a Gregory Peck yw hwnna' a finne'n dal i lefen a gweud 'druan â Moby Dick!' 'Ond morfil esgus yw e' medde Wncwl William. 'Sbwnj a ryber a sos coch a strawberry soda yw'r holl wa'd 'na ond ma'n well i ni fynd gatre os wyt ti'n ypset a gewn ni knickerbocker glory neis yn Gambarinis dere.'

Rhes o gyrff bach cegrwth.

Yn gorwedd ar y llwybr. Mewn pwll o ddŵr. Yn sleimi, llwyd a hyll fel rhes o falwod. Ac Wncwl William yn gafael ynddyn nhw fesul un rhwng bys a bawd a'u gollwng plop i gwdyn brown o siop y Dairy.

J. JOHN AND CO.

HIGH CLASS GROCERIES
& DAIRY PRODUCE

A ffrwd o ddŵr yn llifo o geg yr un fach ddu-a-gwyn, a diferion bach o waed o'i gwegil. A'i cheg yn agor, fel petai hi'n dylyfu gên, wedi ymlâdd ar ôl y gêm. Neu fel petai hi'n gweiddi 'Na!' Neu'n sgrechen, falle, ei bod hi'n fyw. Ond does dim sŵn i'w glywed. Dim ond ei chorff yn syrthio plop i'r cwdyn brown. Ac Wncwl William yn chwibanu drwy ei ddannedd wrth glymu ceg y cwdyn a'i daflu glatsh i'r bin.

A Tabitha'n llefen-torri-calon yn y shed.

A finne'n llefen-torri-calon ar y gwely.

Yn rhoi 'y mreichie dros 'y mhen, dros 'yn llyged. Yn troi'n wyneb at y wal. A gorwedd fan'ny'n llonydd.

Llonydd.

Llonydd.

Nes stopo llefen.

A syllu ar y blode glas a'r deiliach gwyrdd. A'u gweld yn hyll. A rhwygo pishyn bach o'r papur. Pishyn arall, un arall 'to, a'u rowlo rhwng 'y mys a 'mawd a thowlu'r darne mân rhwng y wal a'r gwely.

Lawr i'r llawr.

'Only kittens they were, mun!

My uncle Jack do work down the Destructors. Kill sheep an' dogs an' all they do down there. 'Orrible it is, 'e says. But issa job, 'e says. Better than goin' down the pit, 'e says.'

Cwt sinc enfawr, y drws nesa i'r ffatri bop. Ffens uchel, padlocs ar y gatiau. Lle cudd, chwedlonol. Uffern ar y ddaear i greadur, medden nhw. A'r storäis yn erchyll. Am anifeiliaid sâl a chloff yn cael eu taflu'n fyw i ffwrnais wynias, yn cael eu trydaneiddio, eu boddi mewn tanc mawr, dwfn. Ac roedd Jonathan yn nabod rhywun oedd yn gweithredu'r anfadwaith erchyll!

'Don' listen to 'im, bach, 'e's jokin'.'

'It's true it is!'

'Jonathan, you 'aven' got an uncle works down the Destructors. They all work down the pit they do. So shut your gob.'

Teulu dedwydd Cairo Row. Mae hi'n eistedd yn eu cegin, yn llygadu'r babi sy'n cysgu yn siol fawr Mrs Meades. Ond mae ei llygaid yn cael eu denu at y lluniau du-a-gwyn di-sain ar y teledu bach, sy wedi'i osod yn llawn parch rhwng dau gi china ar y seidbord mowr. Mae hi'n gweld y peth fel allor, neu fel pulpud Capel Hebron.

'You do like the television, bach?'

Mrs Meades sy'n craffu arni drwy fwg ei sigarét.

'Yes.'

'An' whass your favourite programme?'

'They don' 'ave a television in their 'ouse.'

'You speak when you are spoken to, Jonathan Meades! Now then, bach, never mind 'im. An' never mind you 'aven' got a television neither. Pity, too, 'cos iss good it is. We 'ad it special for the Coronation. On the never-never, from Rediffusion down in Ponty. One an' eleven a week it is, a lot o' money, mind. But worth it, every penny. We watch it all the time, the interludes an' all.'

'She don' know what an interlude is, Mam.'

'Nice films they are, between the programmes – the potter's wheel, the tide coverin' the sand, the kitten with the ball o' wool. I like the adverts too – Daz an' Omo an' Oxo an' Bisto an' all 'em. Sing the toothpaste one, Jon.'

'You'll won-der where the yell-ow went when you brush your teeth with Pep-so-dent!'

'Sing the Fairy one an' all.'

'Now 'ands 'at do dishes can be soft as your face, soft as your arse, with mild green Fairy Liquid.'

'Jonathan! You cheeky bugger!'

Mae ei chwerthin yn troi'n beswch nes ei bod yn ysgwyd trwyddi a dihuno Baby Jacqueline sy'n edrych arni'n syn â'i llygaid concers. Mae Mrs Meades yn cymryd sip o'r ginger beer yng nghwpan Jonathan ac yn sychu'i cheg.

'I tell you, best thing we ever 'ad, the television. Good company, it is, the nights Mr Meades is out – which is every other night. Does your Dad go out a lot?'

'She 'aven' got a Dad. An' 'er Mam's odd an' all.'

'Jonathan! You shut your gob! An' say you're sorry. Go on! Say it!'

'Sorry . . .'

A Jonathan yn gwenu'i wên fach Jonathan.

'Good boy . . . Nice little girl you are an' all. Nice friend for our Jonathan. You do like 'im, bach?'

'Yes. And I like your house.'

'This ol' place?'

'Their 'ouse is 'uge!'

'But this is nicer. I like this room . . .'

Stafell dywyll, gyfyng. Grât sy'n chwydu mwg dros y ceffyl dillad a'i lond o grysau a throwseri gwaith, dillad bechgyn bach a babis a dilladach isaf go ddi-raen. Gwynt huddyg a mwg a baco stêl yn boddi gwynt y dillad cras. Mug y Coronation ar y pentan, a'i lond o gŵpons, biliau a phensiliau. Slipiau betio, mwy o filiau a phapurau a lluniau ysgol o'r pedwar bachgen – a'r cyfan wedi'u stwffio'r tu ôl i'r cloc. Spils cynnau tân mewn bocs cardbord ar yr aelwyd ar bwys haearn smwddio rhydlyd. Cawl yn ffrwtian mewn hen sosban â'i hochrau'n grachen ddu; y tegell mawr yn stemo.

Dillad wedi'u taflu'n bentwr yn y cornel; jygiau a photiau ac ambell lamp yn hongian o'r nenfwd isel; pryfed marw wedi glynu'n sownd wrth bapur gludiog; lluniau wedi pylu ar y waliau – o filwr yn ei iwnifform, o haul yn machlud ac o bont dros afon.

Mae Mrs Meades yn pilo tatws wrth y ford, un dderw fawr – 'Meades' family 'eirloom – all the way from Devon'. Mae haenau o bapurau newydd drosti – 'To keep it nice – cheaper than a tablecloth'. Ac ar ben yr haenau, trwch o ddillad a chewynnau, dummies a rattles babi, ceir Dinky, cwpons Co-op, llestri, sgidiau, sanau, pecynnau sigaréts. Chwe chadair simsan wedi'u gwasgu'n dynn o'i chwmpas – byddai angen cadair arall unwaith y byddai Baby Jacqueline yn ddigon hen i eistedd gyda'r gweddill, ac un arall eto unwaith y byddai'r lwmpyn mawr ym mola Mrs Meades, o dan Baby Jaqueline, yn ddigon hen i ymladd am ei le. Ond byddai gormod o gadeiriau wedyn, a'r ford – a'r stafell – yn rhy fach. Mae'n siŵr mai mwy nag un eisteddiad fyddai'r ateb. Neu gallai rhywun fwyta ar ei draed, neu eistedd, â'i blât ar ei lin, ar y staere cerrig a arweiniai lan i'r llofft.

Menyw eiddil yw hi, ei hysgwyddau wedi'u crymu a'i hwyneb yn grychau trosto. Slipers brown yn fflopio am ei thraed, a thros ei brat blodeuog, siol lwyd wedi'i chlymu rownd ei chorff. Mae Baby Jacqueline yn hepian unwaith eto yn y siol gan sugno'r deth fawr goch ar fron fach wen ei mam.

'Jonathan – don' slurp, you little pig! Why can' you be'ave like this little girl by 'ere? So polite she is!'

Gyda phob llyncad o'i ginger beer mae'r wythïen sy'n rhedeg lawr boch Jonathan, o'i lygad at ei ên, yn pwmpo'n las.

'Stop starin' at me!'

'I'm not staring.'

'Yes you are. You wannabe my girlfriend?'

'No!'

Mae Bill-an'-Ben the Flowerpot Men yn cyfathrebu'n ddirgel ar y television.

Llais uchel Bill – 'Hello Blobalop!'

Llais ishel Ben – 'Hello Blobalop!'

A Little Weed yn gwenu, ei phen-blodyn-haul yn nodo'n afreolus.

'Silly programme 'at . . .'

'No it's not. I like it.'

'You tell 'im, bach. Gettin' too big for 'is boots 'e is, 'iss boy.'

A Jonathan yn esgus pwdu a mynd i'r cefn i bisho. A Mrs Meades yn gwenu eto, ei dannedd yn felyn, frau, ei llygaid yn crebachu'n fach.

'Wha' did you say your name is?'

'Branwen.'

'You sure it's no' Bronwen?'

'Yes.'

'I know a Bronwen – Bronwen Lewis. Lives down 'Opkinstown she do. Speaks Welsh an' all. You know 'er?'

'No.'

'White breast it means, 'er name. She told me. An' we laughed.'

'Why?'

'Joke it is, thassall. You wouldn' understand. Whass the meanin' of your name, bach?'

'Branwen was a beautiful princess who got sent to Ireland. She taught a little bird to talk and it helped her to escape.'

'Ah, thass nice. Tell it to our Jonathan. 'E likes 'em kind o' stories – sensitive 'e is, poor bugger. Where is 'at bloody boy? Jonathan! Where are you!'

Mae hi'n peswch, yn cynnau sigarét ac yn gweiddi eto trwy ddrws y scullery nes bod Baby Jacqueline yn ysgwyd yn y siol fel doli racs.

'Jon-ath-an! You must be peein' like the bloody river! Go an' find 'im, bach. Don' trust tha' boy an inch.'

Mae'r scullery'n dywyllach ac yn fwy anniben na'r gegin fyw. Twba'n llawn o ddillad brwnt ar ganol llawr, dau fwced – un yn orlawn o gewynnau drewllyd, sbwriel yn gorlifo mas o'r llall – o dan y sinc. Mangl, sach o lo, sach o dato, pentwr o goed-tân, a phram du, mor fawr â hers, wedi'i barcio wrth y drws. Mae llond y pram o drugareddau – haearn smwddio rhydlyd arall, wireless, morthwyl, pastwn, trapiau llygod, bagiau papur, basged siopa a bocs o bowdwr golchi.

Mae ffenest uwchben y sinc. Un hirgul, lychlyd. Lai na llathen y tu hwnt iddi mae lwmpyn o graig enfawr, laith, yn diferu'n ddisglair fel craig ar lan y môr.

Dim ond llwybr cul sydd rhwng y drws a'r graig. Dim sôn am olau'r haul. Dim sôn am awyr las.

Diawl o ddim ond craig.

Yn sbrowto clympie gwyrdd o fwsog, porfa a rhedyn. A chlamp o styllen dderw, un pen iddi wedi'i follto wrth y graig a'r pen arall yn sownd wrth wal y tŷ.

'Bloody good shit tha'.'

Jonathan yn dod o'r Elsan shanti yn y cornel gan godi'i fresys dros 'i 'sgwydde.

'An' no rats today.'

'Rats?'

'Aye, in the lav. Right in the shit. Nip your arse 'ey do!'

'Jonathan!'

'Only jokin'! My Mam do keep it spankin' clean, an' my Dad do empty it into the river every other night – even though 'e shouldn'.'

O'dd e'n gweud y gwir? Ond o'n i isie holi am y styllen.

'What's this big huge piece of wood for, Jonathan?'

'Keeps the 'ouse from fallin' down the 'ill thassall.'

A gwenu.

'Lessgo an' play!'

'Your mother's looking for you.'

'She can look an' all.'

A Mrs Meades yn dod o rywle a thowlu clipen ar draws 'i ben.

'No more lip from you! Take Baby Jacqueline upstairs to sleep.'

'No!'

A chawr mowr du â gwefuse pinc a llyged fel dou gylch gwyn yn ymddangos yn y drws a rhoi clipen arall iddo fe.

60

'Do as your Mam tells you or you'll feel my belt on your bum! An' who the 'ell are you?'

'I'm Branwen.'

'Pardon?'

'Leave 'er alone now, Len. She's Jonathan's little friend. You go upstairs with Jonathan, bach. Mr Meades will want to 'ave 'is bath. Go on, Jon.'

'Aye, go on, Jon . . .'

A'r cawr yn rhwto'i law fowr ddu yng nghwrls melyn 'i fab.

'Good lad you are . . .'

A Jonathan yn gwenu fel yr haul.

'Come on, lessgo!'

Jonathan sy'n arwain y drindod lan y staere cerrig – fersiwn llai o staere Castell Coch. Deg o risiau troellog yn arwain lan at basej cul. Ar y dde, stafell wely foel Mr a Mrs Meades a Baby Jacqueline – gwely dwbwl haearn a chòt pren â marciau dannedd nifer fawr o fabis yn ei baent. Ar y chwith, stafell fach, anniben y pedwar bachgen – un gwely dwbwl o dan bentwr o ddillad a chomics a theganau.

Mae Baby Jacqueline yn glynu wrth fraich ei brawd fel y rhedyn wrth y graig. Ac mae Little Weed yn gweiddi'i rhybudd.

'Hurry Bill! Hurry Ben! The man who works in the garden has finished his dinner and is walking down the garden path!'

'Goodbye Blobalop!'

'Goodbye Little Weed!'

'Top-an'-bottom-every-other we do sleep. More room like 'at. But there's always someone's smelly feet right in my face.'

Mae e'n gosod Baby Jacqueline ar ei chefn yn y còt ac yn stwffo dummy pinc i'w cheg cyn neidio ar y gwely.

'We'll 'ave to lay down on the bed, pretend to sleep.'

'Why?'

61

'Only way she'll go to sleep.'

Maen nhw'n gorwedd ar y garthen lwyd; mae Jonathan yn cau ei lygaid. Mae hithau'n syllu ar ei wyneb, ar y gyrlen felen ar ei dalcen a'r wythïen ar ei foch.

'You lookin' at me, again!'

'How do you know? With your eyes all closed?'

'I juss know thassall.'

Mae e'n agor ei lygaid ac yn pwyso ar ei fraich.

'Baby Jacqueline! Go to sleep!'

Mae'r llygaid concers yn syllu arno'n heriol drwy farie'r còt. Mae'r dummy pinc yn cael ffling o'i cheg.

'Where will she be sleeping once the baby comes?'

'In bed by 'ere, between my DadanMam. Where else? No puny girl'll be sleepin' in our bed. Just for us boys, it is. An' too crowded it is already. Lucky, you are, 'avin' a bedroom to yourself.'

Mae Baby Jaqueline yn rhoi chwerthiniad bach wrth afael yn y dummy pinc a'i daflu drwy fariau'r còt.

'Dere, Branwen!

Spring clean o'r top i'r gwaelod. 'Na beth sy isie ar y stafell wely 'ma!'

Syniad da. Y Syniad Da Blynyddol. Fel Clirians Mawr y sang-di-fang. Glanhau'r ffenestri a'u hagor led y pen i gael gwared o'r hen wynt stêl. Rhoi'r Hoover dros y carped, dan y gwely derw, tu ôl i'r celfi trwm – y wardrob fawr a'r wardrob fach, y chest of drawers a'r dressing table. Dwsto a pholisho nes bod popeth yn disgleirio'n lân.

Gwared olion haul a dŵr o'r dressing table: y patshys o bren sych, ôl glaw yn tasgu mewn drwy'r ffenest adeg storm, y cylchoedd maint cwpanau te a gwydrau sheri. Glanhau'r dwst a'r baw oddi ar y drychau; sythu'r un bach cam, fel bod posib tynnu'r ddau ynghyd ar ongl, i weld eich gwegil a chefn eich pen – help mawr wrth gribo'ch gwallt a thrio clymu rhuban ynddo. Golchi'r sgwariau bach o les –

62

un mawr, dau fach. Rhwbio'r brwsh a'r grib a'r gwydr arian
â thrwch o Silvo; clirio'r drôr bach top sy'n orlawn o
betheuach – powdrach a photeli persawr, lipstics, rouge – a
phopeth wedi mynd yn stêl neu wedi sychu'n grimp.
Didoli'r anialwch – sgarffiau, capiau, beltiau ac ambell
sgrap o ffwr anifail – yn y drôr ar y chwith. Agor y bocsys
yn y drôr arall er mwyn defnyddio'r holl facynnon, sebon,
persawr – anrhegion Nadolig a phen-blwyddi blynyddoedd-
oes-a-fu. Cymhennu'r dillad isaf – brassières a nicers a
nylons a suspender belts a sanitary belts a Dr Whites a
Tampax sy'n gawdel cymysg yn y drôr nesaf. Agor y drôr
cloëdig ar y gwaelod . . .

'Na!'

Ond beth am glirio'r dillad yn y wardrob fawr, y rhai
sy'n hongian fesul tri dilledyn ar bob hanger, a'r rhan fwyaf
byth yn cael eu gwisgo? Rhoi rhai i'r jymbl sêl yn Hebron,
rhai i siop y Salvation Army yn High Street a rhai i'r
anffodusion lawr yn Tiger Bay, Caerdydd?

A beth am fentro agor drws y wardrob fach?

'Na!'

Wel beth am dynnu'r llenni trwm sy wedi ffado, a'r hen
rai net sy wedi breuo a melynu? Gwahodd yr haul i fentro
i'r corneli. A beth am godi'r carped sy'n batshys moel o
ganfas o flaen y ffenest, yn drwch o dyllau bach
gwyfynnod? Beth am dynnu'r eiderdown a rhoi carthen
liwgar yn ei le? A beth am losgi'r cyfan – yr eiderdown, y
carped, y llenni rhacs? Cynnau coelcerth ar y bancin,
gwahodd y cymdogion, y stryd i gyd, i ddathlu'r dechrau
newydd.

Beth? Yr Axminster o David Morgan? Y llenni brocêd o
Howells? Wedi'u gwneud i bara oes. 'Sdim ots fod y carped
wedi breuo. Fe gariwn ni'r llenni mas i'r lein a'u hongian
yn y gwynt. Gyda'r eiderdown drud o Marments. Fe olchwn
ni'r llenni net mewn Reckitts Blue. Fe fydd popeth yn lân a
ffresh fel newydd.

Ond beth am beintio a phapuro! Cael gair â Mr Leeke.

Benthyca'i gyfrolau trymion, trymach na Beibl Peter Williams yn y stydi. Bodio trwy'r tudalennau o samplau papur wal a'r borderi pert i fatsho.

Pam lai? Mynd trwy'r mosiwns, y rigmarôl arferol. Dyma ran anhepgor o'r Syniad Da Blynyddol.

'Ma' hwnna'n neis. A hwnna. Ne' hwnna – ie, streips, dim blode. Lot mwy modern. Ne' beth am hwn â'r patrwm pert?'

A Mr Leeke yn dod i gasglu'i lyfrau ar ôl wythnos.

'Got to 'ave 'em back, see, love. Customers are waitin'.'

A dim-yw-dim yn cael ei wneud. A'r dwst a'r baw a'r carped a'r corynnod a'r llenni drudfawr a'r annibendod dillad a'r blodau glas a'r eiddew gwyrdd yn saff am flwyddyn arall.

A'r sgribl coch.

FY HOFF BETHAI

Yn stafell wely Mami a fi mae llawer o ddodrefn neis. Gwely mawr, dresing table, wardrob fawr sy'n llawn o ddillad Mami a wardrob fach sydd wedi'i chloi. Mae dror yn y dressing table wedi'i chloi hefyd ac ynddi mae bocs bach du sy'n cadw llawer o jewelri neis, pethau aur ac arian a chwrel pinc. Mae Mami'n ei tynnu allan i'w dangos i fi ambell waith. Fy hoff beth i yw breichled arian a'r clo bach lleiaf yn y byd arni. Mamgu roiodd hi i Mami ar ei phenblwydd yn un ar hugain. Byddaf i'n ei chael pan fyddaf yn un ar hugain. Rwy'n falch o hynny ac yn edrych mlaen er ei fod yn bell i ffwrdd.

Mae chest of drors yn y stafell hefyd.

Yn hwnnw y byddaf yn cadw fy mhethai
i gyd. Yn y tri dror top byddaf yn cadw
fy nillad. Byddaf yn ei plygi yn deidi i
gyd, dillad isha, dillad chwarae, dillad
ysgol, dillad gorau. Byddaf yn cadw
dillad haf a gaeaf ar wahan. Ond y dror
isaf yw'r un pwysig iawn. Yn hwnnw y
byddaf yn cadw fy mhethau arbennig.
Dillad bach y plantos, dillad pan oeddwn
i yn fabi, blanced oedd ar fy mhram.
Mae ymil sidan iddi ac roeddwn yn hoffi
chwarae gyda hi, meddai Mami, pan
oeddwn yn signo fy mawd. Mae hi'n
rhacs erbyn hyn. Dim ond un darn bach
sydd ar ôl. Nid wyf yn signo fy mawd
nawr. Dim llawer. Dim ond pan fyddaf yn
ffaelu cysgu. Hefyd dillad sydd wedi
mynd rhy fach i fi. Mae Mami'n dweud
y dylent fynd i Jymbl Sail yn Hebron neu
at bobol dlawd. Ond byddwn i yn drist.
Pethai roedd Mamgu wedi gweu a gwnio
ond nawr maen nhw'n rhy fach ac mae
hi'n rhy hen i wau a gwnio rhyw lawer.
A lot o bethai rwyf i wedi ei cael a'i
casgli. Menig, sgarff, cap pompom coch, bag
molchi pinc, brwsh a chrib. Baner Cymru,
bathodynai, cregin, cerrig glan y môr, plif
adar a rhybanai. Mae fy ngwisg bedyddio
ynddo hefyd. A lot o luniai. Does neb yn
gwybod beth yw'r lluniai. Rwyf yn ei
cadw mewn bocs sgidiai. O dan y dillad i

65

gyd. Does neb yn gwybod beth arall sydd yn y bocs, chwaith. Rwy'n ciddio fy llyfr lloffion ynddo, a phopeth rwyf yn ysgrifeni, yn y cwdin papir sy'n dal y wisg bedyddio. Mae hi'n wisg hardd iawn. Lot o les a rhybanai a botymai perl. Rwy'n hoffi ciddio pethau. Byddaf yn ciddio'r stori hon.

Dou gawr.

Un mowr, un llai. 'Na beth o'dd y wardrobs gefen nos. Dou hwlc, yn sgwlcan yn y cysgodion. Yn 'yn watsho i. Pob mŵf. Yn gwrando arna i. Pob llyncad poer, pob sniff a phob pesychad. A phob ochened.

Monster o'dd y cwpwrdd crasu. Yn cwato yn y cornel. Yn byblo, berwi, gyrglo, rwmblo. Hisian. Carthu'i wddw. Poeri. Torri gwynt.

A finne'n gorwedd yn y gwely. Yn disgwl, disgwl iddi ddod i'r gwely. Yn gwrando ar 'i haflonyddwch hi lawr staer. Miwn a mas o'r stafell ffrynt. 'Nôl a mla'n i'r gegin. Lleisie ar y wireless. Miwsig ar y gramophone. 'What is Life?', 'Where e'r You Walk' a'r blwmin 'Salley Gardens'. A hithe'n canu hefyd, ambell waith. Ne'n whare'r piano.

Ne'n llefen-torri-calon.

A monster a dou gawr yn gwmni i fi.

A'r blancedi'n drwm.

A'r gobennydd yn galed.

A'r shîts yn gwynto'n sur . . .

A'r . . .

Ma'r cwbwl yn ormod i fi . . .

Stop.

Diwrnod Braf

Un tro roedd yn ddiwrnod braf ac
roeddwn yn hapus yn fy stafell weli.
Roeddwn yn chwarae gyda fy nhŷ dol. Un
mawr pren yw e ac fy hen dadcu, tad
Mami oedd wedi ei wneud iddi hi pan
oedd hi'n ferch fach. Mae'r wal ffrynt yn
agor nes yr ydych yn galli gweld mewn i
bob ystafell sef cegin, ystafell fyw, ystafell
molchi ac ystafell weli. Mae pobl fach yn
byw yn y tŷ ac mae dodrefn bach sef
bwrdd a chadeiriai a gweli a cypyrddai
ym mhob ystafell. A tadcu sydd wedi
gwneud y cyfan. Nid wyf yn cofio tadcu
gan ei fod wedi marw ers amser pan oedd
Mami'n ferch fach. Roedd yn saer coed ac
yn dipin bach o ffarmwr hefyd a byddai
wedi gwneud ei ffortiwn yn gwneud
teganai meddai Mamgu felli mae yn biti ei
fod wedi marw. Rwy'n cadw'r tŷ dol yn
deidi bob amser. "Lle i bopeth a phopeth yn
ei le." Rwy'n hoffi cadw pob peth yn deidi
yn ein tŷ ni hefyd. Ac rwy'n hoffi
chwarae yn fy ystafell weli. Mae hi'n
ystafell bert ac mae'r haul yn dod i mewn
iddi fel afon aur. Mae rhosis coch ar y
papir wal ac mae'r carped yn goch hefyd.
Ac ar y gweli mae cwrlid pinc a choch.
Rwy'n hoffi'r gair "cwrlid". Fel cwrlo lan
yn saff o dan y dillad. Mae gwynt rhosis
yn fy ystafell. A lafender, ambell waith,

pan fyddaf yn rhoi cwdin bach o hadai o dan y gobenidd. Gweli bach sydd yn yr ystafell. Fy ngweli i a neb arall. Ambell waith mae Mair a Siani Jên a Tabitha, fy ffrindiai, yn cysgu gyda fi. Rwy'n lwcus iawn. Mae gyda fi lot o ffrindiai. Ac yna fe alwodd Mami i ddweud bod te yn barod ac es i lawr i'r gegin yn hapus.

Celwyddau'n berwi fel rhaeadr Pen-y cwm.

Ei ddŵr yn rhuthro'n fwrlwm stemllyd, fel dŵr o degell, o'r creigiau uwch eu pennau. Maen nhw'n teimlo'r gwlypwch ar eu dillad, yn tasgu dros eu breichiau noeth.

'Jonathan! Don't go too near!'

Rhyw reddf yn gafael ynddi, yn ei chadw 'nôl yn ddigon pell o'r pwll berwedig.

'Jonathan! I'm going home if you put your foot in there!'

Mae e'n troi a gwenu arni.

'Scared you are!'

Prin y mae'n ei glywed dros y bwrlwm. Mae hi'n difaru dod mor bell, mentro i'r pen draw fan hyn, i le sy mor beryglus.

'Jonathan! Let's play back there, where it's nice and safe!'

'No! We'll play by 'ere! Good place it is!'

'But not too close! Just in case . . .'

'In case what?'

'In case we have an accident.'

'Good idea! Lessplay accidents! An accident down the pit! An' you're a collier an' I'm the 'ero who comes an' saves you. Just as the water is about to cover your 'ead an' drown you. We can play right by the waterfall by 'ere. Them big 'uge rocks can be the coal face.'

'No.'

'Oh, come on. Good game it is. My Uncle Ted was an 'ero. Years ago. Saved a lot o' men 'e did. The water was rushin' in "fast an' furious" says my dad. All the men were nearly drownin'. But my uncle carried 'em all out on 'is back. On 'is own an' all. Got a medal for it. For bravery. Got it off the King in London.'

'I don't like that game.'

'Don' be such a spoilsport.'

'Allright, but I'm the hero.'

'No girls are 'eroes, mun!'

'No girls go down the pit!'

'Okay, okay! But just this once. We'll pretend you're a man. A brave man, like my uncle. But you berrer do it right! Don' wan'o drown I don'!'

A fe lwyddes i i'w achub e.

Rhag y tanchwa. Rhag boddi yn y dŵr. Rhuthro at 'y mhenne-glinie miwn i'r nant, at y creigie mowr, 'i dynnu e'n glir o'r dŵr a'i lusgo at y lan a'i roi i orwedd ar 'i gefen ar y cerrig mân. O'dd y dŵr yn tasgu rownd inni, yn codi'n stêm.

'Jonathan! Game's over! I've just rescued you!'

Ond do'dd e ddim yn symud. O'dd e'n dala i orwedd yn hollol lonydd, 'i lyged ynghau, 'i wyneb at yr haul. Diferion bach fel diemwnte yn 'i wallt, ar 'i dalcen. Crisiale bach yn gymysg â'r siwgwr brown ar 'i drwyn. Dafne bach yn hofran ar 'i wefus ucha, ar 'i aelie a'i amranne. O'dd 'i gorff e'n sheino i gyd.

A diferyn mowr yn dilyn ôl y wythïen lawr-a-lawr 'i foch, lawr ei wddw.

A fe ges i ofon.

'Jonathan?'

Dim symudiad.

'Jonathan! Jon-ath-an! Stop fooling!'

O'n i'n 'i shiglo fe, yn gafel yn 'i ddwylo, yn rhwto'i foche. Ond do'dd e ddim yn cyffro.

'Jon-ath-an! Wake up! Please will you wake up! You're frightening me!'

A'i lyged yn agor. Yn blinco yn yr haul. A'r jawl bach yn gwenu arna i. Yn rhoi winc ddrygionus.

'Got you good an' proper, didn' I? You thought I was dead! That you'd never be an 'ero!'

Fe bwnes i fe, mor galed ag y gallen i, â 'nyrne.

'I thought you were dead! An' I was very frightened! An' don' ever do that to me again! Never-ever-ever! Are you listening?'

'Aye, I'm lisnin'! So stop 'ittin' me! An' the last one down the slope to Pen-y-Waun's a baby!'

'Are you lisnin' to me, Bob?'

'Aye, I'm listening, Mattie.'

'I said start on 'em potatoes. Starvin' we all are.'

A Mattie'n gosod pedair taten enfawr o flaen Bob a stwffo cyllell yn ei law.

'Cold night it is. We need some feedin' up. We'll 'ave a good fry we will.'

Pawb â'i jobyn: Bob yn crafu'r tatws, Mattie'n eu torri'n ddarnau hir a'u taflu mewn i'r saim berwedig. Wyau, sosejys ac afu'n ffrwtian yn y ffreinpan. Platiau ar y ford, cyllyll, ffyrc, bara menyn trwchus. Tebotaid mawr o de.

'Bob go-fetch the ketchup. An' the salt-an'-vinegar an' all.'

A Bob yn ufuddhau. A Lad yn cyfarth yn yr iard, a Joey Pretty Boy yn hopian yn ei gaetsh a Beryl yn ei rolers gwallt yn syllu ar ei hwyneb yn y drych a gwasgu sbotyn gwyn o'i gên.

'Stop doin' 'at! It do make me sick it do!'

'Sorry for breathin', Mam!'

'Breathin's normal. Squashin' out 'em pimples not!'

'Allright 'en, I'll be like a blwmin leper! Carry a blwmin bell around, an' chant "Unclean! Unclean!" – okay?'

'No more cheek from you, my girl! You're a pain, you

are. Gone very sufferable lately! Right then, everybody to the table!'

A'r bwyta'n swnllyd, anifeilaidd. Neb yn torri gair. A Mattie'n torri gwynt yn swnllyd.

'Better out than in! An' anyway, Miss Cleversticks, where did you learn about 'em lepers?'

'In school, o'course. Where else? All 'em useless things we 'ad to learn. Thank God I've left!'

A Mattie ar fin dweud rhywbeth ond yn cnoi'i thafod. A golwg bell ar Bob . . .

'Bob! Go-fetch the tray! An' clear this table quick. Good programmes on the television now.'

Teimlad saff.

Ishte rhwng Beryl fain, sy'n peintio'i h'winedd hir yn goch, a Mattie gorffog, feddal, sy'n gweu clic-clic-clic yn glou, gan gadw'i llyged ar y sgrin. Gweld y patrwm gweu ar fraich y soffa – y babi perta'n fyw yn gwisgo legins, cot a bonet gwyn.

'Matinee coat – for June, my neighbour's daughter's baby. Sixteen she is, poor dab . . .'

'Don' start, Mam. An' anyway, be honest! You'd love to be a Gran!'

A Beryl yn rhoi pwnad bach i fi.

'I'll 'ave to see what I can do!'

'Don' you dare, my girl! Bob, you tell 'er!'

A Bob yn shyfflan yn 'i gornel wrth y drws, 'i sbectol ar 'i drwyn yn esgus craffu ar 'i *Empire News*, yn anwybyddu Lad sy'n hwpo'r drws â'i drwyn a mynd i ishte dan 'i gader.

'Bob! I seen 'at dog! Creepin' in like a shadow. Take 'im out!'

A Bob yn gafel yn y ci gerfydd 'i goler a'i lusgo mas drw'r drws, a Lad yn trio wafo'i stwmpyn bach o gwt a finne'n cofio'r stori . . .

'Glec! Fel yna! Bwyall finiog reit drw'r bôn! A'r gwaed yn pistyllu a'r hen gi'n udo i'r gogoniant. A finna'n gorfod 'i ddal o'n sownd nes i Winston Lloyd drws nesa' serio'r briw â phrocar poeth a rhoi bandej dros y stwmp. A'r hen gyfaill bach yn mynd i guddio yn y shed am ddyddia. Ond mi ddaeth o trwyddi.'

'Pam o'dd isie neud shwt beth?'

'Niwsans oedd 'i gynffon o – meddan nhw . . . Chwifio dros bob man, creu llanast – meddan nhw. Ond rhyngot ti a mi – hen arfar creulon ydi o . . .'

A nawr o'dd Lad yn ddistaw mas y bac a Joey wedi clwydo – a'r clwtyn llestri Weymouth-by-the-Sea wedi'i dowlu dros 'i gêj. Rhwng clic-clic-clic y gweill, siarad gwag Cliff Michelmore, y swper trwm a gwres y tân, o'n inne'n teimlo'n swrth. Yn swrth, yn saff . . . Yn gorweddian ar y soffa, yn y canol llonydd rhwng Mattie Well-done a'i merch . . .

Clywed lleisie yn 'y mhen.

'Bob! The little one – she's sleepin' 'eavy. Take 'er 'ome an' take the dog an' all to do 'is business.'

'Deffra, 'na ti'r hogan. A tyd ti efo fi.'

'Gadwch lonydd i fi gysgu.'

'Tell 'er she can sleep back 'ome.'

'Mi gei di gysgu yn dy wely bach dy hun. Tyd rŵan . . .'

'Ta-ra, bach. See you soon . . .'

A Mattie'n rhoi cwtsh i fi heb dynnu'i llyged 'ddar y sgrin. A Beryl yn hwthu ar 'i h'winedd.

'See you, bach . . .'

Mas y bac, Bob yn clymu Lad wrth dennyn a'r hen gi'n danso at glwyd yr iard.

'Gan bwyll, 'rhen gyfaill! A bihafia!'

'Ody Lad yn deall Cymrâg?'

'Mwy na ma' neb yn 'i feddwl – yntê Lad?'

A Lad yn troi'i ben wrth glywed 'i enw. A'r hen olwg ryfedd yn llyged Bob, yr hen olwg syllu'n-bell-dros-afon-Menai.

'A 'dan ni'n dallt ein gilydd. A dyna beth sy'n bwysig – yntê, Lad?'

A Lad yn tynnu ar ei dennyn a wafo'i stwmpyn i'r entrychion.

Gwynfa'n dywyll fel y fagddu.

'Ydy dy fam adra, dŵad?'

'Ody, ma' hi 'ma yn – yn rhwle . . .'

'Wyt ti'n siŵr?'

'Odw.'

'Iawn, siort ora. Nos da 'rhen hogan.'

'Nos da – a diolch.'

'Croeso'n tad.'

A Bob a Lad yn diflannu 'nôl lawr Bowen Street. A hithau'n mynd at ddrws y cefn, yn mentro mewn i'r tŷ. A dechrau chwilio. Ble mae hi'n cysgu heno? Ar y soffa? Yn y gadair? Ar y llawr?

Yn y gwely o'dd hi.

Diolch byth. Do'dd dim rhaid i fi osgoi'r cwestiyne, palu celwydde. Dim ond matryd a gwisgo 'mhyjamas yn dawel fach a chripan miwn i'r gwely. Rhoi 'mraich amdani, sibrwd 'Nos da, Mami', a gorwedd 'nôl a syllu ar y cracie yn y nenfwd a rhestru pethe yn 'y mhen.

Tanau'r Rayburn a'r rŵm ffrynt wedi'u dampo lawr yn saff; Tabitha wedi'i chau yn y gegin; drws y ffrynt a'r cefen wedi'u cloi; y goleuade wedi'u diffodd – heblaw am ole'r landin. Y goleudy yn y nos.

O'dd Gwynfa'n saff.

Popeth, pawb yn saff.

Ond fi.

'Lessplay TarzananJane!

Good game it is. Saw it on the television last night. An' I'm Tarzan of the Jungle an' I rescue you from the baddies an' the lions an' the tigers an' the snakes an' the ragin' torrent. Come on, lessplay, lessplay!'

A Jonathan yn ffusto'i frest yn wyllt a gweiddi 'Ah-ah-ah-ah!'

'Why don' Jane rescue Tarzan for a change?'

''Cos she's jussagirl an' she never do thass why. Come on, lessgo down the trees. Lessgo! Lessgo!'

Rhedeg fel y gwynt, lledu'i freichiau'n llydan fel aderyn, ei wallt yn strimyn melyn.

'Come on you slowcoach!'

A Branwen fach yn ufuddhau, yn ôl ei harfer. Yn ei ddilyn lawr y bancin at yr afon, ar hyd y llwybr troellog, heibio i'r pentwr sbwriel, heibio i gefnau'r tai, heibio i'r rhes o garejys a shediau, o dan fwa Pont New Century a lawr at allt o goed ar waelod Balaclava Street. At fedwen arian braff. At raff â chwlwm ar ei gwaelod.

'First one on's the winner, second one's a bapa mam!'

A hithau'n ail, fel arfer. Yn Jane fach ddiymadferth yn gwylio'i Tharzan hardd yn siglo 'nôl a mlaen fel dyn trapeze mewn syrcas, gan gicio'r dynion drwg a'r anifeiliaid rheibus 'wham-bam-biff!' o'r ffordd.

Yn ofni cael ei hachub.

'Okay, thass all the baddies gone an' dead! So come on, Jane! Jump on!'

Rhewi. Ffaelu symud.

'Come on, mun, jump on quick! 'Else they'll be back to gerr you! Put you in a pot an' boil you! Eat you!'

'No!'

'I'll 'old you tight! You'll be safe with me. Come on you cowardy custard!'

Sefyll ar y cwlwm yn y rhaff.

Do'dd 'na fowr o le i'n tra'd ni'n dou. Ond o'dd braich 'y Nharzan bach yn dynn amdana i.

'Lessgo Jane!'

Cofio siglo unweth, ddwyweth, dair ... A phob ymchwydd serth yn troi'n stumog ben-i-waered. Gweld yr afon ymhell o'tanon ni, yn ymddangos a diflannu bob yn ail. Edrych lan a gweld y dail yn ysgwyd a'r brige arian rhisglyd yn hedfan hibo 'nôl-a-mlaen-a-'nôl-a-mlaen. Sŵn swish-a-swish-a-swish. Gweld môr o awyr las uwchben y dail.

'Great escape this, Jane! They won' gerrus now!'

Cofio trio dala 'ngafel yn y rhaff.

Cofio 'nhra'd yn dechre llithro.

'Don' leggo the bloody rope!'

Croen 'y nwylo'n rhwygo.

''Old on tight!'

A llithro,

llithro

lawr.

'You allright?

Please tell me you're allright.'

O'dd 'i law o dan 'y ngên, yn trio dala 'mhen uwchben y dŵr. Dŵr brown, brwnt. Llonydd, drewllyd. O'dd y goeden fel 'se hi'n plygu uwch 'yn penne, y dail yn dala i siffrwd, y rhaff yn dala i shiglo 'nôl a mla'n. On i'n clywed sŵn yr afon. Afon swnllyd yn pwmpo, pwmpo yn 'y mhen.

Cyfog. Hwdu 'mherfedd mas i'r afon. Pishys bach o fwydach yn troi mewn trobwll, yn bobo gyda'r llif.

A Jonathan yn dala 'mhen.

'You be sick a gutsful. Do you good.'

A'i fraich amdana i'n dynn.

'Don' cry, mun. You're allright. I said I'd save you from the ragin' torrent – an' I did an' all. I saved you.'

'Agor geg yn wide, gweud "A".'

'A'.

'Da-iawn-good.'

Mae'r claf a Doctor Jenkins-cas yn plygu'u tafodau 'nôl i'w cegau.

'Bydd hi'n iawn. Tipyn bach o wres a fever. Nothing major.'

'Ond beth am Weils Disease? Hen ddŵr brwnt yr afon. Llygod mowr. Wedodd William – 'y mrawd-yng-nghyfreth – ar y ffôn . . .'

'Twt, twt. Nonsens, Mrs Roberts. Rhowch rhein iddi – Disprin twice a day in water. Jyst rhag ofon. Da-iawn-good – I'll show myself out.'

Pat bach ar ben y fam a'r ferch ac mae'r afal crin o gorpws wedi codi â chryn anhawster ac wedi wadlo mas trwy'r drws.

'Wel?'

O'n i'n synhwyro'i chracrwydd. Er 'mod i â 'nghefen ati, yn cwato dan y garthen ar y soffa, yn esgus cysgu.

'Tro ata i, Branwen.'

'I llyged fel dou golsyn.

'Ar dy ben dy hunan o't ti?'

Y cols yn llosgi miwn i 'mhen i.

'Unweth 'to – ar dy ben dy hunan o't ti? Yn shiglo ar y rhaff?'

'Ie.'

'Wyt ti'n gweud y gwir?'

'Odw.'

'Reit. Ond os ffinda i fel arall, fyddi di mewn trwbwl mowr. 'Sdim celwydd i fod rhwng mam a merch. Ti'n deall?'

Cael a chael . . .

Mae hi'n oedi nes clywed sŵn y wireless yn y gegin cyn dringo ar ben y ford a phipo mas drwy'r ffenest, dros y wal. A gwenu . . .

Mae e 'na, draw wrth wal y Waun, ar ei ben ei hunan bach. Mae rhywbeth yn ei law. Blodyn – blodyn haul. Un tebyg iawn i'r rhai mae Emrys Rees mor falch ohonyn nhw. Rheini sy'n cael 'pride o' place' yn ei alotment, sy'n ennill gwobrau mawr. Un tebyg iawn i Little Weed.

Mae hi'n gwenu. Yn mynd ar flaenau'i thraed i'r cyntedd. Gwrando. Mentro mas. A llygaid glas a blodyn haul yn pipo arni drwy fariau'r gât.

'Nice flower for you. Are you allright?'

'Yes.'

'Shit scared I was.'

'And me.'

'Nice nightie 'at!'

'Can't take this flower in my house.'

'Why's 'at?'

'You stealed it. From Emrys Rees you did.'

'I wanted you to 'ave it. But I'll give it to my Mam instead. It's 'er birthday Friday. See you Saturday.'

'If I'm better enough.'

'You berrer be! So long for now!'

Mae hi'n gwenu arno.

'Goodbye Blobalop!'

Mae yntau'n chwerthin ac yn bowio'n isel.

'Goodbye Little Weed!'

Stwffo'r blodyn mewn i'w grys, croesi'r ffordd a chodi'i law ar Emrys Rees. Hanner ffordd lawr Bowen Street mae e'n troi a chwifio'r blodyn arni ac mae hithau'n chwifio 'nôl nes bod y pennau melyn wedi mynd o'r golwg.

Shîten lwyd o law yn hongian dros y cwm.

Y Foel a'r Waun fel dwy law anferth yn gwasgu pob diferyn o'r cymylau.

Rhaeadrau'n tasgu lawr y llethrau; y ffordd yn afon lydan, yn ffrydio'n ffyrnig lawr y tyle, yn gorlifo i'r cwteri. Dŵr yn llifo lawr y peipiau, yn cronni'n ffrothlyd yn y dreiniau, yn byblo dros y llwybrau. A'r lawnt fel llyn.

Stêm dros ffenest fach y gegin. Mae hi'n rhwbio twll-bach-y-clo ynddo ac yn pipo ar y niwl a'r glaw sy'n boddi'r ardd. Mae'r shed fel petai'n boban fel arch Noa ar y lawnt. Mae ei thrwyn yn creu patryme comic yn stêm y gwydr –

wyneb clown, ôl pawennau cath a chi. A'r cyfan yn ffrydio a diflannu lawr i'r sil.

Mynd yn dawel fach ar flaenau ei thraed i'r stafell ffrynt. Anwybyddu'r chwyrnu ar y soffa a dringo ar ben y ford a thynnu llun ar darth y ffenest. Llun mawr sy'n llanw'r gwydr. Gwneud yr un peth yn y parlwr, yn y stydi ac ar bob ffenest ar y llofft cyn rhedeg lawr y staere, mas i'r glaw, mas drwy'r gât i'r ffordd. Ac edrych draw at Gwynfa. A'r hen dŷ trist yn gwenu arni, ei ffenestri'n llawn o flodau haul.

Sefyll yn ddiferol yn y glaw nes bod y blodau'n gwywo a llifo'n ddagrau lawr y gwydrau a diflannu'n ddim.

Does dim ots gyda fi pan fydd hi'n bwrw glaw. Byddaf yn hoffi eistedd yn hapus ac yn glud wrth y tân yn darllen neu'n chwarae gyda Bayko. Rwy'n cael set newydd bob Nadolig. Gallwch adeiladi tŷ a byngalo ac ysgol a gwesti ac ysbyti. Rwy'n hoffi'r lliwiau coch a gwyrdd a gwyn. Lliwiai Urdd Gobaith Cymru. Rwy'n hoffi mynd i Eisteddfod yr Urdd. Un tro roeddwn ar y llwyfan. Roeddwn yn adrodd "Ddoi Di Dei i Blith y Blodai" o dan wyth. Fe ges i drydidd ond dywedodd y beirniad y byddwn wedi dod yn gyntaf petawn i wedi gwenu mwy ac adrodd fel y gwnes i yn prelims. Fe ges i drydidd am adrodd "Lle Bach Tlws" mewn eisteddfod arall hefyd. Dywedodd Mami y dylwn fod wedi ennill gan fy mod wedi adrodd yn well na'r ddau arall ond ei bod hwy'n troi eu penai ac yn

gwneud hen siapsai dwl. Mami sydd yn
fy nysgu i adrodd. Mae hi'n dda ond nid
wyf yn hoffi gorfod sefill yn sith ar ben
stôl.

Rwy'n hoffi "Lle Bach Tlws". Rwy'n
hoffi meddwl am "fwclis bach coch ar y
coed". Un diwrnod pan fyddaf yn fawr
byddaf yn ysgrifeni rhiwbeth neis fel yna.
Am riw le bach tlws. A neb yn gwybod
amdano. Dim ond fi. Bydd pawb yn
dweud ei fod yn dda. A byddaf i yn
enwog. Un diwrnod pan fyddaf yn fawr
byddaf yn cael byngalo neis fel rhai
Bayko. To a shimne coch, brics coch a
gwyn, ffenestri, ffensis a gatiai gwyrdd,
llwybr "crazy paving" yn mynd igam ogam
at y drws. (Rwy'n hoffi "igam ogam" gan
fy mod yn cofio am Dorothy yn "The
Wizard of Oz" yn dawnsio gyda'i ffrindiai
ar hyd "The Yelow Brick Road".) A
byddaf yn byw yn fy myngalo bach yn
hapis am byth.

Do'dd dim jengyd.

Dim dihangfa rhag y syrffed. Rhag unigrwydd tŷ mowr
tywyll.

Stico stamps i'r albwm – Helvetia, Madagasgar a Ceylon.
Stico cardie Hornimans ar dudalenne'r llyfyr melyn – Koala
native of Australia looks so cuddly but can be quite aggressive
if attacked. Humming bird native of North Africa hovers for
long periods in mid-air. Crocodile native of Australia kills its

prey by drowning. Rattlesnake or Sidewinder native of United States of America bite can be lethal.

Odw, wy'n dala i gofio . . .

Jigsaws o bob lliw a llun – The Laughing Cavalier, The Blue Boy, Notre Dame Cathedral, Sailing Boats at Sunset, Ensigns of the World, View of Interlaken. A'r ffefryn mowr – And When Did You Last See Your Father?

Children's Favourites ar y wireless ar fore Sadwrn – I Know an Old Woman who Swallowed a Fly, The Laughing Policeman, The Ugly Duckling, Over the Sea to Skye. A blwmin Christopher Robin in Buckingham Palace.

Awr y Plant a *Galw Gari Tryfan* bob nos Fawrth. Wel tawn i'n ffycin smecs!

A llond y lle o lyfre – hwrê i Wil a Sioni a'r criw sy'n byw yn Llyn y Felin! A Martha Plu Chwithig a Siôn Blewyn Coch a'r Twrci Tew a'r Twrci Tenau! A Pinocio'r Hogyn Pren a Pwt a Moi a theulu'r Cwpwrdd Cornel! A'r hen Ifer bach o Oes yr Arth a'r Blaidd! On'd o'dd 'da fi ffrindie da? On'd o'n i'n lwcus bod yn un o'u gang?

Rwy'n hoffi darllen pan fyddaf ar fy mhen fy hinan. Rwy'n galli dychmygi'r cymeriadai i gyd ac esgus fy mod yn ei nabod ac yn chwarae gyda hwy. Rwy'n hoffi tynni lluniai hefyd. Does dim rhaid i mi dynni rhai go iawn ar bapir. Gallaf dynni lluniai yn fy mhen hefyd. Yn y gaeaf pan fydd hi'n dywill a glawog ac oer a diflas a thrist byddaf yn tynnu lluniai yn fy mhen o haul a thywod melyn, awir a môr glas, porfa a choed gwyrdd a blodai o bob lliw a llun. Rwy'n hoffi lliwiai hapus sy'n gwneud i fi deimlo'n hapus hefyd. Wel yn fwy hapus.

Rwy'n hoffi cofio lliwiai hapus fel glas y môr yn Aberaeron, y barcid melyn fel yr haul yn hedfan yn yr awyr a ffrog las a sgarff oren Mami. Un tro roedd yn ddiwrnod braf iawn ac fe gawsom bicnic neis sef bara menyn jam a phlwms o ardd Mamgu. Ond ar ôl bwyta lot o blwms roeddwn yn sic dros wely plu Mamgu ac roedd stecs porffor dros y matres a Mamgu a Shincin John yn ei gario mas i'r ardd ac arllwus bwcedeidi o ddŵr drosto a'i hongian i ddiferi ar y lein a wedyn ei adael yn yr haul ar lawr y parlwr i grasi. Roedd Mamgu'n rhy hen i ddod am bicnic. Dim ond Mami a fi oedd yna. Roedd hi'n gwisgo'i ffrog haul newydd, yr un las brynodd hi yn Polikoffs yn Aberystwyth. A sgarff oren yn ei gwallt. Roedd hi'n edrych yn bert iawn. Ond ar ôl mynd nôl i tŷ Mamgu roedd tar du o'r traeth ar y ffrog ac roedd rhaid rhoi tyrps arni a'i golchi a'i rhoi hi ar y lein i sychu. Ond roedd y marc du'n dal yna. "O dier, dyna drueni, roedd hi mor bert" meddai Mamgu. "Twt, dim ots a pidwch ffysan" meddai Mami. Ond roedd Mamgu'n iawn achos roedd y marc yn hyll a bydd e yno am byth ac nid yw Mami wedi gwisgo'r ffrog ers hynny ac mae wedi ei rhoi yn y cwdin jymbl sail a diolch byth bod Mamgu'n ffysan a trueni pan fydd hi'n marw a ddim yn ffysan byth eto.

Ond does dim pob llun o'r haf sydd yn fy mhen yn hapus. Fel y llun o Wncwl William yn gweithio yn yr ardd ar ôl dweud "Mae'r ardd yma fel jyngl, Gwenda". Roedd e'n trasho'r Ladi Wen a'r danad poethion a'r mieri. Doedd dim ots gyda fi am y Ladi Wen sy'n tagu popeth na'r danad poethion, sydd yn pigo'n gas. "Ond peidiwch trasho'r mieri achos wedyn bydd dim mwyar duon" meddais i wrth Wncwl William. Ond roedd e'n chwerthin ac yn trasho fel dyn gwyllt nes bod peil o fieri ar ganol yr ardd ac yna roedd e wedi tano matshen a rhoi'r peil ar dân nes bod mwg mawr du yn codi lan ac yn mynd i bobman ac yn gwneud i fi beswch a llefen yr un pryd. A wedyn doedd dim mwyar duon. Ac rwy'n hoffi bwyta mwyar duon. Ac rwy'n hoffi eu casglu yn y cae ar bwys tŷ Mamgu ac mae hi'n gwneud tarten a phwdin a jam neis. Mae Wncwl William yn gwneud lot o bethau sydd ddim yn neis. Ac nid wyf yn hoffi gwynt y Brilcrim ar ei wallt. Ond mae Mami'n dweud ei fod yn werth ei nabod gan ei fod yn handi gyda'i ddwylo.

Echddoe roeddwn wedi dechrai ysgrifenu'r stori hon! Mae hi wedi cymryd bron dau ddiwrnod! Ond roedd yn rhywbeth da a diddorol i'w wneud.

Siglo yn y gadair wrth y ffenest.

Uwch ei phen mae llwydni'r awyr, brigau'r goeden fwnci'n crafangu'r gwydr, gwifrau trydan yn ysgwyd yn y gwynt. Mae synau cerddorfaol y gwlybanieth yn ei phen: Whwwwsh! pell y gwynt yn sgubo'r cesair lawr y cwm; Shwwwwsh . . . cyson yr afonig ar y ffordd; glyg-lyg-lyg rhyw gwter yn gorlifo; tsy-tsy-tsy'r diferion ar y gwydr; a dŵr yn drip-drip-dripian o dan y bondo.

Codi a mynd i'r gegin. Mae'n dawelach yma ac yn dwymach. Dillad gwely'n stemo o flaen y Rayburn; macynnon yn ffrwtian mewn hen sosban ar y stof; nicers mewn Domestos yn y sinc. Ac yn y gegin mas, dillad gwely sopen yn y twba wrth y mangl. Gwaith diwrnod golchi ar ei hanner. Y storm yn esgus bach cyfleus dros fynd i orwedd yn y gwely. Cuddio. Cysgu. Chwyrnu.

O'n i'n gallu'i chlywed hi o'r gegin.

Hwrnad dwfwn fel sŵn megin yn dod o'r llofft. A phob hwrnad yn 'y neud i'n drist. Yn grac. Yn fwyfwy unig. 'Na pam es i mas i'r ardd – i whilo am Tabitha, 'i galw miwn i'r tŷ. Ond do'dd dim sôn amdani. Dim byd ond llwydni oer a gwlyb, a'r ceser yn tasgu'n gam ar draws 'y moch. Fel clatshys caled. Yn llosgi, tynnu dagre.

'Tabitha, dere miwn!'

A'r flows sidan, wen yn hongian ar y lein, ypseid-down, sgiw-whiff, yn fflapo fel barcud glan-y-môr, 'i breichie'n hongian lawr yn llipa, llawes wen yn llusgo'r llawr. Llawes wen a'i hymyl yn frown o fwd. O'n i'n disgwl 'i gweld hi'n hwthu bant a chodi uwchben y to a'r shimne lan a lan i'r cymyle llwyd. Pan fydde'r gwynt a'r glaw yn sgubo lawr o ben Foel Ddu, gardd anial Gwynfa â'i lein ddillad o'dd 'u targed cyntaf. Bydde pilyn ar ôl pilyn yn chwyrlïo a finne'n ca'l y job o redeg nerth 'y nghoese pwt drw'r gât a rownd y walie i gasglu'r cwbwl mas o'r pwdel ar lôn y cefen.

Unrhyw ddiwrnod arall fydden i wedi gafel yn y flows a'i harbed rhag y storom.

Unrhyw ddiwrnod arall . . .

'Lessgo down your basement!'

'No.'

'Why's 'at?'

'My Mami won't be willing.'

'She won' know. She's sleepin'. I just saw 'er through the window.'

'Reading she is not sleeping.'

'So she do snore when she's readin'?'

'Don' you be cheeky 'bout my Mami, Jonathan!'

'Oh, come on, mun, startin' to rain it is. An' I don' wan'o go back 'ome. An' I never been down your basement. So lessgo!'

'No!'

'Dim byth!

Neb dierth lawr y basement! Wyt ti'n deall, Branwen?'

'Na beth o'dd hi wedi'i weud. Ac o'n, o'n i wedi deall. Deall beth o'dd gorchymyn afresymol; yr ysfa i herio, anufuddhau; y pleser o ildio i demtasiwn; sbort, drygioni; mentro popeth er mwyn torri ar y syrffed . . .

'Lessgo! Lessgo!'

Mynd ar flaene'n tra'd . . . Tynnu'r allwedd mowr o'r bachyn yn y sang-di-fang . . . Agor y drws derw crîc-crîc-crîc . . . A chamu iawr y staere serth.

A sefyll.

'Awful dark it is down 'ere.'

Gwenu . . . Sawru'r foment fach o bŵer . . .

'Put the light on!'

'You – are – scared!

'Just put the bloody light on!'

84

'Jonathan cowardy custard!'
O'n i'n joio teimlo'i anniddigrwydd.
'Put the bloody light on will you!'
Gwasgu'r switsh, goleuo'r sioe – a'i wyneb bach yn bictiwr.
'Bloody 'ell!'

Mephistopholes.
Y diafol barfog yn ei glogyn coch, yn gwenu'i ddialedd o'i bedestal yn y cornel, ei lygaid fel cocrotshys. Llygaid gwyllt y ddwy gwningen a barlyswyd am oes-oesoedd yn syllu mas o'u carchar gwydr. Caledfwlch yn ei wain gywrain yn hongian lawr o'r nenfwd, y perlau a'r gemau lliwgar yn ei garn yn fflachio fel caleidoscop dim ond ichi roi'r twtsh bach lleia i beri iddo droi. Bord derw hir; drych mawr, euraid yn pwyso yn erbyn wal. Canwyllbrennau trwm, hen gŵyr yn dal i lynu wrthyn nhw. Chandelier gwydr yn sypyn trist, toredig ar y llawr ar bwys bocs pren â **THEATRICAL ELECTRICALS** wedi'i gerfio arno yng nghanol pentwr o lampau a lanterni y gallech eu labeli'n daclus – lamp Aladdin, lamp coetsh fawr, lamp glöwr, lamp y Bugail Da, lamp deintydd a sawl lamp sgwâr nad oedd yn glir beth oedd eu pwrpas. Yr Orsedd Fawr Frenhinol – celficyn plywood wedi'i beintio'n aur â'i lond o 'emau' a 'cherfiadau' ffug. Sawl bocs cardbord, dau focs morwr wedi'u cau â strapiau lledr, cist dderw fawr, gerfiedig. Baner Draig Goch enfawr ar y wal a tharian doredig 'Y Ddraig Goch Ddyry Cychwyn'. Pentyrrau llyfrau a chylchgronau, cynfasau olew a dyfrluniau – llong hwyliau, caethferch yn yr Aifft, y Taj Mahal, carw yn yr Alban, pabis coch mewn cae, Eglwys Canterbury yn yr eira, merch â thorch o flodau am ei phen, hen ŵr bach creithiog, mantach. Ffotograffau – morwr, milwr, nyrs, teuluoedd surbwch – i gyd wedi'u rhewi mewn oes a fu. A Beni'r bwgan brain didoreth, ar ei un-goes simsan, yn ei ddillad carpiog a'i het fawr, dyllog.
'Bloody 'ell! It's Ali-Baba's cave it is!'

'Aladdin's cave you twpsyn – see his lamp by there?'

'An' them b'there are gas masks! Real gas masks! I seen 'em in my gransha's shed! An' in my brothers' comics!'

Dau fwgwd nwy – wynebau angenfilod hyll y fall – yn hongian ar fachau ar y wal.

'An' whass in 'iss bocs by 'ere?'

Bocs du, **THEATRICAL MAKE-UP** mewn llythrennau lliwgar ar ei flaen, yn llawn o golur a mwstáshys a gwallt ffug.

'Lessplay actors! An' I can be an ugly devil – or an 'andsome prince! Or the evil monk – whassisname in Russia. I saw the programme on 'im . . .'

'Rasputin.'

'Aye, thass 'im. An' whass in 'iss chest by 'ere? More treasure?'

Agor caead trwm y gist i ddatgelu'r gwisgoedd: ffrogiau dawnsio, lifrai milwr, dillad nyrs a chlown a phlisman, clogyn o sidan porffor, clogyn mynach, adenydd angel, gwisgoedd tylwyth teg, tair coron, tariannau a chleddyfau. A Jonathan yn gafael mewn coron gardbord wedi'i pheintio'n aur, a'i gosod ar ei ben.

'Lessplay kings an' queens an' I'm the King of England!'

'You can't be King of England. She's a Queen.'

'Allright 'en, lessplay Coronation an' you can be the Queen. An' I'll be whassisname the duke who walks behind 'er. Or I can wear 'iss cloak an' crown you.'

'No.'

'Good it was. I saw it on the television.'

'No!'

'Why's 'at?'

'My Mami doesn't like them.'

'She'll never know! An' anyway, whassamatter with 'er? Everybody likes 'em, mun! Remember the Coronation parties we all 'ad?'

'No.'

'An' tha' time after she was crowned when she an' 'im came down the 'Igh Street in 'at open car an' waved an'

86

everybody waved 'em Union Jacks? A day off school we
'ad – remember?'

'No, I don't!'

'Bloody odd you are! Still got my royal mug I 'ave. Bit
cracked it is. Mikey sold 'is one to Mac the Madman down
the road. Two bob the poor bugger paid 'im. My Dad
smashed Phil's one on the floor – tryin' to pinch some
money from it 'e was, but my Mammy caught 'im an' 'e
dropped it just to spite 'er. Don' know where David's mug
is. Still got yours?'

'I didn 'ave one.'

'Everybody 'ad one, mun.'

'Right, let's get out of here!'

'But we 'aven' started playin' yet!'

Stwffo popeth 'nôl i'r gist. Cyn pen munud roedd y
caead wedi'i gau a'r golau wedi'i ddiffodd a Jonathan wedi
cael ei hwpo lan y staere a'r drws wedi'i gloi a'r allwedd
wedi'i osod ar y bachyn yn y sang-di-fang – a whiw!

Dim 'whiw!' o gwbwl.

O'dd hi'n sefyll ar y landin.

'Y gnawes fach! A 'ma'r diolch wy'n ga'l, ife? Am yr holl
flynydde o roi a rhoi – rhoi popeth allen i i ti. Neud popeth
drostot ti. A tithe nawr yn mynd tu ôl i 'nghefen i'n slei fach.
Dod â chrwtyn dierth miwn i'r tŷ. A finne wedi gweud a gweud
– dim neb! Dim byth! Ti'n groten ddrwg! Beth wyt ti?'

'Croten ddrwg.'

'Croten ddrwg, dwyllodrus! Gwed e!'

'Croten ddrwg, dwyllodrus.'

'A chelwyddog! Gwed e!'

'A chelwyddog.'

'Na 'mhroblem fowr i wedi bod eriôd.

A'r flows fach sidan, wen yn hongian ypseid-down drw'r
nos, 'i llawes yn llusgo yn y mwd.

MAMI

Rwy'n caru Mami. Mae hi'n bert, yn bertach na phob Mami arall yn y byd. Mae hi'n garedig hefyd ac yn gofali amdanaf bob amser ac yn gwneud bwyd neis ac yn golchi a smwddio fy nillad ac yn rhoi bath i fi a golchi fy ngwallt. Ambell waith byddwn yn cael sbort pan fydd hi'n rhoi rowlers yn fy ngwallt er mwyn i fi gael cwrls ond bydd y cwrls wedi diflani erbyn y bore. Ambell waith mae hi'n darllen "Llyfr Mawr y Plant" neu "Yn Oes yr Arth a'r Blaidd" neu "Pinocio'r Hogyn Pren" neu "Tresure Island" neu "Luned Bengoch" neu "Teulu'r Cwpwrdd Cornel" i fi cyn amser gwely. Mae hi'n prynu "School Freind" a "Girl" i fi bob wythnos a te Hornimans er mwyn i fi gael cwpons anifeiliaid gwyllt. Mae hi'n rhoi moddion i fi pan fyddaf yn cael peswch a phlasters pan fyddaf yn cael dolir a Junior Disprins i wella fy mhen tost. (Bydd Mamgu'n rhoi Syryp of Ffigs a Cod Liver Oil i fi pan fydd hi'n dod i aros ond mae Mami dweud ei bod yn ffysan gormod. "Mama" meddai hi, "mae'r groten fach yn berffaith iach wedyn stopwch ffysan!") Mae Mami'n glefer hefyd ar ôl mynd i "Goleg Aberystwyth." Athrawes yw hi, pan fydd hi'n teimlon ddigon da. Pan fydd hi ddim yn dost. Hi yw'r Mami orau yn y byd i gyd gan gynwys China ac America a'r holl wledydd mawr eraill fel Awstralia. Ac fel mae Mamgu'n dweud o hyd, "Branwen, hi yw'r unig fami gei di byth."

Chwech o'r gloch y bore.

A'r cloc yn taro boing-boing-boing drwy'r drws agored. Ac Eric Jones the cream yn ffaelu coelio'i lygaid.

'What you doin' there, my lovely? Sittin' on the doorstep this early in the mornin'?'

'Been here since four o'clock.'

'Why's 'at? An' whassat in your pyjama pocket? Well I never – it's a mouse! A bloody mouse!'

'I rescued it from the cat.'

'The cat!'

'Tabitha. I shut her in the kitchen. Cross she is.'

'I bet she is! An' you are mad an' all!'

Gwallgo.

Hollol wallgo. Am 'mod i wedi dihuno mewn gwely gwag, wedi codi i whilo am fy mam, a'i ffindo'n cysgu ar y soffa. Wedi ymbil arni i ddod 'nôl i'r gwely, wedi goffod rhoi 'mysedd yn 'y nghlustie rhag 'i gweiddi hi. 'Gad lonydd i fi, Branwen, y gnawes fach slei, fusneslyd!' A wedyn o'dd hi wedi claddu'i phen o dan y cwshins a mynd 'nôl i gysgu. A thrw'r cwbwl o'dd Tabitha'n mewian fel cath wyllt – sŵn dwfwn yn 'i gwddw – tu fas i ddrws y ffrynt. A 'na ble o'dd hi, llygoden yn hongian yn 'i cheg. 'Tabitha! Gwllwng hi, yr hen gath ddrwg!' Fe afaeles i yn 'i gwegil a'i hysgwyd yn ddidrugaredd. Fe sgramodd hi fi a sgyrnygu arna i fel llew wrth i fi 'i chau hi yn y gegin. Pan ddes i 'nôl â cotton wool a Dettol o'dd y llygoden wedi hercian ar 'i theircoes a mynd i gwato yn y gwter. Fe afaeles i yndi a golchi'r clwy a'i rhoi hi'n saff ym mhoced 'y mhyjamas. O'n i'n gallu teimlo'i chryndod hi fel curiad bach 'y nghalon am dros deirawr.

'Bloody vermin! But it'll soon be dead – you mark my words!'

89

Fe roies i angladd teilwng iddi. Bedd bach ym mhridd y border wrth y shed. Haenen fach o raean. A blodyn dant y llew yn goron ar y cwbwl.

O'dd, o'dd Eric Jones the cream yn berffeth iawn. O'n i'n gwbwl wallgo.

Dala i fod . . .

'Lessplay funerals today.

Good game it is.'

'No . . .'

'But you can choose – the Pope one or Queen Mary's. We can steal some roses off Emrys Rees. Nice big red ones – 'e's got plenty, 'e won't notice. An' we can take 'at big white sheet off your washin' line. An' we'll go up the Waun an' find a nice big 'ole . . .'

'Fuck off, Jonathan!'

'All right! No need to swear!'

'You teached me! And I don't like the game – the Pope one or Queen Mary. Too old they were them both.'

'Thass why they died – 'cos they were old.'

'Jonathan, you know nothing you do!'

A hithau'n cofio popeth.

Dafnau mân o lwch yn hofran mewn pelydryn main o haul. Drws y wardrob fach ar agor ac Wncwl William a Mister Godwin Bach yn busnesu ynddi. A dau gês gwag, un du, un brown, ar agor ar y llawr.

Mae hi'n cofio eistedd ar y gwely mawr, ei choesau wedi'u croesi, yn gwylio'r twrio, yn eu gweld yn gafael ym mhob dilledyn fesul un a'i astudio'n fanwl cyn ei daflu ar y gwely. Pentwr bach o ddillad – siwt-a-wasgod, trowsus rib, trowsus llwyd, dwy gardigan, siaced frethyn â phatshys lledr ar ei llewys, crysau, teis a sanau – a phopeth yn un cawdel, fel jymbl sêl yn festri Hebron pan fyddai'r byrddau tresl hir yn drwm gan drugareddau diwerth, ambell fargen brin, hen ddillad a theganau, ornaments, planhigion, lluniau. A phawb yn twrio a byseddu. A gwynt hen frethyn, llwch a chwys a baco, camffor, mothbols, sebon, startsh, lafender a mints yn llenwi'r festri. Gwynt bywyd a marwolaeth.

A Mr Godwin Bach yn diflasu pawb at syrffed â'i araith fach arferol yn ei lais sing-song.

'Wel dyma ni, gyfeillion annwyl, wedi dod ynghyd yn ôl ein harfer i hyrwyddo gwaith yr Arglwydd Iesu Grist. Ein braint ni yma heno yw casglu arian i'r Genhadaeth Dramor, ar gyfer y gweithwyr – na, y milwyr! – sy'n ymladd mor ddiflino yn rhengoedd y Cadfridog Mawr Ei Hun, a hynny yn y frwydr – na, y rhyfel! – i ledaenu'r Efengyl Sanctaidd i bedwar ban y byd. Ein braint ac anrhydedd ni, gyfeillion, yw bod yn footsoldiers digon di-nod ond hynod barod yn y rhyfel hwnnw. "Rwyf finnau'n filwr bychan", meddai'r emynydd yntê, ac fe dalai ar ei ganfed inni gofio'r pennill hyfryd hwnnw ar ein cof:

> "Rwyf innau'n filwr bychan
>   Yn dysgu trin y cledd,
> I ymladd dros f'Arglwydd
>   Yn ffyddlon hyd fy medd."

Gyfeillion annwyl, gallwn ninnau yma heno ymfalchïo ein bod yn 'dysgu trin y cledd', a hynny wrth godi swm teilwng o arian i'w anfon i faes y gad yn Affrica a China a Madagasgar bell. Ac mae'n addas inni gofio geiriau emynydd arall hefyd:

> "Draw, draw yn China a thiroedd Japan
> Plant bach melynion sy'n byw;
> Dim ond eilunod o'u cylch ym mhob man,
> Neb i ddweud am Dduw."

'Ie, gyfeillion – "Dim ond eilunod!" Ond beth am ddweud wrthyn nhw am Dduw, gyfeillion! Ie, o Festri

Capel Hebron heno – bloeddiwn ein neges fawr, ein cenadwri bwysig, am ei ras a'i anfeidroldeb! Ac wrth gwrs y diolchiadau arferol i'r chwiorydd – heb eu henwi – a fu wrthi'n trefnu ac yn casglu ac yn paratoi'r lluniaeth ardderchog ar ein cyfer ac a fu, mewn gair, yn gymorth mawr i fi a Mrs Godwin.'

A Iesu Grist, â'i freichiau am y plant amryliw o'i gwmpas, yn gwenu'n enigmatig lawr o'r wal.

'Na ble ges i'r blazer.

Yn un o'r jymbl sêls yn Hebron. Un Gaberdine, lliwie'r Urdd, draig goch hyll ar y bathodyn ar 'i phoced dop. Blazer rhywun wedi marw. Llinos o'dd 'i henw. A'i mam yn gweud mor bert o'n i. Jyst mor bert â Llinos, druan fach. A'r blazer lot rhy fowr. Y llewyse lot rhy hir. A Mrs Godwin Fach Gweinidog yn cynnig 'u cwtogi. Ond 'nath hi byth. O'dd macyn yn y boced, â'r llythrennau 'LL' wedi'u hembroidro'n las. Ac o'dd pishyn hanner coron yn y secret pocket. O'n i'n lico honno. O'ch chi'n gallu cwato pethe ynddi. Do'n i ddim yn lico shwt o'dd mam y Llinos 'ma yn edrych arna i. 'I phen ar dro i gyd, yn trio pido llefen wrth sibrwd yn 'y nghlust i.

'Hanner coron er cof am Llinos fach. Deuddeg o'dd hi, druan. Newydd fynd i'r Cownti. Shwt un fach neis, alluog. A mor bert . . .'

A nawr, mae pentwr bach o ddillad ar y gwely.

Ac mae Wncwl William yn rhoi winc fach slei ar Mr Godwin Bach Gweinidog.

'Jobyn iti, Branwen. Plyga'r teis yn deidi. A rho'r sane bob yn bâr. 'Na gw-gerl-fach i dy Wncwl-William.'

Mae Mister Godwin Bach Gweinidog yn 'i dynnu i'r naill ochr.

''Ddylia'r hogan fach ddim bod fan hyn, yn gweld y petha yma.'

92

'Pidwch becso dim. Dyw'r groten ddim yn deall. Lot rhy ifanc.'

'Ydy, debyg. Diolch byth i'r drefn.'

Mae hi'n esgus peidio clywed, yn esgus trio helpu. Hosan ddu – a'i phartner. Hosan frown – a'i phartner. Hosan lwyd ddibartner.

Mae Wncwl William yn plygu'r 'pethe gore' – y siwt a'r cardigans a chrys neu ddau – a'u gosod yn y cês bach brown.

''Ma nhw i chi, Mr Godwin. Wy'n siŵr y cân nhw gartre da.'

A Mr Godwin Bach yn rhoi winc fach ddirgel.

'O, garantîd, 'rhen gyfaill, garantîd!'

A finne'n cofio'r ci bach cloff.

Yr un bach strae yn cwato yn y cornel, wrth y shed. 'I gwt bach rhwng 'i goese. Hanner 'i bawen fla'n yn hongian bant. Ac Wncwl William yn dod i'w moyn e.

'Motor wedi'i fwrw, siŵr o fod. Ond paid â becso, Branwen, fe geith e gartre da.'

'I fwndlan e i hen focs cardbord. Cau'r caead arno fe. A'r ci bach yn dechre llefen. Gwichan bach i ddechre, a wedyn udo mowr. Tu fiwn i'r bocs.

'Shwt sŵn mowr 'da ci mor fach!'

A'r udo mowr yn ca'l 'i gario i fŵt y car.

Clep.

Mae Mr Godwin yn cau caead y cês brown.

Ac mae'r ddau'n llygadu'r pentwr bach truenus ar y gwely.

'Rŵan, William bach, beth am y sbwriel yma? Tydan nhw'n dda i ddim i neb ond pobol Cairo Row.'

'Ma' croeso i chi'u ca'l nhw, Mr Godwin bach. Ar gyfer un o'ch jymbl sêls yn Hebron. Ma'n whâr-yng-nghyfreth wedi gweud.'

A Mr Godwin Bach yn sniffan. Yn troi ei lygaid at y nefoedd.

'Druan fach â hi. Tydi petha ddim yn dda y dyddia hyn. Petha'n mynd yn drech. 'Dach chi'n gwbod be dwi'n 'feddwl . . .'

A'i law dde fel cwpan yn codi at ei geg . . .

'Ie, gweddol yw hi, druan . . .'

'Wncwl William?'

'Ie, Branwen?'

Mae'r ddau'n edrych arni'n dal yr hosan lwyd rhwng bys a bawd.

'Beth 'naf i â hon? 'Sdim partner 'da hi, druan. A ma' hi'n rhacs ta beth.'

'Geith hi fynd i'r bin.'

Mae popeth arall yn cael ei lwytho i'r cês du ac mae Mr Godwin yn rhoi pat fach ar ei phen.

'Dos di lawr at Mami, 'na ti hogan dda.'

Mae hi'n gwenu'i gwên angylaidd orau arno.

'Fuck off Mr Godwin Bach Gweinidog! Chi a Wncwl William!'

'Wel?'

O'dd hi'n sefyll yn odidog o sigledig yn y drws, 'i siol ddu dros 'i gŵn-nos gwyn, 'i gwallt yn hongian dros 'i gwar. Ac o'dd hi'n grac – ond dim â fi.

'Fe glywoch chi beth wedodd Branwen! Cerwch o 'ma – nawr! Y ddou ohonoch chi. Ond cyn mynd, rhowch y dillad 'nôl yn gwmws man lle'r o'n nhw.'

Dim gweiddi, dim ond gwenu'n neis.

'Gwranda, Gwenda . . .'

'Bydd ddistaw, William. A g'na beth wedes i – ti a'r tipyn gweinidog bach truenus 'na – rhowch bob pilyn 'nôl.'

'Nefoedd Fawr, does dim angen bod mor annymunol, Mrs Roberts!'

A'r tipyn gweinidog bach truenus yn troi 'i lyged at y

nefoedd unweth 'to a wedyn ata i a dechre annerch yn 'i lais difrifol iawn.

'A fedra i ddim mynd o 'ma cyn dweud fy marn. A rhoi gair o gyngor iti, Branwen. Hen araith front oedd honna, hen regi hyll! Cywilydd, Branwen! A finna wedi meddwl dy fod yn hogan dda!'

Ac Wncwl William yn siglo'i ben yn ffyrnig arno fe a fy mam yn camu fel rhyw lewes wedi'i chlwyfo miwn i'r stafell . . .

'Esgusodwch fi! Chi'n fyddar?'

. . . A thynnu'r dillad mas o'r cesys, 'u rhoi nhw 'nôl ar hangers a'u stwffo 'nôl i'r wardrob fach.

'Cerwch o 'ma! Gadwch lonydd i ni! 'Sdim isie'ch help chi arnon ni! Ma' Branwen fach a finne'n berffeth iawn!'

'Ond chi ddeudodd am y dillad . . .'

'Cerwch! Ne' fe alwa i'r polîs!'

A'r ddou ddyn yn edrych ar 'i gilydd cyn baco mas o'r stafell.

A ninne'n gwenu ar 'yn gilydd. A hithe'n cau'r drws a mynd i orwedd ar y gwely mowr a chau'i llyged. A finne'n mynd i orwedd ar y llawr, a sylwi ar y crys, un glas gole, y llewyse wedi breuo, wedi'i dowlu i'r naill ochor. O'dd sbotyn o inc coch ar y llawes dde . . .

Cofio Dad wrth ford y gegin, yn marco llyfre ysgol, yn rhoi tic a chroes bob hyn a hyn a sgrifennu ambell air. A finne wrth 'i ochor yn sgrifennu un o'n storïe, yn trio sgrifennu'n sownd . . . A fynte'n gwenu . . .

Fe blyges i'r crys yn ofalus a'i roi gyda 'mhethe pwysig yn y drôr. A mynd 'nôl i orwedd ar y llawr. Cwrlo lan yn dynn. A gweld hen gorryn mowr yn creu 'i we fach gymhleth 'nôl-a-mlân-a-lan-a-lawr-a-rownd-a-rownd o dan y silff-ben-tân.

A phenderfynu rhacso'i fyd.

Rhoi 'mys gan-bwyll miwn i'r we, reit miwn i'w chanol. A'r corryn hyll yn cwmpo. Yn sgathru at y sgyrtyn. Yn cwato'n saff. Yr hen gorryn hyll mowr lwcus.

A stop.

'Dead sheep it is.

Know the smell I do.'

Drewdod gwaeth na chachu.

'There it is, by the ruined 'ouse. Lessgo an' see – but 'old your nose! An' 'old my 'and an' all!'

Mentro law yn llaw. A syllu.

Mae hi'n gorwedd wrth wal y talcen, fel petai'n cysgodi rhag yr haul. Dim byd ar ôl ond sgerbwd gwlanog. Cachu crimp yn hongian o dwll ei thin, ei phen ar dro, ei thafod mas. A'i llygaid yn syllu'n ddall. A phryfed glas yn heidio yn ei pherfedd, yn ei chachu, yn ei llygaid, yn ei cheg.

'Bloody 'orrible it is.'

'Poor thing . . .'

'Bloody twp she was. She let the foxes get 'er. They're all twp, these sheep. Lessthrow stones at 'er, the twpsyn.'

'No.'

'Come on! Good game it is. First one gets 'er 'ead's the winner.'

'No! It's cruel!'

'But she's already dead! Come on, lesscollect our ammunition!'

Mynd ati'n ddygn i gasglu cerrig, rhai o waliau'r murddun, rhai eraill a wasgarwyd dros y Waun, a'u taflu'n bentwr.

'Good shapes on 'ese! Just what we need – grenades an' cannon balls. Some are funny shapes an' all – like 'is one, see?'

Carreg driongl, fel bwyell fach gynoesol sy'n cael ei thaflu mewn i'r gromlech fach o bentwr, ryw deirllath 'nôl o'r corff.

Cyrls melyn dros 'i dalcen.

'I lewyse wedi'u torchi, 'i fresys glas yn hongian.

'Come an' 'elp me, mun! 'Ard work this is!'

Dwy ne' dair o ddefed yn dod i bipo arnon ni, yn cnoi cil yn llawn diddordeb. Pob un â'i hoen bach wrth 'i chwt. Pob oen yn nerfus, yn aflonydd.

'Lladd dafad ddall.'

'What?'

'Kill a sheep which don't see. You can read it back-to-front the same.'

'You're always talkin' nonsense you are. Okay, thass enough stones for now. Right 'en, ready? Ladies first . . .'

'And monkeys after!'

'Play proper mun! Dead serious!'

Hi sy'n codi'r garreg gyntaf.

Â dwy law, a'i thaflu â'i holl nerth.

'Thassno' very good!'

'Well you do better, cleversticks!'

Taflu carreg ar ôl carreg a phob un yn syrthio'n bell o'i nod. Ac yna – crac! – a'r hen gorpws hyll yn gwingo a'r pryfed yn codi'n gwmwl swnllyd a'r ŵyn yn gwasgaru a'r defaid yn syllu'n gegrwth, swrth.

'Bullseye!'

'Sheepseye!'

'Whoopee! I'm the winner! Come on, lessgo Trigger! Whoopee!'

A Jonathan yn carlamu lawr y Waun, yn gowboi ar ei geffyl, ei law chwith yn gafael yn awenau'i ddychymyg, ei fraich dde'n pwno top ei goes i rythm y carlamu. A diflannu . . .

A hithau'n sefyll ar ei phen ei hunan, yn gwrando ar fân synau'r Waun. Yr awel rhwng y brigau, pioden yn sgathru ar hyd trawstiau'r murddun, brân yn crawcian, ambell fref. Mae hi'n mentro'n betrus at y corpws, yn gweld y pryfed wedi setlo unwaith eto, yng nghanol morgrug, mwydod. Yn gweld y garreg yn y benglog. Carreg driongl, fel bwyell fach gynoesol.

Drewdod. Cyfog. Troi i fynd. A gweld yr oen. Fel tegan

babi. Oen bach Drama'r Geni. Yn crynu mewn clawdd o ddrain. A dau dwll gwaedlyd yn ei ben.

'Jonathan! Jon-ath-an!'

Dim byd ond gwatwar brain a brefu'r defaid.

O'dd e wedi mynd a 'ngadel i.

A finne ddim yn gwbod beth i neud. A'r oen yn troi'i ben bach tuag ata i, yn syllu arna i'n ddall â dou dwll gwag 'i lyged.

'Dere di, oen bach . . .'

Rhoi'n llaw mas a thwtsho'i gefen bach e. Yn ysgafn, ysgafn.

'Dere di, dere di . . .'

O'dd e'n trio codi, ond o'dd 'i goese fe'n rhy wan. O'dd e'n cwmpo 'nôl bob tro, a gorwedd, a gwingo, druan bach . . .

A wedyn, yn sydyn, o'dd 'na ddyn.

'Hell's bells! Third one I seen today!'

O'dd e'n edrych rownd. Yn whilo.

'Right then, just the job.'

Carreg fach drionglog.

'No!'

'Got to. End 'is sufferin', poor dab.'

Carreg fel hen fwyell finiog. Yn pwno'r pen bach eiddil. Unweth. Ddwyweth. Dair.

'There. Thassdone.'

A'r dyn yn pwyso 'nôl. Yn towlu'r garreg waedlyd i'r mieri. Yn sychu'i law yn y borfa.

'Sorry, 'ad no choice.'

A fe edrychodd e arna i a chrychu'i dalcen nes o'dd 'i aelie'n cwrdd fel bwa blewog.

'An' whassa little girl like you doin' up by 'ere? Dangerous it is. No place for little girls. Come on, I'll take you 'ome.'

'No, I want to bury it.'

'Don' be stupid!'

'Please. I'll pile some leaves on him. That's all. Then go back home. Please let me?'

O'n i'n gwbod beth o'dd yn mynd drwy'i feddwl e. 'It's 'at funny little girl! Daughter of 'at funny woman!' Ond o'dd e'n llawn consýrn . . .

'Straight 'ome – you promise?'

'Promise.'

A bant â fe . . .

A fe wnes i fedd bach bythwyrdd. Cwrlid o frige pinwydd, deiliach eiddew.

'Dere di, oen bach . . .'

A 'nwylo i'n goch gan wa'd.

Gwrid ar wyneb gwelw.

A'r llygaid cols yn tasgu. A'r dwylo'n clatsho bord y gegin.

'Dyn dierth! Yn cnoco ar ddrws y ffrynt! "Waun ruins is no place for little children," medde fe! A finne ddim yn gwbod bo' ti 'na!'

Ffaelu deall oedd hi. Pam oedd raid iddi fod mor anlwcus? Cael croten mor anufudd, mor anniolchgar? Mor stwbwrn a difeddwl a dideimlad! Un a barodd iddi deimlo'n ffŵl.

'Wel, fe ddysga i wers iti, meiledi! Chei di ddim mynd mas o'r tŷ o hyn ymla'n! Gei di aros 'ma drw'r amser! I fi ga'l cadw llygad arnat ti! Achos so ti'n dryst! 'Sdim dal ble'r ei di! Pwy ddrygioni 'nei di! Na 'da pwy! Wedyn gatre gei di fod! Dim whare!'

CARCHAR

"Dim whare!" Dyna beth ddywedodd Mami. Am fy mod i wedi bod yn groten ddrwg. Felly mae'n rhaid i fi aros yn y tŷ. Er ei bod yn wyliai haf. Er bod y tywudd yn braf. Bob dydd byddaf yn

99

eistedd yn y gadair siglo yn y ffenest ac
yn esgus fy mod mewn cell mewn carchar.
Gallaf weld y wal uchel a'r darnau
gwydr yn disgleirio yn yr haul. (Oes gwydr
ar ben waliai carchar? Rwy'n cofio mynd
heibio i garchar Caerdydd, ac un
Abertawe hefyd, ond nid wyf yn cofio
gweld gwydr ar y waliai.) Gallaf weld
gât y ffrynt. Mae hi bob amser wedi ei
chau. "Drws dihangfa wedi ei gloi."
Mamgu sy'n dweud hynny. Nid wyf wedi
ei gweld hi ers amser. Gallaf weld brigai'r
goeden fwnci fel breichiai sgerbwd. Neu fel
breichiai "Hen Wr o'r Coed" sef Orang
Utang. Petawn i'n ddewr fe fyddwn yn
trio dianc drwy'r ffenest a dringo'r
Virjinia Creeper a'r goeden fwnci a swingio
dros y wal fel Tarzan a Jane a rhedeg
lawr y bancin a thros y Foel a rhedeg a
rhedeg heb stopio unwaith nes y byddwn
wedi cyraedd tŷ Mamgu.

Fy hen ddychymig dwl i yw hynny
unwaith eto. Y gwir yw fy mod i yma ar
fy mhen fy hunan, yn darllen llyfrai rwyf
wedi darllen o'r blaen, yn gwneud jigsaws
am y degfed iro, yn stico mwy o stamps,
mwy o sticers Horniman, chwarae a'r blwmin
tŷ doli, yn bildo mwy o blydi Baykos.
(Gobeithio na fydd neb yn gweld hwn!)

Rwyf wedi bod yn stico mwy o luniai
yn yr albym hefyd. Rwyf wedi ffindio

100

llun o Tabitha a fi ar ddiwrnod ein pen blwydd. Roedd yn ddiwrnod braf a hapus iawn. Ond roedd rhaid i Tabitha sbwylo popeth wrth sgramo fy llaw. Nid yw hi wedi fy sgramo yn y llun. Dim eto. Rwy'n ei magi hi ac yn gweni arni ac mae hi'n cani grwndi ac yn gwasgi ei phawenai mewn i fy mraich. Ond does neb yn galli gweld hyn. Rwy'n edrych yn hapus yn y llun. Mae Tabitha'n edrych yn hapus hefyd. Roedd pawb yn hapus iawn drwy'r dydd.

Na, nid wyf yn dweud y gwir. Dim ond esgus bod yn hapus oeddwn i. Mewn gwirionedd roeddwn yn teimlo'n dost. Roeddwn eisiai bod yn sic ac eisiai llefen a sgrechen dros y lle.

Nid wyf yn gallu ysgrifenu rhagor.

Teimlo'n dost.

Syllu ar y blodyn haul yn llwch y ffenest. A thu hwnt i'r blodyn, wal gerrig, uchel â'i thop yn drwch o ddarnau gwydr.

Clyw seiren ambiwlans, car polîs, sgrechen brêcs, gweiddi, rhuthro.

Penderfynu mentro mas o'r tŷ a sefyll wrth y gât. Cip sydyn lan at ffenest y stafell wely cyn camu mas i'r ffordd.

Mae crowd wrth wal y Waun. Plismyn, bois yr ambiwlans, lot o ddynion yn rhedeg lan y llwybr. Plant a menywod yn sefyllian yn stoicaidd, stond, fel ar adeg tanchwa yn y pwll. Maen nhw'n syllu i gyfeiriad Tyddyn Bowen. Mae hithau'n troi ei llygaid tuag ato, yn gweld pobl yn fach fel defaid, defaid duon – na, mor fach â phryfaid, yn gweu trwy'i gilydd wrth y murddun.

Sŵn gweiddi pell yn cario ar y gwynt. Ond yma yng nghysgod wal y Waun, mae pawb yn syllu'n dawel.

Mentro'n nes, gan ofalu cadw ar y cyrion. Does neb yn sylwi arni, neb yn ei gweld yn syllu ar y fenyw sy'n magu babi bach mewn siol fawr lwyd, ar y ferch fach sy'n gafael yn ei llaw, a'r tri bachgen sy'n dal dwylo'i gilydd. Cadwyn dynn o ofid.

Mwy o ddynion yn brasgamu o gyfeiriad Bowen Street. Cewri duon, gwefusau pinc, llygaid gwynion fel lleuadau llawn. Mae'r cawr mwya'n cofleidio'r fenyw a'r plant i gyd. Siâp wigwam. Mae hi'n clywed ei lais cras, sy'n feddal yr un pryd.

'Don' you worry now. 'E'll be allright.'

'I'm comin' with you, Dad.'

'You're stayin' with your mother, Mikey. An' your brothers an' your little sisters. You'll 'ave to be a big, strong man, okay?'

'Okay.'

A'r cawr yn gwasgu'i deulu ato unwaith eto. Dim ond am eiliad. Ac yna bant ag e yng nghwmni'r cewri eraill. A phawb yn syllu arnyn nhw'n diflannu draw i'r pellter.

A hithau'n cau ei llygaid.

'Your birthday present!'

Pluen wen ar gledr ei law, yn hofran yn yr awel.

'Go on, take it! Add it to your collection.'

'Thank you, Jonathan. You're kind you are.'

'Don' talk soft!'

'Is it a seagull's feather?'

'Up 'ere on the Waun? No, it's an owl – a white one. Lots of 'em are nestin' round this ruin. Or maybe it's a pigeon or a dove . . .'

'Colomen wen – white dove . . .'

'Maybe . . . One thing for sure, it's not a crow!'

'Could be . . .'

'You are mad you are! No crows are white! Now stuff it in your pocket an' lessgo an' play – an' we're playin' pirates. An' I'm the cruel captain.'

'No, I'm the captain, you can be a pirate.'

'No girls are captains, mun!'

'No girls are pirates either!'

'You always make things awkward you do!'

'Ma' Jon-a-than yn pw-du! Ma' Jon-a-than yn pw-du!'

'Whassat you're sayin? Don' like you speakin' Welsh about me.'

'Pwdu. Looking at me cross.'

'No I'm not!'

'Yes you are!'

'Okay, seein' as it's your birthday you can be the ship's captain an' I'll be the pirates' captain an' after a very fierce battle which I very nearly win you make me walk the plank. But I'll escape an' live to fight another day . . . An' you are lookin' at me odd again!'

'Just thinking that you're nice.'

'Branwen, don' talk soft!'

'First time you said my name.'

'You are sloppy you are! Now then, lessplay pirates.'

'No, let's play Peter Pan and Wendy. And you are Peter Pan and I am Wendy. And we fly off into the sky holding hands. And we go on and on forever. And never die.'

'Silly, 'at part. We'll only play the pirates part. An' you are Captain 'Ook.'

'What about old Tick-tock the crocodile?'

'I'll act 'im as well! "Tick-tock-tick-tock!"'

'Old cleversticks you are, Jonathan Alan Meades!'

'Aye, I know! Come on! Lessplay! Lessdrag this big ol' beam across to be the plank.'

Llusgo trawstyn mawr o'r drysi draw at wal y murddun.

'Just the job! Good plank 'iss!'

Whys.
    Diferion bach ar fla'n 'i drwyn.
    A brychni siwgwr-brown.
    Blewiach aur ar 'i war.
    Yr haul yn gafel yn 'i wallt.
    'Come an' 'elp me, Branwen!'

    Stop.

    Plîs stop.

Gan bwyll, nawr.

Ma'r cwbwl yn 'y mhen yn gawdel. Popeth yn un jwmbwl. Rhaid ca'l mwy o drefen, meddech chi. A pham na sonies i am Ysgol Tan-y-berth cyn hyn? 'Yr ysgol orau yn y byd i gyd gan gynnwys China ac America ac India ac Awstralia ac Antarctica.' 'Na beth sgrifennes i yn y llyfyr bach . . . Un tro . . . Amser maith yn ôl . . .

'Trefnusrwydd a destlusrwydd.

Ysgrifennwch y geiriau pwysig hyn – yn ddestlus – yn eich llyfrau, a thynnu llinell ddestlus oddi tanynt. A chofiwch ddau air pwysig arall: Gwrando a Bihafio. Beth ydyn nhw?'

'Gwraa-ndo-a-bihaa-fio, Miss Morris.'

'Da iawn, chi.'

Gwrando a bihafio. A chrynu yn eich sgidiau. A bronnau-balconi Miss Scary Mary Morris 'Lle i bopeth a phopeth yn 'i le' yn ysgwyd yn beryglus o fygythiol yn eich wyneb. A phlant dosbarth meithrin Mrs Richards yn chwarae'n ddestlus â'u teganau. A'r tŷ-bach-twt a'r siop a'r pwll bach tywod yn lân a destlus, a'r cotiau'n ddestlus ar y bachau o dan luniau o gychod a physgod a phengwins, a'r plant yn cysgu mewn gwelyau bach destlus ganol y prynhawn. A phawb yn nosbarth Miss Lavinia Jones yn eistedd yn ddisgwylgar ddestlus wrth eu byrddau sgleiniog yn pyslan uwch eu symiau yn y sgwariau glas, yn ymarfer eu llawysgrifen ddestlus rhwng llinellau glas a choch. A phlant y dosbarth Scholarship, o dan y bronnau-balconi, yn gefnsyth yn eu desgiau destlus. A neb drwy'r ysgol yn meiddio anwybyddu'r arwydd 'NEB I GYFFWRDD!' ar y bwrdd natur yn y neuadd, a'r plu a'r dail a'r wyau a'r cerrig glan-y-môr yn cael llonydd rhag hen ddwylo bach ymchwilgar. A neb yn meiddio gafael yn y tamborîns, y trionglau a'r castanets bach lliwgar ar y bwrdd cerddoriaeth na byseddu cloc y tywydd na'r cloc bach cwcw na'r arddangosfa o waith celf.

A Miss Morris yn ei chostiwm nefi-blŵ, yn plismona'i hymerodraeth yn ddiflino – tan ddiwedd y prynhawn, pan fyddai'r sbectol gron yn llithro lawr ei thrwyn yng nghanol darllen stori. Fe ildiodd, unwaith, wrth ddarllen Rumpelstiltskin, a syrthio oddi ar ei chadair, blop ar lawr, ei choesau pwt ar led nes arddangos ei blŵmers pinc i'r byd. Ond doedd neb wedi meiddio gwenu, heb sôn am chwerthin.

Ond mae ganddi un gyfrinach. Mae hi'n crynu yn ei sgidiau-lasys wrth groesawu Yr Ymwelwyr Pwysig Iawn.

'Dewch, blant!

Ar eich gorau! Canwch "Tu ôl i'r dorth mae'r blawd" i Mr Llwyd o'r Bryn! "Ar gyfer heddiw'r bore" i Mr Iorwerth Peate! "Dathlwn Glod ein Cyndadau" i Syr Ifan! Cyd-adroddwch i Miss Cassie Davies! "Fe'th-welais-di-ar-lawnt-y-plas-Yr-wylan-fach-adnebydd-Nant-y-mynydd-groyw-loyw-tra-la-la-a-thra-la-la!" Dawnsiwch Jac-y-Do i'r Arglwydd Haycock o Dai Bach! Mae'r Welsh Home Service yn dod 'ma heddi i recordio'r Neges Heddwch! Sing-songiwch dablau i Miss Norah Isaac. Un-un-deg-un-un-deg-un, dau-un-deg-un-dau-ddeg-dau! Dewch i bleso'r blwmin lot – myfyrwyr bach y Normal, y genhades o Fadagasgar, yr ymchwilwyr o Quebec! Dewch, profwch mor wych a hardd a hapus-ddestlus yw plant Ysgol Tan-y-berth! "Fe ddaw'r Nadolig cyn-bo-hir, Hwrê! Hwrê!"'

Hip-hip a blydi hwrê!

'Plîs, Miss Morris, ma' Alun Wyn a Robert James yn canu "Bi-bîp! Bi-bîp!" yn lle "Hw-rê! Hw-rê!"

'Paid â becso, Branwen, hen spoilsports dwl y'n nhw. Yn sbwylo popeth i bawb arall. Pawb fel ti sy'n lico canu, adrodd, gwitho'n galed.'

Lico ennill, curo, ca'l canmolieth, casglu gwobre, tystysgrife.

'Ma' Branwen wedi ennill eto! Am "Hunangofiant Hoelen"!'

'Beth welaf i trwy'r ffenest', 'One Day I Found a Penny', 'Dydd Gŵyl Dewi', 'Beth hoffwn wneud pan fyddaf wedi tyfu', 'Fy Hoff Le' . . .

'Do's dim pall ar ddawn y groten, Mrs Roberts! Na'i dychymyg!'

Fy hen ddychymyg afiach.

FY HOFF LE

Fy hoff le i yw bedd. Bedd mawr tywill.
Damp. Bedd secret. Neb ond fi yn
gwybod dim amdano. Ond dyna pam na
allaf ysgrifenu'r gwir. Nid wyf eisiau sôn
wrth neb. Fy secret i ydyw. A neb arall.
A beth bynnag, byddai neb yn credu fy
mod yn hoffi bedd. A byddai pawb yn
meddwl fy mod yn od. Neu'n dychmygi.
Neu'n dweud celwidd. Felly bydd rhaid i
fi feddwl am rywle arall i ysgrifennu
amdano. Rhywle neis, fydd yn pleso pawb.
Mami a Miss Morris a Miss Jones.
Rhywle fel Aberaeron, Cei Newydd neu
Cei Bach. Neu Sain Ffagan neu Castell
Coch. Neu marchnad Pontypridd. Neu lle
bach tlws fel gardd Mamgu. Yn eistedd
yn yr haul, yn bwyta plwms a phys a
mwyar duon. A hufen ia pinc o siop Mrs
Shincin John lawr y pentre. Neu'n darllen
yng nghysgod y feranda. Gwynt hen ŵr a
mint a lafender a liwpins. A Mamgu yn
chwyrnu yn ei deck-chair o dan y goeden
blwms.

Ond ni fyddwn yn dweud y gwir. Bedd
yw fy hoff le nid gardd Mamgu a dyna

ddiwedd arni. Byddwn yn twyllo'n rhacs jibiders wrth ddweud fel arall. Ond dim ots am hynny. Rwy'n twyllo pobl yn aml. Er mwyn cadw pawb yn hapus. Mae hynny'n well na gwneud pawb yn grac gabwdl.

(Rwysig. Ni fydd neb yn gweld y stori hon. Byddaf yn ei chwato yn fy llyfr lloffion. Yn y bocs yn y dror.)

Tŵt-tŵt-tŵt y corn.

Wyth o'r gloch y bore, ac mae'r double-decker coch, a PRIVATE – SCHOOL BUS ar ei flaen, yn troi wrth wal y Waun. Mae hi'n sgipio ar draws y ffordd i'w gwrdd gan weiddi ''Morning!' ar y gyrrwr yn ei gaban ac mae hwnnw'n gwenu arni ac yn codi'i fawd. Cyn dringo ar y platfform mae hi'n troi i edrych lan at ffenest y llofft ffrynt. Mae'r llenni wedi'u cau.

Mae'r conductor yn ei chyfarch – 'An' 'ow's my little Sunshine!' – yn canu'r gloch ac yn dod i eistedd wrth ei hochr ar sêt hir y cefn. Ac mae'r triawd yn cychwyn ar eu taith, draw ar hyd Bowen Street, heibio i gatiau mawr y fynwent, pileri portsh y Bute Hotel, drws du y Resurrection Club, heibio i siop Whites a mynedfa gefn Waun Juniors, lawr Hebron a Balaclava, lawr y rhiw serth i sgwâr yr Empire.

'Haia, Sonny!'

'Haia, Barrie!'

Alun Wyn angylaidd â'i satchel ar ei gefn yn drwm gan Dinky cars a slings a marbls. Symud mlaen at Garej Gwyllims a chodi Robert James a Megan Wilcox ac yna mlaen o stop i stop wyth milltir lawr y cwm i Ysgol Tan-y-berth.

A'r daith yn un ddefodol. 'Thumbs up' i'r gweithwyr – postmyn, plismyn, dynion llaeth a choliers Pwll y Waun ar eu ffordd o shifft y bore; saliwtio Jacky Soldier a safodd yn

108

gefnsyth, stond wrth gornel Woolworths er 1945; cnocio'r
ffenest ar bob cart a cheffyl, a chwerthin wrth i'r ceffyl
wylltu; teimlo'n ddigon saff i dynnu tafod ar ddisgyblion
Ton-yr-Ystrad Juniors; gweiddi 'Bŵ!' ar ddisgyblion
anwaraidd y Sec Mod a chodi llaw yn barchus ar
ddisgyblion sidêt y County. Ac estyn croeso creulon i Rhian
Jones y ffatso sy'n fflopio'n ffwdanus mewn i'w sedd.

"'Rock-a-by Ffaa-tso, rock-in' the bus!'"

A'r dwlpen yn mygu'r dagrau ac esgus astudio'r ashtray
wag o'i blaen.

'Pŵ!' ac 'Ych a pych!' a 'Smelly Sally!' yw'r croeso
gaiff Sarah Collins, a'i gorfodi i eistedd ar ei phen ei hunan
yn y blaen nes i Carys Howells fflonsh ddod ar y bỳs a
thasgu persawr rhad – 'Best scent Mam fi yw e' – drosti cyn
mynd i eistedd gyda Geraint Williams – 'Best boyfriend fi
yw e' – sy'n gwynto'n gryf o aftershave ei dad.

Whare 'Wafo ar y Fenyw Dost'.

Gêm fach ryfedd. Y bỳs yn stopo reit tu fas i'w thŷ. Rhesed
ohonon ni'n wafo arni o'r top-deck. A hithe wedi'i phropo lan
yn erbyn y gobenyddion, yn gwenu arnon ni a wafo macyn
gwyn yn llesg.

Un bore do'dd dim sôn amdani. O'dd y gwely'n wag.
Dranno'th o'dd y cyrtens wedi'u tynnu dros y ffenest – dros
bob ffenest yn y tŷ. Ymhen wthnos o'dd y tŷ ar werth. A wedyn
fe anghofion ni bopeth amdani, druan.

Pam odw i'n cofio amdani nawr?

Y BWS YSGOL

Bob bore byddaf yn mynd i'r ysgol ar y
bws, un coch, mawr. Fi yw'r gyntaf arno
a fi yw'r ddiwethaf oddi arno yn y
prynhawn. Rwy'n hoffi cwrdd a ffrindiai

ar y bws. Alun Wyn sydd gyntaf ac yna
Robert James wrth Garej Gwyllims a
wedyn y Trinity a'r Star Hotel a ffatri
Hutchings a siop Leekes a wedyn stop-an-
start bob cam lawr y cwm i'r ysgol.
Barrie sy'n dweud "stop-an-start". Fe yw'n
"favrite conductor" ni. (Rydych yn syllafi
ei enw'n "Barrie" nid fel "Barry Island")
Cyn i neb ddod ar y bws, dim ond fe a
fi sydd arno. Rwy'n hoffi hynny. Rwy'n
cael gwisgo'r bag lledr sy'n dal yr arian
a'r bathodyn sydd a rhif Barrie arno.
(CT3105) Weithiau mae e'n rhoi loshin i fi
(asid drops neu jeli babies) ac yna mae'r
plant eraill yn dechrai dod ar y bws.
Byddwn yn gweiddi a chael lot o sbort.
Ond byddwn yn dawel fel llygod bach
pan fydd y bws yn stopio wrth gât yr
ysgol. Yn y prynhawn bydd Barrie'n
gweiddi "See you tomorow, Sunshine!" pan
fyddaf yn mynd mas o'r bws. Fel arfer
bydd y tŷ'n dawel pan fyddaf yn
cyraedd. Bydd Mami'n cysgi ar y soffa
wrth y tân, neu yn y gweli a byddaf i'n
mynd mas i'r gegin i wneud te. Ambell
waith bydd y cwpwrdd bwyd yn wag a
byddaf yn mynd lawr i siop Mrs White i
brynu torth a jam a menyn. Ac yna
byddaf yn cael te ac ambell waith bydd
Mami'n dihino ac yn dod i eistedd gyda

fi a byddwn yn siarad gyda'n gilidd a bydd hi'n gofyn "Sut ddiwrnod gest ti, Branwen?" a bydd hi'n dweud fy mod i'n ferch dda ac fy mod yn werth y byd ac yn gredit iddi. Ambell waith.

'Gwyn dy fyd di, Branwen fach.

A bydd di'n gredit i ni gyd.'

Cracl-cracl llais y fenyw ddierth yn y gwely. Hen, hen fenyw, yn hŷn na Menyw Fach Cydweli, yn hyllach na'r hen wrach yn stori Eira Wen. 'I cheg fel twll bwtwn wedi'i wnïo'n dynn, 'i thrwyn a'i gên yn hir, yn llawn hen lympie rhyfedd. Gwythienne glas yn rhedeg lawr 'i breichie at 'i bysedd, 'i h'winedd fel crafange. Hen stwff melyn yn cronni yn 'i llyged; poer yn byblan mas o'i cheg.

O'dd y ward yn drewi i'r cymyle. Drewdod pisho, cachu, hwdu. O'dd hithe'n drewi, hefyd, mor wahanol i'r tro diwetha gwrddon ni, a hithe'n gwisgo siol fach binc a mwclis perl, yn dangos y poteli wedi'u gosod mas yn bert ar y cwpwrdd wrth y gwely. Evening in Paris, Eau-de-Cologne a Lafender – 'Rho dwtsh bach ar dy arddwrn, Branwen. A tu ôl i dy glustie. 'Na fe, i ti ga'l gwynto'n ffein. Mae'n bwysig gwynto'n ffein.'

Druan fach â hi. Menyw o'dd arfer gwynto'n ffein yn sgerbwd o hen wrach fach ddrewllyd, ych-a-fi. A'r bobol ddierth rownd y gwely'n debyg i'r Black Vulture: bird of prey, native of European highlands, soars above the ground looking for dead or dying animals.

'Dim ond 'i bod hi, druan . . .'

'Fydd hi ddim yn hir . . .'

'Gore pwy gynta'r eith hi, iddi ga'l bod mas o'i phoen . . .'

A'r wrach yn gafel yn 'y mraich i, yn secu'i h'winedd miwn i'r cnawd. A finne'n gweld sbecs bach coch yn cronni o dan 'i h'winedd brwnt, coch o dan y du. O'n i isie gweiddi mas yn uchel – ond 'nes i ddim. A wedyn o'dd hi'n trio siarad . . . Yn trio canu . . . A'i llais fel un o frain y Waun yn crawcian . . .

"'Mod i'n fyw sy'n llawn rhyfeddod,
Mewn byd sy'n llawn ffwrneisi tân . . .'"

Anghofia i fyth mo'i hochened hi. Un ddwfwn, ddwfwn, o eitha'i bod . . . Na'r sŵn bach rhyfedd yn 'i gwddwg. Sŵn fel ratl babi . . . Rattlesnake or Sidewinder, bite can be lethal . . . A wedyn sylwes i nad o'dd hi'n gafel cweit mor dynn . . . O'dd 'i llaw hi'n sleido bant o 'mraich . . . Yn cwmpo'n llipa ar y shîten wen . . .

'Ma' hi wedi mynd . . .'

''Drychwch ar fraich Branwen! Fel 'se rhwbeth wedi'i chnoi hi!'

'Druan fach â hi . . .'

Fi ne'r fenyw farw?

BETH WNES I AR DDYDD SADWRN

Roedd hi'n ddiwrnod braf dydd Sadwrn ac roedd yr haul yn gynes neis. Felly aethom ni am dro i'r ysbyti. Wel, dim ysbyti iawn, ond lle maen nhw'n dod a hen bobol i farw. Roedd gwynt pi pi a phethai cas yno ac roedd Anti Marged yno hefyd. Chwaer Mamgu oedd Anti Marged. Roedd hi'n dost ac yn hen iawn, yn henach na Mamgu, hyd yn oed. A nawr mae hi wedi marw. Mae pobl hen yn marw. Mae Mamgu'n dweud ei bod hi yn y "ffrynt lein" nawr sef ei bod hi bron a marw gan fod pawb sydd yr un oed a hi yn marw'r dyddiai hyn.

Byddaf yn drist iawn pan fydd Mamgu yn marw achos mae hi'n neis a bydd hi'n galed meddwl am rywun arall yn eistedd yn ei gardd. Ond dyna beth fydd yn digwydd. Bydd rhaid gwerthi'r tŷ meddai Mami a bydd pobl newydd yn dod i fyw ynddo. Saeson efallai fel y rhai sy'n byw yn nhŷ Elen Ifans oedd yn arfer byw drws nesa i Mamgu. Roedd hi'n hen wraig hyll yn debyg iawn i Anti Marged. Efallai bod hen fenwod sydd bron a marw i gyd yn mynd i edrych yr un peth sef yn hyll. Ond mae Mamgu'n bert o hyd. Mae ganddi lygaid neis fel Mami.

Rwy'n gobeithio na fyddaf i yn mynd yn hyll pan fyddaf i yn hen a thost a bron a marw nac yn gorfod mynd i hen ysbyti drewllyd ych a pychi.

Ac yna fe aethom i gael te yn y Kardomah Cafe. (Rwyf wedi cadw'r bil a dyna sut rwy'n gwybod sut yw sillafi.) Ac yna fe aethom adref yn y car yn hapus wedi cael prynhawn i'w gofio.

Hunlle.

Nithwr. O'r gorffennol pell. Lot fowr o bobol yn gorwedd ar y llawr. Pobol o'n i'n 'u nabod, wedi'u nabod, a rhai yn ddierth hollol. Pawb yn gorwedd ar y llawr. Cyrff ar benne'i gilydd, yn pallu codi. Ffaelu codi. Yn cysgu. Wedi marw.

O'dd Anti Marged 'na. Yn gorwedd yn 'i harch. Arch Noa mowr o arch. Cruise liner – *Titanic* – mowr o arch. A'i lond o anifeilied sleimi – mwydod, malwod, nadro'dd a llyswennod. Cathod wedi boddi. Defed wedi trengi. Llygod mowr. A'r drewdod yn annioddefol. A Mr Godwin Bach Gweinidog yn arwain y seremoni o roi to ar ben yr arch. To coch fel to tŷ

113

Bayko. Ond o'dd e'n pallu ffito ac o'dd rhaid i Wncwl William fynd i ishte arno fe a'i hoelio lawr. A fe dowlodd Mr Godwin botel fowr o lemonêd dros yr arch nes bod y lemonêd yn tasgu drosto fe yn goch i gyd. Fel Cherryade. Fel gwa'd. O'dd Mr Godwin Bach Gweinidog yn gynddeiriog bod 'i siwt e'n stecs ond o'dd e'n goffod esgus gwenu wrth weiddi 'Bon Voyage, yr hen Farged, and all who sail in her!' A fe ddechreuodd yr arch hwylio lawr yr afon. Ond dim afon o'dd hi. Peipen – tiwben fel Pont New Century – ond 'i bod hi'n anferth ac yn llawn o ddwrach brown. A o'dd pawb yn wafo'u dwylo ac yn codi'u hetie a gweiddi 'Ta-ta, Anti Marged!' A finne'n meddwl 'na beth o'dd gwastraff ar botel neis o bop.

O'dd Megan Wilcox 'na, yn cysgu'n drwm. A chrowd o bobol rownd iddi'n trio'i bwydo hi â siwgwr. Afon wen o siwgwr yn ca'l 'i harllwys lawr hen dwndish mowr, miwn i'w cheg hi. Ond o'dd hi'n ffaelu llyncu'r siwgwr achos o'n nhw wedi gwnïo'i thafod hi i'w gwefus isha. O'dd llond 'i cheg o siwgwr, yn diferu lawr 'i gên. Fe ddechreuodd hi ddihuno – agor 'i llyged, edrych rownd yn wyllt, wafo'i breichie, cico'i choese. O'dd hi'n trio gweiddi ond o'dd swne od yn dod o'i cheg hi am 'u bod nhw wedi gwnïo'i thafod hi. O'n nhw'n goffod 'i dala hi'n sownd nes da'th Doctor Jenkins-cas a gweud 'Open wide' a 'This won't hurt' a rhoi pigad iddi yn 'i phen-ôl mowr pinc. O'dd hi'n dawel, wedyn. Yn hollol lonydd. A fe glapodd Scary Mary 'i dwylo a gweiddi 'Gwd! 'Na honna wedi'i setlo!'

O'dd Carys Howells 'na, yn ishte gyda Geraint Williams. O'n nhw'n dala dwylo'i gilydd, yn gwenu'n hapus, yn anwybyddu'r hafoc mowr i gyd. Ond fe fartshodd yr hen Scary atyn nhw a'u rhwygo ar wahân a gweiddi, 'Yr hen gnafon brwnt, anweddus!' a holi pam na allen nhw fihafio'n ddestlus fel pawb arall? 'Ond 'na fe,' medde hi wedyn, ''sdim disgw'l i chi fihafio, Geraint Williams, a chithe'n dod o Cairo Row!' A finne'n gwbod nad fan'ny o'dd e'n byw ond yn gweud dim byd. A Scary'n gweiddi 'to ar Carys Howells a gweud 'i bod hi'n hollol saff, na alle hi byth ga'l babi am 'i bod hi'n gwisgo'i nicers a'i fod e'n gwisgo'i drowser. Do'dd babis ddim yn gallu dod trw' nicers a throwseri, medde hi, a 'na reswm da dros wisgo blwmers pinc â lastig trwchus iddyn nhw. O'n nhw wedi llwyddo i'w chadw hi'n ddi-fabis am dros ddeugen mlynedd.

O'dd Rhian Jones 'na, 'i dwylo dros 'i hwyneb, yn gweiddi 'Na! Na! Pidwch! Na!' A Scary Mary'n gweiddi 'Ewch o 'ngolwg i, Rapunsel Goldilocks Jones!' a gafel yn 'i phlethi melyn hi a'i llusgo rownd y neuadd. A'r rhubane'n dod yn rhydd o'r plethi a chwmpo ar y llawr a throi'n ddou fwydyn pinc a'r rheini'n mynd yn hirach, hirach nes 'u bod nhw'n ddwy sarff sleimi o'dd yn cwrso Scary'n ddidrugaredd a hithe'n gwichan fel hen borchell bach.

Yn sydyn, reit o fla'n 'yn llyged ni, o'dd rhwbeth od yn digwydd i'r hen Scary. O'dd 'i breichie'n troi'n goese â hen garne hyll arnyn nhw, 'i chlustie'n tyfu'n fowr a phinc a blewog, a chwt bach cwrlog yn sbrowto o'i phen-ôl. Ond 'i swch hi o'dd waetha. Swch hen hwch. Hen hwch fowr, dew. Hwch â bronne balconi yn gwisgo costiwm nefi-blŵ. Hwch â dou ddant mowr fel dannedd y Twrch Trwyth. Glafoerio, poeri, rhuthro aton ni. A phawb yn sgathru, whilo lle i gwato. Pawb ond fi. O'n i'n ffaelu symud. 'Y nhra'd i'n sownd. Rhywun wedi'u clymu nhw. Llinyn. Cwlwm tyn. A'r hwch yn dod yn nes o hyd a'r dannedd mowr yn snapo. Snap, snap, snap . . .

Ond pwy dda'th i'n achub i ond Mr Dan y Deintydd. Fe ddalodd e'r hwch a fforso'i swch ar agor a thynnu'i dannedd mas â phinshers clic-a-clic nes o'dd gwa'd ymhobman a'r hwch yn wben dros y lle. A fe redodd hi bant i gwato. A fe blannodd Mr Dan y dannedd yn yr ardd. Seremoni fowr a phawb yn clapo'u dwylo. A dou ddant mowr yn tyfu mas o'r pridd, a label arnyn nhw yn gweud 'DANT YR HWCH – DIM CYFFWRDD!' A blode od yn tyfu mas o'r dannedd – blode penne-hwch. Blode nefi-blŵ.

FY YSGOL I

Rwy'n hoffi mynd i'r ysgol. Mae pawb yn hapis yno. Ond ambell waith mae Miss Morris yn mynd yn grac. Mae hi'n gweiddi ar y plant. Ar Mrs Richards a Miss Jones hefyd. Ar bawb. Yn enwedig pan fydd Megan Wilcox yn cael un o'i thyrns a neb yn gwybod beth i'w wneud heblaw dal ei cheg ar agor a rhoi llwy ar ei thafod rhag iddi ei lynci a rhoi lot o siwgwr iddi gan ei bod yn ddeiabitis. Mae Miss Morris yn grac pan fydd Alun Wyn a Robert James yn fechgyn drwg, sef bob amser. Un tro roedd Alun Wyn wedi rhechi dros y lle ac roedd hi'n gafael ynddo a'i ysgwid nes bod ei ben yn siglo nôl a mlaen fel pyped. Ac un tro roedd hi'n gweiddi ar Carys Howells am ddangos ei nicers newydd yn toilets y bechgyn. Mae hi bob amser yn gweiddi ar Rhian Jones am fod Rhian Jones yn dwp. Un tro roedd Miss Morris yn gweiddi cymaint fe syrthiodd ei danedd dodi hi mas o'i cheg. Roedden nhw ar y ddesg. Yn binc i gyd. Yn llawn poeri. A darnau bach o rywbeth gwyrdd yn sownd ynddyn nhw. Bresich, falle. Neu letis. Roedd pawb eisiai chwerthin ond neb yn gwneud. Roedd pawb yn aros i weld beth fyddai Miss Morris yn gwneud. Roedd rhaid iddi roi'r danedd nôl yn ei cheg neu fyddai hi ddim yn galli siarad na bwyta cinio. Does neb yn hoffi cinio'r ysgol. Mae blas rhyfedd ar y tato. A'r bresich hefyd. A mae'r semolina fel jeli tadpols. Ond mae'r jam coch yn neis. Does neb yn hoffi Mrs Thomas Cwc. Mae hi'n bosi iawn ac yn credu ei bod yn athrawes. Ond dyw hi ddim. Dim ond fucking cwc yw hi.

(Bydd rhaid i fi ysgrifeni stori arall yn lle hon. Y stori iawn i fynd i'r ysgol fory. Ond mae gwaith pwysig gyda fi nawr gan fod Mr. Venabls wedi cyrraedd.)

'You girl – what's your name?'
'Branwen!'
'Aye – wharrever. Can you see it yet?'
'No!'

Mae Mr Venables, sy'n gwisgo'i gap â'i big sha 'nôl, yn tuchan ac yn pwffan ar ei liniau yn y stafell ffrynt. Mae e'n hwpo'i ffon hir, hyblyg i dwll bach crwn mewn shîten ganfas sy'n gorchuddio'r aelwyd a'r lle-tân. Nawr ac yn y man mae e'n tynnu macyn brown o'i boced ac yn chwythu'i drwyn yn swnllyd cyn sychu'r nentydd bach o chwys sy'n cris-croesi'r haenau huddug ar ei wyneb. Mae e'n pwyso 'nôl yn anobeithiol – ac yna'n penderfynu rhoi un hwp egnïol arall.

'Can you see it now?'
'No!'
''Ells bells! Where is it 'en?'

Hi'r 'Wharrever' sydd ar yr 'outside watch' – yn disgwyl i'r brwsh ymddangos fel clown gwallt-sbeics o'r shimne.

'Yes, I can see it now!'

Mae hi'n rhedeg o dan y goeden fwnci at y ffenest gilagored a chodi'i bawd ar Mr Venables, sy'n rhechu'n fybl-llyd.

'Thank the Big Sweep in the sky for 'at!'

117

Ei wylio'n datgymalu'r ffon a'i thynnu fesul darn o'r shimne gan orffen â'r brwsh mawr speics cyn tynnu'r shîten yn ofalus i ddatgelu'r pentwr du sy'n gorchuddio'r grat. Mae e'n sgubo'r cyfan â brwsh a rhaw i sach ac yn golchi'r aelwyd â hen glwtyn brown cyn stwffo darnau'r ffon i focs shâp peipen a'r brwsh crwn i fag bach canfas. Mae ei ddwylo'n frwnt, ynghyd â phopeth arall – ei gap a'i grys a'i drowsus, ei esgidiau hoelion trwm. Mae e'n tynnu'i gap i ddatgelu'r rhychau duon yn ei wegil ac yn sychu'i gorun moel. Mae golwg fel sebra arno.

'There you are, good as new. Tell your Mam four bob.'

Mae hi'n rhoi tri darn swllt ar y gwe corryn o linellau sydd ar gledr ei law.

'Three shillings she gave to me to give you.'

'Four it is. Big 'uge chimneys in this 'ouse.'

Mae hi'n tynnu dau bishyn chwech o'r pwrs.

'There you are . . . But she said . . .'

'Never mind what she said – you tell 'er I done a good job. All nice an' clean. The Queen of England could sit by 'ere so clean it is.'

Mae e'n gafael yn ei offer ac yn troi i fynd.

'See you in six months! If I'm still alive an' pokin' into people's chimneys! Ta-ra! Never caught your name but never mind.'

Mae hi'n mynd i sefyll wrth y ffenest, yn ei wylio'n gwthio'i gart 'The Cleanest Sweep of All' at gât y ffrynt a throi, yn frwnt a balch, i'r chwith, lawr Bowen Street.

Mae drewdod chwys a huddyg yn y stafell, yr un drewdod â'r coliers sy'n neidio ar blatffform bỳs yr ysgol am stop neu ddau gan anwybyddu'r arwydd mawr NO STANDING ON THE PLATFORM. Mae haenen ddu dros bopeth – sil y ffenest, y ford fach, y lampshed fawr, yr ornaments a'r llyfrau. Dwst fel crawn dros bob celficyn. Neu a yw hi'n dychmygu? Mae hi'n mynd i moyn y brwsh a'r pan a'r dwsters, y bwced dŵr a'r mop, yn mynd ati i frwsho, golchi, sgwrio. Nes bod ei phen yn dost a'i dwylo'n goch.

'Un da yw Mr Venables, ontefe, Branwen? Gadel y lle fel pìn mewn papur. A fe fentra i swllt beth wedodd e! "The Queen of England could sit by 'ere so clean it is!" O ie, un da yw Mr Venables!'

Mae hi'n chwerthin gyda'i mam, gan ei gweld mor bert yn y kimono coch.

'Branwen, do's dim amynedd 'da fi wisgo'n deidi – cer lawr i'r siop i mofyn torth a sigaréts. 'Co'r arian – a 'bach ar 'i ben e i ti ga'l lolipop.'

Rhedeg lawr i Hebron, i Siop Whites, siop-y-gwynto-ffein: gwynt bara a chacennau ffresh, lolipops a loshin. Siop y negeseuon ysgafn – torth fach bob yn eilddydd, sigaréts a loli-eis. Stafell-ffrynt o siop a llond ei ffenest fach o focsys gweigion Omo, Daz a Vim wedi'u melynu gan yr haul. A hysbysebion cardbord – ARE YOU A PERSIL MUM? – a lluniau o fenywod pert mewn sgertiau tyn a sodlau uchel â thyrbans am eu pennau yn edmygu crysau a festiau gwynion neu'n esgus golchi lloriau a glanhau ffenestri.

Ychydig iawn o stoc sydd yn y siop – 'No point, see; people do do their big shopping down in Peglers or the Co-op' – ond roedd yn lle cyfleus i gloncan.

''Ello, bach, an' 'ow are you today? Come to pay your Mammy's bill?'

Winc fach slei ar Elsie sy'n eistedd wrth y cownter.

'No – I want a small white loaf and ten Embassies. And I've got the money for them.'

A Mrs White yn codi'i haeliau . . .

'Praise the Lord for all 'Is mercies! Elsie, tell me more about Talfryn Jones. Sudden, was it?'

'Aye, no warnin'. Right as rain 'e was goin' to bed. Maisie found 'im dead by mornin', poor dab.'

'Shocked she is I'm sure. There you are, bach – small white loaf and the Embassies. An' some jokin' cigarettes an' a threepenny ice-lolly for you as usual?'

'. . . Yes, a red one, please.'

A Mrs White yn mynd i dwrio yn y ffridj . . .

119

'I still can't say your name . . . An' Maisie's got angina, poor dab. There's a sight on 'er sometimes – she do go all funny, 'as to sit down sudden on tha' stool to get 'er breath. There you are, then, bach – two an' nine you owe me. An' David, their son, is poorly too – never rains but it pours for some poor dabs! Ta, bach – an' a very lucky little girl you are, your Mammy buyin' you nice things like 'at. Hey! You two over there – I'm watchin' you! Eyes in the back of my 'ead I 'ave! So you be careful! An' why don' you behave like whassername by 'ere? So polite she is!'

'We're not doin' nothin'!'

'Not doin' nothin' is it? 'Ow many times 'ave I told you? No dawdlin' an' no 'andlin' in this shop! Especially by the door b'there!'

'Just lookin' we were!'

'You buyin' anythin?'

'No.'

'Well then, out! Go on! Or I'll get your fathers onto you!'

Fe slincon nhw mas o'r siop.

Un yn tynnu'i thafod arna i wrth fynd, a'r llall yn sefyll ar 'y nhro'd yn slei a gwasgu lawr yn galed.

'Blwmin' nuisance they are those two! You do know 'em, Maisie?'

'No.'

'Know their parents I do an' all. Same class in school as our Barrie. Scum they were, says Barrie. You keep away from 'em girls, bach. 'Ow do you say your name? Oh, never mind. Off you go back 'ome. Before 'at lolly melts.'

'Good-bye. And thank you.'

'Ta-ra, bach.'

A'i llais yn crafu yn 'y nghlustie.

'Funny little girl she is. Funny name an' all. An' pity about 'er Mam . . .'

120

O'n nhw'n aros amdana i'n eiddgar. Yn loetran, sgwlcan fel
dwy ddafad rownd y cornel. Llyged cul. Cnoi cil – y
bubblegum yn chwyddo'n falŵn mowr pinc bob hyn-a-hyn cyn
ffrwydro'n hen stecs stici rownd 'u cege.

'''An' why don' you behave like whassername by 'ere?'''
'''So polite she is!'''
'Come by 'ere, whassyourname!'
'An' give us 'at!'
A'r loli-eis yn llifo'n goch i'r gwter.
'An 'em an' all!'
Y pecyn sigaréts bach siwgir yn ca'l 'i stwffo miwn i boced.
'An' whass 'is silly ribbon in your 'air?'
'An' why don' you go to our school?'
''Sno' posh enough for Welshie little babies!'
'Welsh-ie – litt-le – ba-by! Go-in' – to – the – Welsh – school!'
'An' she's Mammy's girl an' all.'
'Go on back to Mammy!'
'An' no snitchin'! Right?'
A sonies i'r un gair erio'd wrth neb.
Tan nawr.

High Street.

Ger sgwâr yr Empire, ar fore Sadwrn braf. A'r fam a'r
ferch yn siopa law yn llaw. Basged fawr a basged fach, ac i
mewn â nhw i'r **DAIRY** – siop-y-gwynto-ych-a-fi – ac mae
Mr-John-y-Dairy'n gwenu arnyn nhw o'r mwrllwch a'i
ddannedd-dodi rhydd yn ratlo fel ratl babi.

'Shwt y'ch chi'ch dwy? Mor bert ag arfer os ca i weud!
A nawrte, ratl-ratl Mrs Roberts fach, beth alla i neud i chi?
Dewch weld nawr, ratl-ratl . . .'

Mae e'n cipio'r rhestr a dechrau gwiwera lan-a-lawr hen
ysgol fach sigledig i estyn am y nwyddau o'r silffoedd
uchaf; mae Mrs John-y-Dairy'n plygu i estyn am y rhai o'r
silffoedd isaf. Mae'r waliau brown a'r cownter marmor yn
drwch o hysbysebion: **IPSO WASHES BY ITSELF**!;

y crwt bach Cerebos Salt – **SEE HOW IT RUNS!** –
yn arllwys halen ar ben yr iâr sy'n sgathru bant yn
wyllt; a'r geiriau – **DESPERATION PACIFICATION
EXPECTATION ACCLAMATION REALIZATION** –
ar boster Nestlés Chocolate yn mynd â chrwtyn bach mewn
coler startsh o ddagrau i orfoledd; a'r morwr barfog â
HERO ar ei gap yn smoco Players Navy Cut; a dyn mewn
cilt yn taflu ceiber ar focs o Porridge Oats yng nghanol
Chemico a Reckitts Blue a Robin starch a hair restorer a
shaving sticks a Wonder Worker a Kolynos Dental Cream a
pure wax candles a Jacobs biscuits a Tommy Boxes – ac mae
Mr John-y-Dairy'n ratlo unwaith eto.

'Pishyn neis o gamon ratl-ratl 'da fi heddi, Mrs Roberts
fach. O ffarm 'y mrawd yn Crwbin, ratl-ratl.'

A'i ewinedd hir yn gafael am lwmpyn seimllyd sydd fel
petai wedi'i ludo'n sownd i'r sleiser. A'r handlen rydlyd yn
gwichan rownd a rownd a Mrs John yn pwyso'r siwgr yn
grynedig ac yn colli tipyn ar y llawr. A Mr John yn hisian
arni o'r tu ôl i'r sleiser.

''Ma ti 'to, fenyw, ratl-ratl! Ffaelu ratl-ratl neud dim byd
yn iawn!'

A hithau'n estyn am ei macyn ac yn sychu'i llygaid dab-
dab-dab. A diferyn bach yn hofran ar y blewiach du o dan ei
thrwyn.

'Dwy sleisen lyfli, ratl-ratl, Mrs Roberts.'

Dwy sleisen frown yn llithro o gledr ei law fawr front i
gwdyn papur llwyd.

'A te Hornimans, ontefe, ratl-ratl, er mwyn i'r groten fach
ga'l mwy o lunie anifeilied? Jyst â llenwi'r llyfyr, Branwen?'

'Odw.'

'Gw-gerl fach ratl-ratl.'

Taflu'r cwdyn te i'r fasged fach, a Mrs John yn torri
darnau caws â weiren a'u pwyso ar y dafol. A Mr John yn
sychu'i drwyn diferol â chefn ei law a chosi'i ben-ôl yn
harti . . .

'Dewch weld, nawr, beth yw'r damej?'

. . . Ac yn gafael yn ei bensil o du ôl i'w glust a rhedeg lawr a lan a lawr y rhestr. A Mrs John yn llenwi'r fasged fawr.

'Dwy bunt a wheugen cwmws, Mrs Roberts ratl-ratl fach. I *chi*, ontefe?'

'Diolch.'

'Croeso, ratl-ratl. Ar y slaten, ife?'

'Ie.'

'Iawn, dim problem.

A gwên. A winc. A ratl-ratl.

Mae'r fam yn gwrido a'r ferch yn 'studio llygaid duon Mrs John-y-Dairy – sy'n 'studio'r pryfed sy wedi trengi ar y papur stici ar y wal uwchben y cownter.

Siop-y-drewdod-gwaed.

G. Charles and Son,

PURVEYORS OF FINE MEAT AND POULTRY

Teils gwyn a gwyrdd, ambell un â phatrwm anifeilaidd arni – moch bach rhadlon, gwartheg bodlon â thorchau deiliog am eu gyddfau, ŵyn yn prancio'n llon mewn llennyrch, ambell geiliog ar ben ei domen. A diagram mawr o fuwch ar boster enfawr – **Buy the Best Beef Cuts** – a llinellau'n torri'i chorff yn ddarnau a'r rheini wedi'u rhifo o un i bymtheg.

Cyllyll a bwyeill yn disgleirio; coesau ac asennau ar res o fachau, hanshys ar y cownter yn diferu'n goch. A haneri creaduriaid mawr, diberfedd a blingedig yn hongian gerfydd eu traed ôl o'r nenfwd, eu hanner-trwynau'n sniffian y blawd llif ar lawr. A Mr Charles y bwtshwr ffein â'r dwylo glas, gwythiennog, a gwaed wedi ceulo o dan ei ewinedd, ei het ffelt wedi'i gwthio 'nôl o'i dalcen a'i frat yn frown, yn hogi'i gyllyll ag arddeliad.

Ac ar bapur doili ar blât mawr gwyn ar silff y ffenest mae pen hen fochyn, afal crebachlyd yn ei geg a pharsli lan ei drwyn. Mae ei lygaid wedi'u hanner cau yn gysglyd, ynghudd dan amrannau melyn, hir. Mae'r coler o drimins glas rownd ei wddw'n rhoi'r argraff bod gweddill ei gorff o dan y silff.

'Henffych, fam a merch!'

Llais ac osgo pregethwr sy gan Mr Charles.

'Pregethwr o'n i isie bod. Ond ffaeles i'n exams. A neud lot o bethe dwl na ddyle crwtyn bach diniwed 'u neud mewn coleg diwinyddol – os deallwch chi beth s'da fi!'

Pwnad fach â'i fraich.

A gafel yn 'y nhrwyn a'i droi yn ddidrugaredd.

'A shwt ma' 'nghariad fach i heddi?'

A'r drewdod ar 'i ddwylo'n troi arna i, a'r blawd llif ar 'i fysedd yn cosi 'nhrwyn i nes i fi drwsial dros 'i law e.

'Bendith, cariad bach!'

Sychu'i law yn 'i frat a hwpo'i hat ymhellach 'nôl o'i dalcen.

'Nawrte, pwy gig dy' Sul licech chi 'da fi heddi, Mrs Roberts? Leg o lam bach ffresh ne' bishyn neis o bîff? Ne' beth am stewin stêc bach jiwsi?'

'Dwy jopen borc – rhai bach. Jyst digon i ni'n dwy.'

Crac-crac y fwyell fawr. A Mr Charles yn trimo'r darnau saim yn ddeheuig a'u taflu i fwced o gigach anfwytadwy.

'Brecwast neis i'r moch!'

Pwnad arall.

'Meddyliwch bo' nhw'n lico byta'i gilydd, druen bach! Fe fyte'r jawled bopeth 'mond ca'l hanner cyfle. Ma'n nhw'n debyg iawn i'r foreigners 'na o bant sy'n byta popeth – perfedd anfytadwy i chi a fi – llyged hyd yn o'd. Dim byd yn mynd yn wast. Fel moch wrth gafan – 'na beth y'n nhw! Welest ti foch wrth gafan, cariad bach?'

A fe hwdes i. Darne bach o wy yn gymysg â banana'n sbowto'n felyn dros y cownter a diferu lawr i'r llawr a socan i'r blawd llif. A fy mam yn ochneidio bob yn ail ag ymddiheuro, a

Mr Charles y bwtshwr ffein yn hwpo'i hat o'i dalcen ac yn rhegi i'r cymyle wrth estyn am 'i fop.

A'r mochyn yn 'i ffril ar sil y ffenest yn winco arna i.

Siop-y-cemist-gwynto-sebon-scent-a-disinffectant.

A Mr James yn ei got fach neilon wen yn pipo rhwng poteli lliwgar, yn byseddu pentwr o brescripsions wrth ddisgwyl am ei gwsmer nesa, yn peswch yn y cwmwl gwyn sy'n codi o'r tabledi y mae'n eu harllwys o jar wydr mewn i'r dafol cyn mynd ati i bolisho'r dafol, y jariau, y poteli a'r prescripsions. Bydd yn eistedd, weithiau, ar gadair wrth y cownter, yn ffeilio'i ewinedd yn ofalus, yn glanhau ei glustiau â'i Parker Fountain Pen a'i sychu wedyn â darn bach o wlân cotwm, yn pigo rhwng ei ddannedd â thwthpic pren neu'n pigo'i drwyn yn ddelicet â'i fys bach. A thrwy gydol y gweithgareddau nerfus hyn bydd yn edrych ar ei lun yn y gwydr ar y wal, gan dwtio'i wallt rhy-ddu-fel-y-frân a sythu'i dei lwyd.

'Mrs Roberts! Can I help you, love?'

A hithau'n loetran, yn esgus ymddiddori'n fawr mewn powdrach, disinffectant a shampŵ. Yn aros i Mr James ddiflannu i'w pharmacy yn y cefn cyn mentro at y fenyw lipstic-ac-ewinedd sgarlad . . .

'Aspirin and some sticking plasters, please . . .'

. . . Gwneud yn siŵr nad oes neb yn gwrando cyn sibrwd dan ei gwynt . . .

'And some Tampax and Dr Whites . . .'

. . . A gwrido'n goch fel gwaed.

Skyline Efrog Newydd.

Arddangosfa gwerth ei galw'n 'chi'. Tuniau pys a Spam a Bartlett Pears yn balanso ar ei gilydd yn bentyrrau bregus.

'Chi'n lico fa? Wi weti gwitho'n galad arno fa chi'n gwpod!'

Mr David Davies, Branch Manager du-fwstashog yr Home-&-Colonial Stores, yn ei dici-bow bach coch, dau fathodyn ar frest ei oferôl gwyngalchog – *Ich Dien* pluog uwchben Draig Goch rampant – yn ymfalchïo yn ei gampwaith, yn ymdrybaeddu yn ei sgript.

'So 'Nghymrêg i'n ddicon dê i wilia'n bropor gyta pobol glefer, Cymry piwr fel chi! Crotyn bêch o Benrhiwciber otw i, ch'wel'. 'Stim Cwmrêg deche 'da fi, dim ond dicyn bêch o 'ire fen hyn a threw. Ond wi'n folon trio – weti'r cwbwl, Cymro otw i i'r carn. Yn Gymro ces i 'ngeni, a Chymro fydda i pan af i i gwrdd â 'Mhrynwr. Licen i bo' Janice ni'n wilia dicyn bêch o Gwmrêg ond so'r wraig yn hito'i hala hi i'r Welsh school "in case she loses out on English". A weti'r cwbwl ma' hi'n iawn. You can't get very far in this old world without speakin' proper English!'

A'r gwladgarwr gwantan coesau-bandi'n martsho – 'Next please! Can I help you?' – ar draws ei lawr teils gwyddbwyll.

A fy mam a finne'n trio pido wherthin.

A'r wherthin yn troi'n ochened sydyn wrth weld Mrs Godwin Fach Gweinidog yn crwydro at y cownter â jar o bicls yn 'i llaw. A fy mam yn sibrwd . . .

'Dere, Branwen . . .'

. . . Yn rhy hwyr i drio jengyd . . .

'Dwi'n gofalu prynu te a choffi yn y siop yma 'chi – er budd pobol anffortunus ac anghenus yn y parthau pell fel Affrica ac India a Madagasgar. A Best Llanelli Pickles i Mr Godwin. Maen nhw'n flasus iawn, rhai mawr, solid, dim fel y sbwriel meddal gewch chi yn y siopau eraill – heb enwi Dairy Mr John, wrth gwrs! Mae Mr Godwin wrth 'i fodd â nhw. "Dewch â thoc o gaws Caerffili a dwy biclen o Lanelli i mi, Mary." Dyna'i bregeth hwyrol bron bob nos! A dwi'n tynnu'i goes 'i fod yn trio'i orau i fod yn fardd!'

Wherthin mowr – â'i cheg, dim â'i llyged. Cyn edrych yn ddifrifol arna i a wedyn ar fy mam.

'Gwedwch wrtha i nawrte, Mrs Roberts . . .'

Ma' hi'n sibrwd yng nghlust fy mam, yn gafael yn 'i llaw.

'Ydy popeth yn olreit? Fi a Mr Godwin sy wedi bod yn poeni – amdanoch chi a Branwen fach. Dach chi wedi mynd yn ddiarth iawn eich dwy yn ddiweddar – o ran y cwrdd a'r Ysgol Sul. A maddeuwch imi am ddeud hyn, ond 'i ddeud sy raid – dwi'n gweld golwg bigfain arni heddiw . . .'

A finne'n syllu ar y poster ar y wal. Haul mowr melyn mewn awyr roial-blŵ, pobol droednoeth, croenddu mewn dillad gwynion at 'u tra'd, turbans lliwgar am 'u penne, yn llwytho deiliach enfawr i fasgedi gwiail. Ma' 'na eliffant â chadwyn am ei droed a basged ar ei gefen yn codi'i drwnc yn llawen. Ma' pawb yn gwenu, yn amlwg wrth 'u bodd.

'Dere, Branwen . . .'

Dere, Branwen, yn gwmni i dy fam.

Dewch i chi gael dianc o'r cwestiynau lletchwith i dawelwch pren-a-pholish teml fawr y banc, lle mae Mr Dudley'n pipo dros ei hanner-sbectol fel y gwdi-hŵ yn English Reading Primer Two.

'Now then, Mrs Roberts, what can we do to help you with this debt?'

A'i ddwylo fel dwy ffan ar led ar ledr gwyrdd ei ddesg. A sŵn ei fysedd hir yn tap-tap-tapo yn toddi i sŵn y teipo yn y stafell y tu hwnt i'r drws â'r patrwm cylchoedd yn ei wydr.

A finne'n colli cownt sawl cylch.

A thrio cownto'r sgrolie yn y nenfwd a'r cerfiade yn y pileri mowr mahogani. Ond colli cownt o'r rheini, hefyd. Cyfri'r ieir-bach-yr-haf yn 'u bedd bach gwydr ar y wal tu ôl i'w ben . . .

'You'll have to keep the payments going.'

. . . Pum creadur lliwgar, llonydd, hardd, mor hardd . . .

'Yes, of course. No problem.'

Gwyrdd a glas a brown ac oren . . .

'Good . . .'

. . . Oren fel y tyffts o flew o'dd yn tyfu mas o'i glustie . . .

'I'm glad to hear it . . .'

A'i wyneb crwn a'i wallt a'i ffrinj a'i aelie'r un mor gochlyd . . . Yn debyg i orang-utang . . . 'Hen Ŵr o'r Coed, Hen Ŵr o'r coed . . .'

'I'll see what I can do . . .'

Gwenu gwên ddanheddog, codi, camu'n herciog ar draws y carped glas, 'i freichie hir yn hongian, a'r drws â'r patrwm cylchoedd yn swingo unweth, ddwyweth, dair . . .

'Buost gynt mewn fforest ddwys yn deyrn. . .'

A fy mam yn syllu lawr i'r carped . . . A Mr Dudley'n camu 'nôl i'r stafell â phapur yn 'i law . . .

'Right then, let's see what we can do for you . . .'

A'i fountain pen yn hedfan dros y papur tic tic tic a chroes bob hyn a hyn . . .

'Mor sarrug ar dy sypyn gwellt . . .'

'And sign by there and there and there . . .'

'Rwyt bellach wedi colli'n hiaith;
Mae haearn rhyngom ni ein dau
A muriau maith.'

A'r blotting paper pinc ar ben y cyfan, dab, dab, dab.

'And that should be all right.'

A gwên ddanheddog arall . . .

'I'm glad to be of service, Mrs Roberts.'

Dere, Branwen, yn gwmni i dy fam.

Dere â dy lyfr lliwio a dy grayons i Ysgol Ton-yr-Ystrad, i'r dosbarth pella, reit ar ben y coridor.

Y mae pobl yma. Y maent hwy yn dysgu Cymraeg. Y mae Mrs Roberts yn Athrawes ar y dosbarth.

Yr ydwyf i yn eistedd yn y blaen.

Yr ydym ni yn gwrando. Yr wyf i wedi blino. Yr ydych chi yn edrych arnaf yn dosturiol ac yn sibrwd yn fy nghefn.

'Poor little thing! Why the hell has she brought her here? It's ten o'clock! She should be in bed!'

Cysgu'n sownd, a 'mhen ar 'y mreichie ar y ddesg, a'r llyfyr lliwio wedi'i gau a'r crayons wedi'u gosod yn ddestlus yn y bag. Clywed lleisiau yn 'y nghwsg.

'Dere, Branwen, ma'n bryd inni fynd sha thre. Ma'r wers ar ben a Mr Gray'r gofalwr wedi dod i gloi.'

Am ddeg o'r gloch bob wthnos yn ddi-ffael o'n nhw'n goffod 'y nihuno i o drwmgwsg. A'u lleisie – fy mam a Mr Gray'r gofalwr – yn eco pell mewn ogof. Neu dwnnel hir. Lleisie'n dod yn donne o dwnnel Pont New Century.

'Braan-wen! Braaan-wen-wen!'

Fel llais Mr Dan y Dentist tu ôl i'r gole-melyn-fel-yr-haul sy'n troi a throi a finne'n dihuno gan bwyll bach ar ôl ca'l tynnu dant.

'Braan-wen-wen! Braaan-wen-wen! Dihuna, 'na gw-gerl-fach!'

A Mr Gray'r gofalwr yn 'y ngharlo i ar 'i ysgwydd mas i'r car. A 'ngosod i orwedd ar sêt y gwt.

'You all right now, Mrs Roberts? An' the little girl?'

'Yes, we're fine. Good night.'

Clywed sŵn yr enjin . . . gwynto'r seddi lleder . . . mwg 'i sigarét . . .

'Y'n ni jyst â chyrredd, Branwen. Fydd raid i ti ddihuno. Ti'n rhy drwm i fi dy gario miwn i'r tŷ.'

Trwm, trwm, trwm . . . Coese, llyged, y llyfyr lliwio a'r bag a'r crayons . . . A drwm yn pwno, pwno yn 'y mhen . . . A'r staere lan at ddrws y ffrynt yn serth, a'r staere lan i'r landin . . .

Sinco miwn i'r gwely mowr . . . Teimlo'i breichie'n dynn amdana i, a'i hana'l ysgafn ar 'y ngwegil . . .

'Diolch iti Branwen fach, am ddod yn gwmni i fi heno. Heno, echnos, nos Fawrth d'wetha . . . Ti'n gariad fach i gyd. Nos da.'

Y PICTIWRS

Rwy'n hoffi mynd i'r pictiwrs gyda
Mami. Mae dau le pictiwrs, yr Odeon a'r
Pictiyrdrom. (Nid wyf yn siwr sut mae ei
syllafi.) Yr Odeon yw'r un gorau. Gallwch
fynd i'r galeri a gweld y ffilm yn glir heb
rywun mawr a tew o'ch blaen chi. Rwy'n
hoffi mynd i mewn i'r tywyllwch a'r mwg
i gyd a'r fenyw gyda'r tortsh yn mynd a
chi i'ch sedd. Bydd y seti'n gwichan
ambell waith pan fyddwch yn dod mewn
yn hwyr a bydd pobl yn gorfod codi i
adael i chi fynd heibio a bydd pawb yn
gweiddi "Sh!" Mae'r Adfertisments i
ddechrau, mae'n nhw'n dda. Ac wedyn
ffilm cartwn neu rhywbeth doniol. Ac yna
mae'r golau'n dod ymlaen a'r fenyw yn
cario tray o hufen ia a pop a loshin a
popcorn ambell waith. Choc Ice a Tub
yw'r gorau. Wedyn mae'r llenni'n agor eto
a phawb yn ddistaw a'r Dyn a'r Gong
neu'r Llew yn Rhio yn dechrau'r ffilm.
Roedd "Snow White" yn dda. Roeddwn
i'n hoffi'r Seven Dwarfs yn canu "Hei ho
Hei ho!" Roedd "Bambi" yn dda iawn
hefyd er fy mod yn llefen pan fuodd
Mami Bambi farw. Roedd "The Robe" yn
dda ond roedd yn ffilm drist iawn am
Iesu Grist yn marw ar y groes. Roedd "A
Night to Remember" am y Titanic yn gas.
Lot fawr o bobl yn boddi. A "The Cruel

Sea" hefyd. Roedd "Bridge on the River Kwai" yn gas iawn. A "Spartacus". A "Moby Dick". A "Joan of Arc" yn gas iawn, iawn.

Jean Seberg.

Wedi'i chlymu wrth y stanc. Yn syllu ar y groes sy'n cael ei dal o'i blaen. Llygaid yn disgleirio. Wyneb angylaidd, gorfoleddus.

Mae hi'n gwenu'n awchus ar ei Duw. Yn gweiddi arno ei bod hi'n dod. Trwy'r mwg, trwy'r tân – mae'n dod!

'I'm coming, Lord!'

A finne'n teimlo'r llaw.

Yn twtsho top 'y nghoes i. Bysedd yn goglish, yn rhwto 'nôl a mla'n o dan y got fach goch sy ar 'y nglin.

A phawb yn dal eu hana'l.

Yn tyngu'u bod nhw'n gallu teimlo gwres y fflamau, sawru cnawd yn llosgi. A hwythau yn eu seddi saff. Yn gwylio'r sgrin ar dân. Sgwâr mawr coch yng nghanol môr o ddu.

Sbecyn bach o goch yn hofran yn y du.

Sigarét y dyn sy'n ishte nesa ata i. Mae e'n 'i thynnu miwn a mas o'i geg. Miwn – a thynnu arni – mas – a hwthu'r mwg yn gylchoedd.

Ma'i lyged ar y sgrin. A'i law dde ar 'y mhen-glin, yn goglish, goglish.

Cyn crynu.

A llonyddu.

Stop.

FY HOFF BERSON
VERY VERY PRIVATE!
NO READING THIS WITHOUT
PERMISHION!

Fy hoff berson i yw Barrie White, y favrite
conductor. A fi yw ei favrite pasenjer
meddai Barrie. "Nice little girl you are
Sunshine", meddai. "Very prety. I like prety
litle girls." Rwy'n cael eistedd gyda Barrie
ar ôl i bawb fynd off y bws. Mae e'n
eistedd ar y sedd hir a dweud "Come and
sit by me becaus you are very speshal."
Rwy'n cael gwisgo'i watsh, un fawr, sgwar.
A heddiw rhoddodd Barrie bishyn tair i fi.
Rhaid i fi beidio dweud wrth neb. "It's
our secret" meddai Barrie. Rwyf wedi
rhoi'r arian yn saff yn y mochyn tew.
Ambell waith bydd Barrie'n rhoi ei fraich
amdanaf a dweud "Let's have a cwtsh."
Weithiau bydd e'n pinsho fy mhen glin.
Does neb yn gweld hyn. Dyw'r dreifer yn y
caban ddim yn gweld achos mae e'n gorfod
cadw'i lygaid ar y ffordd o'i flaen.
   Mae Barrie'n neis. Rwy'n hoffi cadw
secrets. Dyna pam na fyddaf yn dweud
dim wrth neb. Dim ond fi a fe sy'n
gwybod. Dim Mami, dim neb o'r ysgol.
   NEB!

O'dd hi'n ysgol bert.

'I stafelloedd yn ole a'i ffenestri mowr yn edrych mas ar gyfer o dir gwyrdd a iard sylweddol. Y bechgyn â'u rygbi a'u cowbois-an'-Indians a'u sbort rhyfelgar o'dd pia'r hanner uchaf.

'Fi'n Cliff Morgan!'

'Na, ni'n whare cowbois a fi yw'r Ciscoe Kid!'

'Na, ni'n whare rhyfel a fi yw'r milwr dewr sy'n achub y milwyr erill rhag y gelyn.'

'Ti ddim yn gallu, Branwen!'

'Pam?'

'Ti'n ferch, 'na pam! Nawr cer i whare gyda'r merched!'

A cha'l 'yn esgymuno at y merched yn y cornel isa. Twco'n sgertie miwn i'n nicers a whare sgipo, donci, hop-scotsh, mochyn-yn-y-canol, tic a hide-an'-seek a whip-an'-top a hula-hoops – boring, boring, boring.

Ond o'dd cerrig mân yr iard – mor finiog â darne bach o wydr – yn broblem fowr i bawb. O'dd hi'n beryg bywyd cwmpo arnyn nhw; o'n nhw'n torri miwn i'ch cnawd, yn glynu mewn gwa'd a blew ar benelin ne' ben-glin nes bo' Lavinia Jones yn goffod tyrchu miwn i'r cwt â tweezers a'i lanhau â TCP.

'Ma' Robert James yn pigo'r grachen ar 'i goes!'

'A wedyn ma' fe'n byta'r pishys!'

'Ych-a-fi'r hen fochyn brwnt!'

'Gadwch lonydd iddo fe a dewch i whare bechgyn-tshaso-merched!'

'Na! Ni'n whare merched-tshaso-bechgyn – lot fwy o sbort!'

'Trysto ti i newid pethe, Branwen!'

Ie, trysto fi, y ddiniweiten . . . Trysto fi i ga'l 'y nal . . .

'Reit te, mas o fan'na!'

Llais Miss Morris. A'i llyged mochyn ypseid-down yn pipo dan y drws. Yn y toilets drewllyd o'n ni, yn y ciwbicl pella, newydd follto'r drws yn saff. O'dd Geraint Williams ar fin godde'i gosb. Fi o'dd wedi'i ddala fe – 'Kiss, kick or cuddle, Geraint Williams!' – ac o'dd ynte, trŵ tŵ fform, wedi dewis cusan. Ond o'dd Carys Howells wedi mynnu bod yn refferî.

Do'dd dim lot o amser 'da ni – o'dd Lavinia newydd ganu'r gloch – a o'dd pawb arall wedi diflannu miwn i'r ysgol.

'Dewch! Agorwch! Ne' fe alwa i'r polîs!'

O'n ni wedi'n dala. A mas â ni â'n penne lawr, fel anifeilied yn wynebu arteth y destructor.

'Ffor shêm! Y tri ohonoch chi'r moch bach!'

Saib . . . A'r llyged mochyn yn culhau . . .

'Wel? Beth ddylen i neud â chi? Heblaw galw am y polîs?'

'Na!'

'Pwy 'te, Geraint Williams? 'Ych rhieni chi? Ne' ddoctor i drio'ch gwella chi o'r salwch brwnt 'ma? Carys Howells, Branwen Roberts – dewch! Gwedwch wrtha i!'

O'dd hi'n colli arni'i hunan. Yn pwno Geraint Williams rownd 'i ben. Yn slapo Carys Howells ar draws 'i hwyneb. Yn 'yn hwpo i yn erbyn wal y gwter bisho.

'Hen hwren y'ch chi, Carys Howells! Slwten jep! A chithe Geraint Williams – y mochyn brwnt! Y'ch chi'n ffiedd, hollol ffiedd! A hwn yw'ch cyfle ola chi! Unrhyw ddwli 'to, y polîs amdani!'

A'r bronne-balconi yn troi'n fygythiol ata i.

'A chithe, Branwen Roberts – pwy feddylie y byddech chi – o bawb – yn neud shwt beth? Ych a fi! Ffor shêm! 'Sdim c'wilydd arnoch chi?'

Nago'dd, dim ond ofon mowr. Ofon nes o'n i'n gryndod trwydda i. Yn teimlo'r dagre'n cronni. Yn trio'u stopo nhw. Yn trio meddwl am rwbeth doniol. Yr hen dric. Am 'i dannedd dodi hi. Yn cwmpo miwn i'r gwter bisho neu'n hedfan lawr y toilet. A hithe'n goffod 'u pysgota nhw mas o'r hen ddŵr drewllyd. Yn goffod 'u disinffecto nhw cyn 'u rhoi nhw 'nôl yn 'i cheg. Ond do'dd e ddim yn gwitho. O'n i'n dala i grynu.

'Geraint Williams? Beth s'da chi i weud?'

'Sori.'

'Carys Howells?'

'Sori.'

'Branwen Roberts?'

'Pidwch gweud wrth Mami.'

134

Y CYNGERDD

Roedd ein cyngerdd Nadolig neithiwr.
Roeddem wedi bod yn ymarfer yn galed
ers amser. Miss Jones oedd yn ein dysgu.
Roeddem yn canu carolai ac actio dramar
geni. Roedd llawer o bobl wedi dod i
weld y cyngerdd. Roedd pawb yn dweud
ein bod yn dda fel arfer. Ac yna fe aeth
pawb adre. Ac aeth Miss Jones a fi
adre yn ei char.

'Branwen, beth sy'n bod?'
    O'dd hi'n giwt, fel'na, yr hen Lavinia fach.
    'So'r darn bach sgrifennest ti am y cyngerdd yn ddê iawn,
oty fe? Dim hanner cystal ag arfer. Pam?'
    'Ddim yn gwbod.'
    'A pham nag wyt ti wedi tynnu llun?'
    'Ddim yn gwbod.'
    O'dd hi'n edrych arna i'n od.
    'Ti'n twmlo'n iawn?'
    'Odw, diolch.'
    'A dy fam – shwt ma' hi?'
    'Iawn, diolch.'
    'Yn well na fuodd hi?'
    'Ody, diolch.'
    O'n i fel mashîn. Ond o'dd hi'n stico ati, whare teg.
    'Do'dd hi ddim yn twmlo'n ddê iawn nithwr o'dd hi? Ddim
yn ddicon dê i ddod i'r cyngerdd?'
    'Na . . .'
    Crychu'i thalcen 'to . . .
    'Branwen, os o's rhwpeth ar dy feddwl di, os wyt ti isie
siarad, cofia 'mod i'n folon gwrando, unrhyw amser. Iawn?'
    'Iawn. Ga i fynd nawr – plîs?'

SECRETS BRANWEN DYDDGU ROBERTS.

Dyma beth roeddwn eisiau ei ysgrifennu. Noson y cyngerdd roeddwn yn anhapus. Ac yn poeni. Rhag ofn bod Miss Morris yn mynd i ddweud wrth Mami. Am y bisnes yn y toilets. Dyw hi ddim, gobeithio. Neu byddai Mami'n grac. Neu yn drist. Ac mae hi'n ddigon trist yn barod. Yn rhy drist.

Roeddwn i'n teimlo'n grac iawn hefyd. Ac yn drist. Ac wedi pwdi. Ac wedi cael siom fawr.

1. Am fy mod yn gorfod bod yn blwmin angel. Ro'n i eisiau bod yn wraig y Llety am fod ganddi lot i'w ddweud ond roedd Miss Jones am roi cyfle i rywun arall sef Megan Wilcox oedd yn anobeithiol ac yn hoples ac y anghofio'r geiriai ac yn gorfod cael "promt" o hyd ac roeddwn i'n gwybod y sgribt air am air ers amser.

2. Am fy mod i wedi gorfod chwarae'r blwmin triongl yn y band. Roeddwn i eisiau chwarae'r recorder ac wedi bod yn ymarfer lot ac rwyf yn ei chwarae'n dda.

3. Am nad oeddwn i wedi cael darllen darn o'r Beibl er fy mod yn darllen yn well na phawb arall.

4. Am nad oedd Mami wedi dod i'r cyngerdd.

5. Am ei bod hi'n dweud ei bod yn rhy dost i ddod. Ond doedd hi ddim.

6. Am ei bod hi'n dweud ei bod yn dost o hyd. Ond dyw hi ddim.

7. Am nad oes neb yn gwybod beth sy'n digwidd a neb yn galli helpi.

Rwy'n teimlo'n well ar ôl ysgrifenu'r secrets hyn.

Pwy yw'r hen fenyw 'na?

Yr un fach fel styllen â'r wyneb crychog, sy'n sefyllian wrth gatiau'r ysgol? Mae hi'n syllu ar y plant, yn gwrando ar eu chwarae. Mae hi wedi bod 'na ers y bore bach; roedd hi yna ddoe ac echdoe – ers wythnosau, mewn gwynt a glaw a heulwen. Mae hi'n gwisgo hen got lwyd lawr at ei thraed, un enfawr, shabi, fel cot gweithiwr; sgidiau clympog, du a sanau trwchus wedi rwmplo'n donnau dros ei phigyrnau; sgarff y Coronation wedi'i chlymu am ei phen.

Mae'r plant yn chwarae tŷ-bach-twt. Sgwariau bach o gerrig i ddynodi'r stafelloedd; bwlch yn dynodi drws. (A gwae'r sawl sy'n camu mewn i stafell dros y cerrig.) Boncyffion yn soffas a chadeiriau, darnau fflat o bren yn fyrddau, hen leino o'r stordy dan draed, dant-y-llew a llygaid-bach-y-dydd mewn poteli llaeth yn addurniadau pert. Roedd y cyfan yn grand iawn – yn enwedig i un a oedd wedi arfer â thŷ-bach-twt mewn bedd.

Mae'r fenyw'n gweiddi.

'Hei! O'n ninne'n whare tŷ-bach-twt! Fi a 'mrotyr a'n whiorydd. Pan o'n i'n groten fêch! O'n i'n whare yn Gwmrêg bob gair. Chi'n gwpod hynny?'

Does neb yn cymryd sylw. Pawb wedi hen arfer ei gweld a gwrando ar ei gweiddi.

'Hei, chi! Otych chi'n 'y nghlywed i? O'n ninne'n wilia Cwmrêg! Pawb o'n tilu ni! Flynydde mowr yn ôl! O'dd lot yn gallu'i wilia hi! O, o'dd!'

Mae hi'n gafael yn y reilins, yn eu hysgwyd â'i dwy law fel carcharor gwyllt mewn cell.

'Gwetwch rwpath 'newch chi! Gwetwch rwpath yn Gwmrêg! Plîs gwetwch rwpath!'

'Shut your mouth, you silly old sod!'

'Ti cau ceg ti hefyd, Robert James!'

'Ie, gad lonydd i'r hen fenyw! Dyw hi'n neud dim drwg i ti!'

'A sod off ti hefyd, Branwen Roberts!'

'A twll dy din di!'

'Ti moyn ffeit?'

A'r fenyw'n dal i weiddi.

'Lico'ch clywed yn wilia yn Gwmrâg! Gwetwch rwpath arall yn Gwmrêg! Gwnewch hen wraig yn hapus!'

'Ma'r hen wraig yn llefen!'

A neb yn deall pam.

'Stwbwrn, 'na beth y'n nhw!

Fel dou asyn!'

Mae wyneb Isaac Morgan yn welw fel y galchen ac mae ei ddwylo'n crynu. Mae Gwennie'n hepian yn ei chadair olwyn ond mae Mot â'i ben ar dro yn syllu arno'n llawn consýrn.

'Pwy sy'n stwbwrn?'

'Y mab 'co, Glyndwr, a'i wraig. Yn pallu styried – pallu *styried* hyd yn oed!'

'Styried beth?'

''I hala hi – 'u merch – 'yn wyres fach i – i'r Ysgol Gymrâg.'

'Pam?'

'O, wy'n gwbod pam . . . Moyn talu 'nôl i fi.'

'Am beth?'

138

'Pwy, pam, beth? Yr holl gwestiyne 'ma! Ti'n gwmws fel tôn gron!'

Peswch, rhoi hwp fach ddiamynedd i Mot, rhoi cic i'r pentwr o hen flodau a thorchau wrth y fasged sbwriel.

'A finne wedi begian . . . Ond 'na fe, fydde tamed o groten fach fel ti ddim yn deall. 'Sneb yn deall, dim ond fi.'

Mae hi'n sylwi ar y negeseuon sy'n dal yn sownd wrth ambell dorch o ddeiliach crin a thusw gwywedig. 'Always in our thoughts', 'Until we meet again', 'Sleep tight, dear Dad'. A'r inc wedi rhedeg gyda'r glaw neu wedi ffado yn yr haul.

'Dim ond fi sy'n gwbod. Taw'r cwbwl sy'n bwysig i fi nawr yw bod Luned fach yn siarad Cymrâg â fi, fel ti. Yn gwbod y pethe wyt ti'n 'u gwbod. Caneuon a storâis a phethe. Cyn iddi fynd ry hwyr.'

'Rhy hwyr i beth?'

''Ma ti 'to! Yn holi 'mherfedd i! Er mwyn y Nefoedd, towla'r pishyn pren 'na i Mot ga'l 'bach o sbort. Cerwch 'ych dou i whare a gadel llonydd i hen ŵr didoreth! Whare ddylet ti fod yn neud, 'ta beth – 'da plant bach erill, dim ar dy ben dy hunan fel hyn! A mewn mynwent, o bob lle diflas! Pam wyt ti'n hala dy amser 'da hen ddynion! Fi a Bob Go-fetch! Ni yw'r unig ffrinds sy 'da ti, groten?'

'Nage! Ma' 'da fi lot o ffrinds! Lot fowr!'

'Excuse me, please . . .'

'Yes?'

'Is Angela-an-Cheryl in?'

'No.'

Mae hi'n syllu ar y blaidd o ddyn pen moel sy'n gwisgo hen fest lwyd ac arni batshys mawr o chwys. Mae tatŵs – **R. A. F.** ac *I Love Betty XXX* dan flew tywyll ei fraich chwith, a merch fronnog yn codi gwydraid o champagne ar ei fraich dde. Mae blew tywyllach ar ei wegil a than ei geseiliau chwyslyd.

'Gone down Ponty to see their Granny for the day they
'ave. Won' be back till late. Who shall I say 'as called?'

'No-one.'

'You're a funny little no-one!'

'They don't know me.'

'I seen you passin' by 'ere often.'

'But they still don't know me.'

'Look, love, I'm a busy man. Is there any message?'

Na, dim neges.

Beth arall allen i 'weud? 'Mod i'n dwlu isie'u cwmni nhw?
Yn dwlu isie whare hopscotsh a sgipo a whip-an-top a hula-
hoop – y geme o'n i'n 'u hwffto ar iard yr ysgol – gyda
merched bach y Bute Hotel? 'Mod i'n gallu clywed 'u whare
nhw o ardd Gwynfa; 'mod i'n ishte ar ben y shed yn gwrando
ar 'u wherthin, ar y tasgu dŵr a'r gwichan a'r gweiddi a'u sbort
nhw yn 'u gardd? 'Mod i wedi bod yn cerdded 'nôl a mla'n tu
fas i bortsh y Bute bob dydd o'r gwylie, a'u gweld nhw'n
whare, 'u ffroce wedi'u twco miwn i'w nicers, 'u hwynebe'n
hapus, binc. 'Mod i'n byw mewn gobeth 'u clywed nhw'n
gweiddi 'Come an' join our game!' 'Mod i isie gweld tu hwnt i'r
portsh, tu fiwn i'r drws mowr, derw, miwn i'r stafell fyglyd o'dd
dan 'i sang nosweithiol, yn drewi o gwrw a thybaco?

O'n i wedi bod yn magu plwc ers orie. Wedi neud yn siŵr
bod fy mam yn cysgu'n sownd cyn mentro mas o'r tŷ. Wedi
mynd i sefyll dros y ffordd i'r Bute, yn yr haul. Wedi sefyll 'na
am awr, nes bod 'y mreichie a 'ngwegil yn dender reit. O'n
i wedi bod yn watsho'r dyn a'i fêt yn rowlo casgenni o gart
J. B. Brown and Sons, Draymen glatsh-di-glatsh drw'r
trap-door yn y pafin i berfeddion y seler; wedi teimlo tr'eni at y
ferlen yn y shafftie o'dd yn sefyll yn aflonydd yn y gwres, gan
grafu'i phedol yn y tarmac meddal.

Ond do'dd dim pwynt. Do'dd merched bach y Bute Hotel
ddim gatre.

'No, no message, thankyou.'

140

Fe drodd y dyn 'nôl at waith gan godi'i aelie ar 'i fêt. Fe droies i a cherdded bant, hibo i'r gaseg fach o'dd yn dal i grafu'i phedol yn y tarmac meddal.

LWC DDA NEU DDRWG

Mae pedol yn golygi lwc dda. A dwy bioden hefyd. "1 for sorow, 2 for joi" yn Saesneg. A chath ddu yn croesi'r ffordd hefyd er fe welais i gath ddu bert yn croesi High Street unwaith ac ymhen pum munud roeddwn yn cerdded nol ac roedd hi'n gorwedd yn y gwter yn waed i gyd gan fod fan y Co-Op wedi mynd drosti felly nid oedd yn rhoi llawer o lwc iddi hi ei hunan.

Mae cerdded ar y cracs yn y pafin yn anlwcis hefyd a phan rydych yn gweld ambiwlans yn mynd heibio ac rydych yn gorfod gafael yn eich coler a chyfri lawr o ddeg i un sydd yn eithaf anodd i wneud i'r anlwc fynd.

Mae rhai pobl yn credi yn y Tywlith Teg a'i bod yn dod a lwc i chi. Ond rhaid i chi gredi ynddynt yn llwyr iawn neu byddant yn dod ag anlwc. Roeddwn i'n credi ynddynt tan neithiwr. Er fy mod wedi rhoi fy nant o dan fy ngobenidd doedd dim pishin chwech yno y bore yma. Ac fe ges i siom. Falle taw fy mai i ydyw achos doeddwn i ddim yn credi digon ynddynt ac roeddent yn gwybod hynni'n iawn am ei bod yn gwybod popeth. Ond roedd yn dal yn siom. A byddaf yn mynd a phishin chwech i'r ysgol fory ac yn esgis fy mod wedi ei ffeindio dan fy ngobenidd. Bydd neb yn gwybod fy mod wedi ei ddwgid o bwrs Mami. A bydd neb yn gwybod fy mod wedi rhoi'r dant yn y bin.

Mae Wncwl William wrthi eto.

Yn brysur yn y shed. Mor brysur, dyw e ddim yn sylwi ar y groten fach o dan y goeden fwnci, hat haul dros ei llygaid, yn esgus sgrifennu yn ei llyfr. Ond mae hi'n eich gwylio, Wncwl William, drwy'r drws agored. Yn slei fach, o bell. Mae hi'n gallu gweld y bocs a'r rhowlyn o wlân cotwm. Mae hi'n gallu gweld y botel las. Ond dyw hi ddim yn deall beth sy'n digwydd. Mae hi'n eich gweld yn codi'r caead, yn edrych mewn i'r bocs a'i gau drachefn. Mae hi'n eich gweld yn sychu'ch dwylo yn eich crys, yn dod mas o'r shed, yn cau'r drws, yn cerdded lawr at gât y ffrynt a diflannu lawr y ffordd. Mynd i mofyn ffags, mae'n siŵr. A lolipop i'w nith, gobeithio.

Mae hi'n oedi. Ddim yn siŵr. Ddim yn siŵr o beth? O beth sy'n digwydd yn y shed? Ond mae ganddi syniad bach go lew. O, oes.

Ond doedd hi ddim yn disgwyl hyn. Tair cath fach foel, rhai pitw, bach, yn cysgu yn y bocs. Yn cysgu'n sownd ar wely esmwyth, gwyn. Fel eiderdown mawr gwyn, neu wely plu Mam-gu. A beth yw'r gwynt 'na? Hen wynt od sy'n llenwi'r bocs? Gwynt doctor, dentist, cemist, clinic, nyrs yr ysgol, TCP. Gwynt pigad Polio a Diptheria. Na dim cweit. Mae hwn yn wynt mwy melys. Gwynt llenwi-llwnc-a-thrwyn-a-phen.

Mae hi'n gafael mewn un gath fach gysglyd. Yn ofalus, rhag ei brifo. Mae hi'n gynnes, feddal, fach, ei phen bach crwn a'i phawennau main yn fflopio'n ddiymadferth tost. Gallech dyngu ei bod yn falch o gael ei gosod 'nôl i orwedd yn gysurus. Gallech dyngu ei bod yn ochneidio yn ei chwsg. Ond dyw hi ddim.

Dyw hi ddim yn cyffro. Mae hi'r un mor llonydd â'r ddwy arall. Yn llonydd gelain ar eu gwely angau gwyn.

Ac ar y fainc mae potel las ac arni skull-an'-crossbones du.

POISON!
CHLOROFORM
NOT TO BE TAKEN

A rywle yn y pellter mae Tabitha'n mewian. Mewian gorffwyll. Ble mae hi, druan? Yn y tŷ, yn y stafell wely gefn. Ie, dyna hi, yn y ffenest, yn crafu'r gwydr, yn crafangu'r llenni.

'Tabitha fach, bydd ddistaw! Yr hen gath ddwl! Beth s'arnat ti yn cadw stŵr fel hyn? Only kittens they were, mun!'

'Cath ar y lein!'

'Miss Morris! Mae ded cat ar y lein!'

'Ma' fe'n hollol ded!'

'Trên wedi cnoco fe lawr!'

'Ded-o!'

Cath fowr ddu yn gorwedd rhwng y cledre – drw'r nos, yn ôl 'i golwg hi. Drw'r storom fowr.

'Mae hi'n debyg i big rat!'

'Like a mat, more's like it!'

'Mat siâp cath!'

'Mae Anti Annie fi 'da mat siâp dafad!'

'Ma' mat siâp teiger 'da'n Wncwl William i!'

'Nago's ddim!'

143

'O's ddim! Wedi'i saethu e yn India!'
'Mae funny imagination 'da ti, Branwen Roberts!'

O'dd Robert James yn berffeth iawn – on'd o'dd e?

'Watch out!
    Trên yn dod!'
A'r breichiau'n chwifio a'r bodiau ar i fyny. Rhesaid o
blant disgwylgar ar y llain o laswellt rhwng yr ysgol a'r
rheilffordd, yn cyfarch gyrwyr y trenau sy'n pwffian eu
cymylau stêm lan a lawr y cwm. Deusain ar yr hwter, pwff
cyfleus o gorn yr enjin wrth fynd heibio nes bod pawb yn
diawlio ac yn tagu.
    'Tad fi'n dreifo trêns.'
    'Ha, ha, Robert James, mae tad fi'n inspector ar y trêns.'
    'Nagyw ddim, Alun Wyn, y celwyddgi mowr!'
    'Ody ddim! A ti cau ceg ti, Branwen Roberts! Or else . . .'
    'Or else beth?'
    'Or else dim byd. Ac anyway ni ddim fod sôn am Dadis
ni wrth ti.'
    'Pam?'
    'Miss Morris wedi gweud. Achos bydd e'n ypseto ti no
end, 'na pam.'

Rwyf wedi bod yn crio heno. Ers dod o'r
ysgol. Ond rwyf wedi gwneud yn siwr nad
yw Mami'm gwybod neu fe fyddai'n poeni.
Fe es i lan y Waun ac eistedd yno nes ei
bod yn dechrai tywylli ac yna dod nol ac
eistedd yn yr ardd nes i Mami fynd i'r
gwely. Roedd hi'n braf yno o dan y
goeden leilac yn enwedig pan oedd

144

Tabitha'n cadw cwmni i fi ac yn cwrso gwyfin oedd yn hedfan o dan lamp y talcen. Ond yna fe aeth hi dros y wal i chwilio am lygod neu efallai am rhyw gwrcath. Ac yna fe ddes i mewn i'r tŷ ac eistedd yn y gegin a dechrai ysgrifenu hwn.

Rhywbeth cas sydd wedi digwidd yn yr ysgol. Doedd Miss Morris ddim yn trio bod yn gas roedd hi'n trio bod yn neis. (Ac nid yw hi'n neis yn aml!) Ond roeddwn yn teimlo mor lletwhith a thrist am beth ddigwiddodd. Ac yn teimlo mor wahanol i bawb yn y dosbarth ac yn yr ysgol ac efallai yn y byd i gyd yn grwn. (Rwy'n gwybod mae fy nychymyg i yw hyn ond nid wyf yn gallu helpu sut rwy'n teimlo.)

Roeddem yn peintio'r stolion bach o'r dosbarth meithrin. (Maen nhw wedi cael rhai newydd felly mae Miss Morris yn troi'r hen rai yn "stolion traed" ar gyfer "Gelli Aur", cartref yr hen bobl lawr y ffordd.) Mae angen ei peintio nhw a stico darnai bach o ffwr a ffelt arnyn nhw a'i gwneud yn esmwyth dan draed yr hen bobl. Roedd pawb yn y dosbarth yn cael mynd a stol a darnai o ffwr a ffelt adref dros nos er mwyn i'w Dadis allu helpu. Ond dywedodd Miss Morris ei bod yn mynd i sticio stwff ar fy stol i yn y dosbarth fel patrwm i bawb.

Ac yna fe ddywedodd "Rydych chi gyd

yn lwcis bod Dadi gyda chi i helpu gwneud y stol. Cofiwch nad oes Dadi gan Branwen felly rhaid i ni ei helpu."

Rwy'n hoffi bod yn arbenig ac yn sbesial ond nid am y rheswm yna.

Nid wyf yn gallu ysgrifenu mwy neu byddaf yn crio eto ac efallai y byddaf yn ffeili stopio ac yn gorfod aros ar fy nhraed drwy'r nos rhag ofn dihino Mami.

'Yippee!'

Mae'r cowbois a'r cowgirls yn carlamu ar eu ceffylau chwimwth dros lwyni cactus a gwair pampas Tecsas ac Arizona pen pella'r iard. Maen nhw'n clymu'r awenau wrth frigyn isel, yn dyfrio'r creaduriaid sychedig mewn ffos gyfleus, yn adeiladu cylch o gerrig yn lle-tân i goginio cawl a berwi coffi mewn hen dun rhydlyd. Ac mae tân eu dychymyg yn ddigon ffyrnig i'w diogelu rhag yr anifeiliaid rheibus sy'n disgwyl y cyfle i'w llarpio'n fyw.

Mater arall yw'r rhesaid o wynebau ffyrnig sy'n poeri'u cynddaredd drwy'r reilins uchel sy'n gwahanu Ysgol Tan-y-berth a'i chymdoges, Gelli Ganol Junior School.

'Welsh-ies! Welsh-ies!'

'Pu-ny li-ttle Welsh-ies!

'Nas-ty li-ttle Nat-zis!'

'Sieg 'Eil! Sieg 'Eil!'

''Eil 'Itler! 'Eil 'Itler!'

'Know wha' tha' means, Welshies? It means "We love 'Itler!"'

'You Welshies loved 'im – my uncle said.'

'I can speak German, French an' English – gutenacht, bonjour, good mornin'.'

'I speak Welsh an' all – even though I'm in the English school.'

'I'm glad I'm in the English school I am!'

'Bore da an' Iesu Mawr an' uffern dân.'

'We're clever, see. Not twp like you, you bloody Welshies!'

'Reit, 'na ddigon!'

'Branwen, beth ti'n neud?'

'Watshwch fi!'

'Branwen, paid!'

'Hey, you lot! Eff off to you an' all! You fucking English bastards!'

'Branwen Roberts! Dewch lawr ar unweth!'

O'dd hi'n sefyll tu ôl i ni.

Yn 'i holl ogoniant. Y bronne-balconi'n ysgwyd mewn cynddaredd. A fe wasgarodd y plant yr ochor draw i'r reilins fel defed o fla'n ci. A phawb tu cefen i fi wedi rhewi'n stond fel delwe, fel gêm o statues. A finne'n hongian reit ar dop y reilins a'n ffrog i'n sownd yn un o'r pige miniog.

'Odych chi'n 'y nghlywed i?'

'Odw!'

O'dd y ffrog wedi rhwygo, o'dd rhwd ar 'y nwylo, gwa'd ar 'y nghoese – ond fe sefes i'n llawn her o'i bla'n hi.

'Reit! Dilynwch fi!'

A fe shiglodd hi bant fel sigl-di-gwt fach nefi-blŵ ar draws yr iard, miwn i'w swyddfa.

'Ti wedi neud hi nawr ti wedi.'

'You gone an' done it good an' proper, Branwen!'

'Nor 'alf ti wedi!'

'An' the best o' British luck an' all!'

A fe droies i a llusgo 'nhra'd trw' gerrig mân yr iard nes bod y dwst yn codi.

O'dd yr ofon yn 'y myta i i'r byw.

Ofn.

Gordd eich calon, coesau'n crynu, llwnc yn grimp, chwys ar gledrau dwylo.

Ffaelu cael eich ana'l, bron â marw eisiau pisho, pisho ar eich traws.

Ofn deintydd, pigad nodwydd yn eich ceg, golau'r lamp yn troi a throi a'r lleisiau'n ymbellhau. Ofn plymio mewn i'r dwfn a theimlo'r dŵr yn cau amdanoch.

Ofn mynd ar goll – torfeydd Porthcawl a Barry Island ar anterth haf, siopau gorlawn Queen Street, marchnad Pontypridd ar fore Sadwrn.

'Don' worry, love, don' cry. We'll find your Mammy. Just tell us what's your name . . .'

'Branwen Dyddgu Roberts . . .'

'What? Oh never mind, just tell us what she's wearin'. And anyway, she'll come looking for you soon enough . . .'

Ofn unigrwydd. Neb yn gwmni, neb i chwarae, rhannu loshin, siom a gofid, newyddion da a drwg.

Ofn y nos – gwli Gwynfa, a'i bentyrrau sbwriel yn guddfannau i greaduriaid y tywyllwch; tiwben Pont New Century, a'r lamp felen yn creu bysedd main, esgyrnog ar ei nenfwd; angenfilod yn llechu lawr y bancin, tu ôl i wal y Waun, rhwng wal yr ardd a'r shed. Y lôn rhwng tŷ Mam-gu a'r allt; yr allt a'i synau od, annelwig. Llenni'r stafell wely'n hongian fel ysbrydion, cysgodion mewn corneli, wardrobs fel cewri, sŵn peswch yn y cwpwrdd crasu, siffrwd rhyfedd yn y simne, rhywbeth ar y to, sgerbwd coeden fwnci'n crafu'r ffenest. Crafu, crafu, crafu . . .

Ofn yw'r sibrwd o lawr staer. Y geiriau'n mynd ar goll, ond ambell sill yn hedfan lan fel pryfyn mawr a bownso rownd y waliau a saethu mewn i'ch pen.

'Becso', 'salwch', 'trinieth fowr . . .'

Ofn yw clywed 'Ond do's dim gobeth, druan bach ag e . . .'

Ofn yw dagrau ar obennydd, ar eich pen eich hunan fach . . .

148

Hi a fi.

Scary Mary Morris versus Branwen Dyddgu Roberts. Hi tu ôl i'w desg, yn welw reit, 'i llyged mochyn yn blinco arna i tu ôl i'w sbectol, rhimyn cul 'i cheg yn dynn ynghau, 'i bronne'n sownd o dan 'i breichie, 'i gwallt yn donnog, frith fel wìg hen farnwr.

A finne'n sefyll fel dihiryn yn y doc. Yn dwlu ofon, yn trio pido crynu, pido llefen, pido dangos dim. Yn trio meddwl am rwbeth comic i gadw'r gofid draw. Yn trio'r un hen dric – y dannedd dodi. 'U dychmygu ar y brinc, yn cwmpo mas o'i cheg, yn torri'n yfflon ar y llawr. Ond yn gwmws fel hen fusnes cas y toilets, do'dd y tric ddim cweit yn gwitho. O'dd 'i cheg hi'n rhy dynn, a do'dd hi ddim yn gweiddi, ddim yn gwylltu, ddim yn poeri. Y cwbwl o'dd hi'n neud o'dd edrych arna i a chodi'i haelie, y sheden leia, bob hyn a hyn.

'Wel?'

Fe jwmpes i. O'dd 'i llais hi'n galed, yn llawn bygythiad oer. A fe gododd rhwbeth ynddo i, rhwbeth o'dd yn drech na'r ofon, yn drech na'r whys a'r cryndod.

Drygioni. Ysfa i herio, bod yn ewn, towlu 'mhwyse. Er mwyn gweld yn gwmws beth ddigwydde.

A fe wenes i. Yn llydan. Yn hyderus.

'"Wel" wedodd Wil wrth y wal, Miss Morris.'

'Beth?'

'"Wel" wedodd Wil wrth y wal – ond wedodd y wal ddim byd . . .'

Fe glatshodd 'i llaw ar y ddesg nes bod inc a phensile a daffodils mewn pot yn hedfan.

'Reit, meiledi! Y'ch chi'n mynd lawer iawn rhy fowr i'ch sgidie! Meddwl bo' chi'n gwbod popeth! Rhegi i'r cymyle! Bod yn ddigywilydd! Heb sôn am beth ddigwyddodd dro'n ôl yn y toilets! Wedes i ddim bryd hynny – er ein lles ni gyd ac er lles yr ysgol. Ond 'sdim dewis 'da fi nawr! Fe geith Mami wbod popeth. Fe dorrith hi 'i chalon, druan fach!'

A'r coup de grace . . .

'A Duw'n unig a ŵyr beth wede'ch tad!'

Y bitsh.

A 'na beth wedes i wrthi, hefyd.

A 'na pryd fwrodd hi fi.

Un glatshen sharp ar draws 'y moch.

A stop.

'Just the one today, my lovely!

There's somethin' on the envelope – see, on the back by there. Somethin' about a school. But the rest is Double Dutch to me.'

A Johnny Vine yn hwylio lawr y ffordd heb sylweddoli iddo adael ffrwydryn yn ei llaw. Amlen wen. Llawysgrifen Mary Morris ar ei blaen a logo ar ei chefn.

YSGOL GYNRADD TAN-Y-BERTH
GWANWYN NEWYDD Y GYMRAEG YN Y CWM

Heddiw fe wnes i rywbeth anfaddeiol. iawn.

Ond roedd rhaid i fi. Er mwyn Mami. Er mwyn ei harbed hi rhag mynd yn dostach. Mae hi'n ddigon tost yn barod.

Roedd beth wnes i'n anghywir. I bawb arall. Ond dim i fi. A beth bynnag does neb yn gwybod. (Dim ond Tabitha.) A bydd neb byth yn gwybod. Neb. Dim byth.

Ac roedd yn hawdd. Mor hawdd doeddwn i ddim yn credu. Doedd neb yn edrych. Neb yn gweld. Neb i ofyn "Pam?" Neb i ddweud "Hen groten ddrwg!"

Fe es i mewn i'r tŷ, mewn i'r gegin, a

rhoi'r llythyr yn y Rayburn. Mor hawdd a hynny. A fe weles i fe'n llosgi. Yn ulw lân. Fflam goch ac oren, bert.

A fe gaues i ddrws y Rayburn bang ynghau.

A wedyn fe wnes i ddishgled de i Mami.

Wthnos hir o fecso.

Yn dwlu ofon Scary. Yn dychmygu'i gweld hi'n edrych arna' i bob whip stitsh. Yn disgwyl y gorchymyn 'Branwen Roberts, dewch i 'ngweld i yn y swyddfa'. Yn becso clywed caniad cloch ffôn Gwynfa ne' lythyr arall yn cwmpo ar y mat. Ond â phob diwrnod hir a nosweithi hirach o'n i'n teimlo'n saffach. A 'chlywes i'r un gair ymhellach am y peth. Dim gair.

Weden i 'i bod hithe'n cachu brics. Yn difaru'i hened am y glatshen. Am hala llythyr cas at fenyw 'dost'.

'Mrs Roberts, druan – menyw glefer, gradd a chwbwl – ond wedi ca'l "probleme iechyd". Tr'eni am y groten, hefyd. Un glefer fel 'i mam – a'i thad. Ond un fach anodd iawn 'i thrin. A'i mam yn neud 'i gore dan yr amgylchiade.'

O'dd pido ca'l ymateb gan fy mam yn ddirgelwch iddi, falle. Ond o'dd hi siŵr o fod yn ddigon balch. Anghofio'r cwbwl – 'na beth fydde ore. Er mwyn y fam a'r ferch.

O'dd 'na reswm arall. Un gwyrdroëdig, ond un pwysig ym meddwl bach meiopig Mary Morris. O'dd hi'n bwysig cadw pethe'n dawel er mwyn Ysgol Tan-y-berth a'i henw da, addysg Gymra'g y cwm, popeth 'sanctaidd' fel'ny. Ar ben y cwbwl, o'n i, y 'groten ddrwg', yn gredit mowr i'r ysgol.

'Ma' dyfodol mowr o'i bla'n hi, dim ond iddi gallio.'

O'n i'n haeddu cyfle arall. On'd o'n i'n lwcus? Yn un o'r rhai breintiedig. Dim fel rhai o'r lleill.

'Rhian Jones! Ffor shêm! Yn ffaelu darllen – yn pallu darllen! Yn stwbwrno'n lân fel asyn, yn rhy bwdwr i godi o'ch pen-ôl mowr trwm. Ffor shêm! Ffor shêm!'

A'r groten yn ca'l 'i chosbi, 'i llusgo mas o'i chader, 'i hysgwyd fel hen ddoli racs a'i thowlu ar y llawr.

'Dyslexia? Beth yw hwnnw? Ffad; hen chwiw meddygol. Eith e mas o ffasiwn fel sawl un arall. Fi sy'n deall ore! Wedyn gwrandwch a bihafiwch! A dysgwch ddarllen am y lorri goch sy'n dringo'r rhiw!'

Gwrando a bihafio. Goffod aros miwn bob amser whare. Ca'l 'i gwahardd rhag mynd i nofio. A cha'l 'i sodro 'da'r babanod pan ele pawb arall draw i Allt y Gwcw.

O DAN Y COED

Ar ddiwrnod braf rydym yn cael mynd i Allt y Gwcw am wersi o dan y coed. Rydym yn cerdded law yn llaw gyda Miss Morris a Miss Jones allan o'r iard, ar hyd y ffordd a chroesi'r rheilffordd. Rhaid bod yn ofalus iawn wrth wneud hyn gan fod trenau'n dod yn gyflym iawn. Roedd Miss Morris yn adnabod un bachgen bach a gafodd ei ladd gan drên am nad oedd yn bihafio na gwrando ar ei athrawes. Roedd wedi rhedeg ar draws y lein heb edrych ac roedd y trên wedi torri'i ben i ffwrdd o'i gorff.

Ar ôl croesi i'r ochr arall rydym yn cerdded lan y tyle at y llanerch. (Llanerch yw lle clir yng nghanol coedwig.) Byddwn yn eistedd yno yn y cysgod ac yn gwrando ar stori neu'n tynnu llun. O'r llanerch rydym yn gallu gweld ymhell ar draws y cwm. "Dychmygwch y cwm yma amser maith yn ôl" meddai Miss Morris. "Heb y pwll glo yna, heb y ffatri yna, a'r shimne fawr yna, a'r siopau a'r tai i gyd. Heb yr holl strydoedd serth. Sut le fyddai e?" Yr ateb yw, byddai'n lle pert iawn. Llawer o goed ac adar ac anifeiliaid. A phopeth yn wyrdd. A'r afon yn lân ac yn llawn o bysgod. A'r coed yn llawn gwiwerod. Un tro, roedd gwiwer yn gallu mynd o un pen i'r cwm i'r llall wrth neidio o frigyn i frigyn! Ni fyddai hynny'n bosib heddiw!

Hoffwn petai'r cwm fel oedd e amser maith yn ôl. Fel Gardd Eden, a phopeth yn berffaith ac yn hardd. Neb wedi ei sbwylio a'i wneud yn frwnt a hyll. Dim glo na baw yn unman. Efallai ei bod yn rhy hwyr. Ond efallai, pwy sy'n gwybod, rhyw ddiwrnod? Dim pyllau glo, dim tipiau, dim ond bryniau gwyrdd. Efallai y bydd fy nghwm i fel Gardd Eden unwaith eto. Gobeithio y caf fyw i'w weld.

Sarah Collins, yn drewi i'r uchelfannau.

''Sdim ots beth 'newch chi. Hala nodyn at y rhieni, mynd â hi i stafell yr athrawon a'i hymolch o'r top i'r gwaelod, rhoi dillad isha glân iddi bob dydd am wthnos. Fe fydd y drewdod 'nôl ar fore Llun. Achwyn wrth y Nyrs a'r gweithwyr cymdeithasol. Pawb. A phethe'n gwella ambell waith, ond mynd 'nôl fel o'n nhw, chwap. 'Sdim rhyfedd 'i bod yn unig. 'Sneb isie bod yn agos ati. Ma' hi'n crwydro ar 'i phen 'i hunan ar yr iard, begian ar blant i gadw cwmni iddi, a neb yn fodlon. Pawb yn rhedeg bant gan ddal 'u trwyne. Trueni drosti, pŵr dab â hi. Ond mae'n anodd cymryd ati â'i hen wich gwynfanllyd. "Pam do's neb yn lico fi? Ma'n nhw'n pallu gadel i fi whare!" Pam na 'neith hi sylweddoli? Os yw 'i mam yn ffaelu 'i chadw'n lân, pam na 'neith hi ymolch drosti hi 'i hunan?

'Dim bathrwm, meddech chi? Tlawd? Llond tŷ o blant? Beth yw cost dŵr-a-sebon a hunan-barch? Fe glywsoch chi'r dywediad – "cleanliness is next to godliness?" Wel, Catholics yw'r joli lot!

'Beth i 'neud â hi? 'I chadw hi o'r neilltu, rhoi'i desg hi ar wahân i'r lleill, 'i rhoi i ishte ar ford ginio yn y cornel, rhoi gwaith bach iddi 'neud ar 'i phen 'i hunan. Nes i bethe wella.'

A Robert James.

'Yn dwp fel slej. Ddim yn trio. Ddim yn gwrando. 'Neud dim byd ond whare dwli yn y dosbarth a thynnu ar y plant bach erill.

'Robert James, beth yw hanner £4. 2s. 6d?

'"Ddim-yn-gwybod."

'Beth yw deuddeg wyth?

'"Ddim-yn-gwybod."

'Os oes rhywun yn bwyta hanner cacen a hanner beth sy'n weddill, faint o'r gacen sydd ar ôl?

'"Ddim-yn-gwybod."

'"Ddim yn gwybod? Ddim yn gwybod!" Fel tiwn gron! Ma' fe'n haeddu popeth geith e! Twtsh bach sydyn â phren mesur ar gefen 'i goese, ac un arall, falle, caletach y tro 'ma. Ac un arall 'to, jyst i neud yn siŵr. Ond chewch chi byth mo'r ateb cywir.

'Beth i 'neud ag e? 'I anghofio fe, wrth gwrs. 'I roi i ishte yng nghefen y dosbarth a rhoi'ch sylw i gyd i'r plant bach breit, awyddus, yn y bla'n. Rhai fel Branwen Roberts – deunydd y County Grammar os bu un erioed. Deunydd y Sec Mod yw Robert James a'i deip, 'sdim ots faint hwpwch chi mewn i'r clopa.

154

'Rhyngoch chi a fi, tr'eni mowr am un peth – na fydde fe'n ddigon twp i fynd i'r Special School, i ninne ga'l 'i wared e unweth ac am byth o Ysgol Tan-y-berth.'

BETH HOFFWN FOD PAN FYDDAF YN FAWR

Mae llawer iawn o bethau yr hoffwn i fod.

Hoffwn i fod yn ddoctor mewn ysbyty. Byddwn yn gallu gwella pobl dost a phobl sydd wedi cael damwain a'u stopio nhw rhag marw. Ond rhaid gweithio'n galed yn yr ysgol a phasio lot o ecsams a mynd i'r coleg am amser hir.

Neu hoffwn fod yn athrawes. Nid athrawes plant bach fel Miss Morris a Miss Jones a Mrs Richards ond athrawes fel Mami sy'n dysgu plant mawr a phobl i siarad Cymraeg. Mae'n bwysig iawn gwneud hynny am fod yr iaith Gymraeg yn drysor gwerthfawr. Mae Mami wedi mynd nôl i ddysgu yn yr ysgol yr wythnos hon. Ond nid wyf yn siwr a yw hi'n hollol well neu'n well dros dro. Fe gawn ni weld yr wythnos nesa.

Hoffwn ysgrifennu storïau hefyd, fel Enid Blyton a Louisa May Alcott ac Elisabeth Watcyn Jones. Neu bod yn fardd fel Eifion Wyn a T. Gwynn Jones.

Mae fy llun-a-stori i a fy marddoniaeth

i bob amser yn cael seren aur ac yn cael mynd lan ar y wal felly gallwn fod yn enwog iawn.

Neu hoffwn fod yn fenyw lifft sy'n cael mynd lan a lawr drwy'r dydd. Neu yn usheret, sef menyw sy'n cario tortsh i fynd a chi i'ch sedd yn y pictiwrs ac yn gwerthu hufen iâ. Byddech yn cael gweld y ffilm bob nos am wythnos heb dalu dim. Ond falle y byddai hynny'n boring yn y diwedd.

Mae'n anodd bod yn fardd am fod rhaid odli geiriau o hyd. Mae'n rhaid bod yn od, hefyd, meddai Mami. Ond mae hi'n dweud fy mod i'n hen ddigon od. Ac mae fy nychymyg yn ardderchog meddai hi. Ac yn afiach, hefyd.

Rwy'n hoffi ysgrifennu. Rwy'n hoffi geiriau hefyd. Dyma'r rhai rwy'n hoffi heddiw: SATHRU, SARNU, DAMSHGEL, STABLAN. Maent i gyd yn meddwl yr un peth.

Rwy'n hoffi'r gair SAFFRWM hefyd. "Crocus" yw ei ystyr. Un math o saffrwm yw Canhwyllau Mair, sef saffrwm cynta'r gwanwyn. Mae rhywun wedi sathru ar y saffrwm lawr' y bancin. Nes eu bod yn fflat i gyd. Ac yn dechrau gwywo. Ac roeddwn i yn drist wrth edrych arnynt.

REDIFFUSION
FRAGILE
THIS WAY UP

O'n i'n gwichan mewn llawenydd.

Yn cylchu rownd y dyn a'i focs mowr brown, yn ffaelu credu'n llyged.

'Now then, Missus, where d'you want this set? In by 'ere – the livin' room?'

'No, the parlour – on the right . . .'

'Posh room this – bit cold . . .'

O'dd hi'n gyfrwys iawn, fy mam – y parlwr o'dd y stafell oera, fwyaf anghysurus yn y tŷ. Dim tân glo na thrydan, cadeirie caled, linoleum ar y llawr. Gefen gaea' bydde gofyn gwisgo cot a chap a menig cyn mentro setlo lawr i syllu ar y sgwaryn bach o sgrin a bydde'ch ana'l yn codi fel niwlen bore cynnar dros y cwm. Ond do'dd dim ots. Ar ôl yr holl fegian a cha'l 'y ngwrthod o'dd y llunie llwyd a'r craclo wedi cyrra'dd Gwynfa.

'Plîs, Mami, gawn ni delevision?'

'Ti'n gwbod beth yw'r ateb.'

'Ond ma' pawb yn canmol . . .'

'Pawb?'

'Ie – sôn am bethe da i blant – Crackerjack, Lone Ranger. A lot o bethe da i bobol hefyd – What's My Line, The Brainstrust – fyddet ti'n lico Dr Bronowski a Marghanita Laski.'

'Ti'n wybodus iawn.'

'Pawb sy'n gweud, 'na i gyd.'

'Wel gwed wrth "bawb" bo' ti'n wahanol! Yn ca'l llawer mwy o bleser wrth ddarllen llyfyr, gwrando ar y radio, sgrifennu dy straeon bach dy hunan, yn hytrach na dibynnu ar ryw focs bach yn y cornel! Ar gyfer pobol brin 'u meddwl ma' hwnnw, weden i.'

A 'na ddiwedd arni. Tan y newid meddwl sydyn, nodweddiadol.

'Rhaid symud gyda'r oes, derbyn y cyfrynge newydd a'u

defnyddio nhw er lles. Ond bydd gofyn dewis yn ofalus. Dwy raglen fach y dydd. Dim mwy.'

A'r saib – o'dd hyn yn anodd iddi . . .

'Anrheg fach yw'r television, Branwen, i weud diolch i ti . . . Am fod yn groten dda, gyfrifol.'

O'dd mwy i ddod . . .

'A chofia 'mod i'n becso amdanat ti. Dy fod ti ormod ar dy ben dy hunan.'

A'r sgript arferol . . .

'Ma' isie i ti fynd mas i whare mwy, gwahodd ffrindie bach i'r tŷ. Fe wna i de bach i chi, fe gewch chi whare yn yr ardd, mynd lawr i'r basement, gwisgo'r dillad drama sy yn y bocs . . . Wy'n neud cam â ti – a cham â'n hunan, hefyd. Y tostrwydd sy'n gyfrifol. Ond ma' pethe'n gwella. Ma' bywyd yn mynd i newid. Fe af i 'nôl i witho. Geith Mattie ddod 'ma'n amlach i roi help llaw, a Bob ar Sadyrne i neud ambell jobyn a gwitho yn yr ardd. Ma' hi'n hen bryd ca'l 'bach o drefen. A fe fydd y television 'ma'n "start", fel gwede dy fam-gu. Ma' hi'n bryd iddi hithe ddod i'n gweld ni hefyd. Ie, ma'r television yn rhwbeth sbesial i ni'n dwy. Yn ddechre newydd.'

Ond do'dd e ddim.

'Dda'th neb yn agos. 'Cha'th neb wahoddiad. Fuodd 'na ddim 'gwella' na 'newid' na 'mynd 'nôl i witho', dim Mam-gu'n dod i aros, dim 'ca'l mwy o drefen'. Dim byd ond cadw'r un hen drefen, yr un salwch a diflastod. Ond bod y television yn gwmpeini newydd i fi.

"Andy Pandy's here today, Andy Pandy's coming to play!"

"Here comes Muffin, Muffin the Mule!"

"And the winner of the Crackerjack special prize is Branwen Roberts!"

"The man who works in the garden has finished his dinner and is walking down the garden path! Goodbye! Goodbye! Goodbye!"

A stop.

BETH SY'N FY NGWNEUD YN HAPUS

Mae llawer o bethau yn fy ngwneud yn hapus. Chwarae gyda fy holl ffrindiau, mynd am dro i ben y Waun neu'r Foel neu lawr y bancin. Rwyf hefyd yn hapus yn chwarae yn y fynwent sydd ar bwys ein tŷ. Rwy'n hapus yn chwarae yn yr ardd gyda fy nghath Tabitha hefyd.

Y peth mwyaf hapus sydd wedi digwydd yw ein bod wedi cael television yn ein tŷ ni. Roeddwn wedi bod yn gofyn a gofyn am un ers amser hir ond doedd Mami ddim yn fodlon. Ond rydym wedi cael un o'r diwedd ac rwy'n mwynhau edrych ar y rhagleni a gallaf sôn amdanynt wrth y plant eraill hefyd, heb deimlo fy mod yn dwp. Rwyf hefyd yn gallu mynd i'r parlwr ar fy mhen fy hunan ac eistedd yno am oriau (yn fy nghot os bydd yn oer!) heb neb i dorri ar fy nhraws. (Roedd Mami wedi dweud taw dim ond dwy raglen y dydd roeddwn fod cael, ond mae hi wedi anghofio hynny nawr a beth bynnag mae hi'n cysgu lot fel arfer a ddim yn gwybod beth rwyf i'n ei wneud.)

Byddwn yn HAPUS IAWN, IAWN petai Mami'n dod yn well. Aeth hi nôl i ddysgu yn yr ysgol a daeth Mrs Mati Jones i helpu llawer yn y tŷ a Mr Bob Jones i wneud rhagor yn yr ardd achos roedd golwg wedi mynd ar bobman.

Roeddwn yn hoffi hynny oherwydd rwy'n hoffi gweld y tŷ a'r ardd yn deidi neis. Ac roeddwn yn hoffi cael cwmni Mr a Mrs Jones. Ond nawr mae popeth nôl fel yr oedd o'r blaen. Nid yw Mami'n mynd i'r ysgol. Mae hi'n dweud ei bod yn teimlo'n dost.

Nid wyf yn teimlo'n hapus y dyddiau hyn. A dweud y gwir rydwyf yn ANHAPUS IAWN, IAWN.

Hoffwn i fod yn hapus o hyn ymlaen ac am byth bythoedd. Ond nid yw hynny'n bosib achos mae bywyd yn gallu bod yn greulon iawn. Dyna beth mae Mami'n dweud.

Amser cinio gwlyb.

Ffenestri'r neuadd yn gors o stêm.

'Reit, anghofiwch am y glaw! Fe gawn ni sbort fan hyn wrth chwarae gemau. Dewch – Geraint Williams, chi yw'r ffarmwr! Pawb arall i afael dwylo, ffurfio cylch!'

'Pawb i esgus joio.'

'Stop! Pwy wedodd 'na? O! 'Sdim isie holi! Trio bod yn glefer 'to, ontefe, Branwen?'

'Na – jyst ddim isie whare.'

'Pam? Chi'n dost, ne' rwbeth?'

'Na, ddim isie.'

'Ma' Branwen Roberts isie bod yn sbesial ody hi? Yn wahanol i bawb arall.'

'Na – ddim yn lico geme dwl, 'na i gyd.'

'Geme dwl? Ffor shêm, yr hen groten fach ffroenuchel! Wel, 'u lico nhw ne' bido, ma'n rhaid i chi ddysgu ffito

160

miwn, meiledi! Pido credu bo' chi'n well na phawb! Dewch, nawr! Canwch! Cerddwch rownd!'

Hanner cant o blant yn gafael dwylo, cant o draed yn llusgo rownd y neuadd. A Geraint Williams yn ffarmwr bach anfoddog.

'Mae'r ffarm-wr eis-iau gwraig,
Mae'r ffarm-wr eis-iau gwraig,
Î-ai-adi-o!
Mae'r ffarm-wr eis-iau gwraig!'

A Geraint Williams – wel, 'na syrpreis! – yn dewis Carys Howells.

'Reit te, rownd a rownd â chi 'to – a gwenwch! Joiwch!'

'Mae'r wraig eis-iau babi,
Mae'r wraig eis-iau babi,
Î-ai-adi-o . . .'

'Wel ffwc-a'r bitsh 'te'r ffarm-wr!'

'Stop! Pwy wedodd 'na?'

A phawb yn rhewi, yn dawel fel y bedd, yn llygadu Alun Wyn.

'Alun Wyn – ffor shêm! Mas â chi i'r glaw, y bachgen drwg, am sbwylo sbort pawb arall! Nawrte, gêm fach 'to. Emyr Jones – dewch i sefyll yn y canol!'

A phawb yn llusgo rownd i jiráff o grwtyn heglog sy'n syllu ar ei draed.

'Mae gen Mac-don-ald fferm fach glyd,
Î-ai-î-ai-o!
Ac ar y fferm mae buwch fach dew,
Î-ai-î-ai-o!
Gyda pŵ fan hyn a pŵ fan draw,
Pŵ pŵ pŵ pŵ ar bob llaw . . .'

'Stop! Pwy sy'n benderfynol o sbwylo'r gêm fach 'ma hefyd? Dewch! Atebwch! O, na, neb yn folon cyfadde, fel arfer! Ond ma' 'da fi fy amheuon, Branwen Roberts! Wel, ffor shêm! A da iawn chi, am sbwylo popeth! Da iawn bawb! A ninne'r staff wedi rhoi'n amser cino'n llwyr i chi! Yr hen gnafon anniolchgar! Reit te, mas â chi i'r glaw! Cerwch! Y joli lot ohonoch chi! Gan na allwch chi fihafio!'

A'r bronne'n bownso.

A'r dannedd dodi'n ratlo'n ddanjerus. A phawb yn raso am y drws. A'r twpsyn Robert James yn trio raso pawb a hwpo'i ffordd i'r ffrynt er mwyn bod yn gynta mas. A'r drws yn slamo ar 'i ôl e, glatsh, a gwydr yn tasgu dros y lle. A Miss Scary Morris yn colli ar 'i hunan ac agor y drws yn 'i thymer wyllt a'n hwpo ni drwyddo fe. A phawb wedi ca'l ofon, yn tin-droi yn y glaw fel defed adeg dipo.

A fe deimles i bigad ar 'y mraich, un arall a un arall 'to. Diferion bach o law. A sbotie bach o wa'd.

Ond wedes i ddim gair wrth neb. Dim ond dilyn pawb drw'r drws. Fel dafad dwp.

Mwy o chwarae chwerw.

Ym mhen draw'r iard. Rhwng y pyllau dŵr. Dim oedolion. Dim ond plant â'u bryd ar fod yn greulon.

'Mae gen Miss Morris ysgol glyd
Î-ai-î-ai-o!
Ac yno mae hen fochyn tew,
Rhian Ffatso Jones!
Gyda "Soch!" fan hyn
A "Soch!" fan draw!
"Soch-soch-soch-soch" ar bob llaw!'
'Dere Ffatso! Gwna sŵn mochyn!'
'Na! Gadwch lonydd i fi!'
'Come on, Ffatso! Be a pig!'
'Dere, paid â sbwylo sbort pawb arall!'
'Come on, play it proper!'
'Olreit, olreit! Soch, soch, soch! Chi'n hapus nawr?'
A phawb yn hapus iawn, yn chwerthin, curo dwylo, stampio traed mewn pyllau nes bod dŵr yn tasgu dros ffrog

babellog Rhian Jones. Pawb ond hi yn clymu breichiau am ysgwyddau i ffurfio cylch caeedig, cylch cynllwynio pwy fydd yr ysglyfaeth nesa.

'Reit, catch 'ands! A pawb i ganu!'

'Danfonais-lythyr-at-fy-ffrind
Ac-ynddo'r-ysgrife-nnais,
A-rhywun-plîs-i-ddewis-Sar-ah
Er 'i-bod-hi'n-dre-wi.'

A'r cynllwyn yn gweithio'n berffaith. A'r ysglyfaeth ddrewllyd yn ddagreuol a dibartner, yn ddiymgeledd yn y glaw. A'i harteithwyr yn cymryd tro i roi hwp fach iddi, cic fach, a rhwygo'i rhuban glas o'i gwallt a chwerthin wrth ei weld yn sopen mewn pwll o ddŵr. A Rhian Jones yn chwerthin yn uwch na neb.

A'r cyfan yn dod i ben yn sydyn. Megan Wilcox yn cael un o'i blacowts. Yn syrthio ar ei hyd i bwll, ei thafod yn hongian mas o'i cheg fel buwch ar fachyn.

'Rhaid ca'l siwgwr iddi'n glou!'

'A gwasgu llwy ar dop 'i thafod hi!'

'Ewch i mofyn Mrs Carpenter! Fydd hi'n gwbod beth i 'neud!

A Mrs Carpenter yn ymddangos fel angyles wen a phlygu dros y corff bach llipa sy'n dadebru'n araf. A phawb yn rhoi ochenaid o ryddhad. Popeth yn iawn a Duw yn dda. A diolch Iddo am Mrs Carpenter garedig.

FY ATHRAWES

Enw fy athrawes i oedd Miss Lavinia Jones. Mrs Elwyn Carpenter yw hi nawr. Mae pob menyw yn gorfod newid enw ar ôl priodi. Maen nhw'n gorfod defnyddio enw ei gŵr. Byddaf i'n gorfod gwneud hynny pan fyddaf yn priodi. Gobeithio y byddaf yn cael bod yn Mrs Llywelyn neu Rhys neu

Gwyn. Enw da Cymraeg nid rhywbeth comon
fel Jones neu Huhges neu Davies. Gobeithio
hefyd y byddaf yn cael gŵr neis a hansom
a chyfoithog. Sy'n siarad Cymraeg, wrth
gwrs. Mae Mr Carpenter yn dysgi Cymraeg
yn dda. Mae e'n galli dweud "Shwmai" a
"Cymru am Byth" a "Amser mynd sha thre!"
pan fydd e'n dod i mofin Mrs Carpenter o'r
ysgol. Rwy'n gobeithio ei fod yn galli dweud
"Rwy'n dy garu di". Mae hyny'n bwysig
iawn.

Aeth pawb yn y dosbarth i'r briodas.
Lan y galeri, gyda Miss Morris a Mrs
Richards. Roedd popeth mor neis, mor hapus,
er roedd mam Mrs Carpenter yn llefen y
glaw drwy'r amser achos ei bod yn drist
fod tad Mrs Carpenter wedi marw. A
wedyn pan oedd Mr a Mrs Carpenter yn
dod allan o'r capel roedden ni'n tafli
conffeti lliwgar drostynt. Roedd Mrs
Carpenter yn chwerthin ac yn dweud
"Arhoswch chi nes byddwch chi nôl yn yr
ysgol!" Ac roeddwn i'n falch ac yn hapus
iawn gan fy mod wedi cael fy newis i roi
pedol fawr arian iddynt ar ran plant yr
ysgol i gyd. Bydd babi gyda nhw cyn hir.
Mae babis yn dod i'r byd ar ôl i bobl
briodi. Does neb yn siwr sut mae'r babi'n
gwybod pryd i ddod.

Roedd Mrs Carpenter yn edrych yn bert
iawn. Roedd ganddi ffrog hir wen a sicwins

arni ac roedd hi'n cario boqwe mawr (sef bwnshed) o flodau coch. Roedd hi mor hardd a thywysoges. Byddaf i'n cael ffrog wen a blodau coch pan fyddaf yn priodi. Byddaf i'n harddach nag unrhyw dywysog-es yn y byd.

Noson rewllyd, olau-leuad.

Y sêr fel y sequins ar y ffrog sy'n hongian yng nghefn y cwpwrdd ar y landin. Ffrog ddawnsio sidan, goch. Gwddw isel, sgert hir, lawn. Bow bach ar y cefn. A'i bodis yn llawn sequins. Yn disgleirio, yn twinclo fel sêr. Sêr bach disglair ar ffrog goch. Mewn cwpwrdd tywyll.

Y lleuad yn debyg i'r clustdlysau aur. Y rhai 'ar gyfer mynd i rywle sbesial'. A'u perchennog heb unman sbesial i fynd iddo. Byth. Clustdlysau aur, lleuadau llawn mewn bocs bach du mewn drôr cloëdig, gyda'r perlau, y mwclis bach o gwrel, y broitsh siâp angor, y tshaen arian â'r llythyren 'G', y freichled ac arni'r clo bach lleiaf yn y byd. A'r cyfflincs aur. A'r watsh.

Hi a fi.

Yn cerdded law-yn-llaw lawr drw' Bowen Street, 'i stilettos yn pigo pic-a-pic-a-pic ar hyd y pafin, 'y mŵtîs ffwr yn 'u dilyn phwt-a-phwt-a-phwt.

O'dd hi'n trio osgoi'r cracie. Rhag marco'i sodle, rhag slipo, cwmpo ar 'i hyd.

Digwyddodd hynny unweth. Cwmpo, bwrw'i phen. Lot o wa'd dros 'i thalcen, lawr 'i thrwyn. Y stilettos yn ca'l y bai. A chyflwr gwael y pafin.

O'n inne'n trio'u hosgoi nhw hefyd. O'dd camu ar grac yn y pafin mor anlwcus â gweld ambiwlans ne' hers ne' glywed seiren Pwll y Waun.

O'dd hi'n anodd pido sleido ar y rhew. Yn anodd cadw lan â'i chamre mân. O'dd hi'n cerdded yn glou, 'i phen lawr, coler 'i siaced lwyd dros 'i chlustie, 'i dwylo'n ddwfwn yn 'i phocedi a'i gwallt yn gudyn du o dan y sgarff goch o'dd wedi'i chlymu'n dynn o dan 'i gên.

Coch a du. Fel y tân glo o'n ni newydd 'i adel yn llosgi mor gysurlon yn y grat.

Pic-pic-pic a phwt-phwt-phwt.

Lawr Bowen Street. I ble? I beth?

'Paid â holi, Branwen, paid ag achwyn. Dere 'da fi a fe gei di weld.'

Ond o'n i'n gwbod. Yn gwbod yn gwmws ble o'n ni'n mynd. O'n ni'n mynd 'na'n gyson, hi a fi. Yr un hen ffordd. Yr un hen drefen.

Lawr i waelod Bowen Street.

At gatiau mawr y fynwent, eu cerfiadau'n euraidd, hardd yng ngolau'r lleuad.

Heibio i'r gweithdy beddau:

Evan Evans and Son, Stonemasons, Est. 1912

A'r slabiau mawr yn pwyso ar ei gilydd, yn stiff ac oer, fel cyrff marw wedi'u rhewi.

Heibio i ddrws agored y Bute Hotel, a'i arwydd:

NO SPITTING, VOMITING OR URINATING
OUTSIDE THESE PREMISES
BY ORDER OF THE LANDLORD
AND THE DISTRICT COUNCIL
OFFENDERS WILL BE PROSECUTED!

Cymryd pip fach mewn i'r bar a chael whiff o'r mwg a'r chwerwder cyn mynd heibio i rialtwch gwyllt y RESURRECTION CLUB a swˆn y squeeze-bag a'r pibcorn a'r piano honky-tonk. Troi lawr i dawelwch Hebron Street, heibio i'r gât gaeedig:

Heibio i siop **M. White & Son,** a reilins uchel **Waun Junior School Built 1897** a lawr y tyle at y steps sy'n arwain at y bont. A'r lamp nwy yn taflu fflam fach oren ar yr arwydd haearn:

Ac adlais y pic-a-pic-a-pic a'r phwt-a-phwt-a-phwt yn bowndian o dan diwben hir y bont nes inni gyrraedd y pen draw a throi i'r dde a lawr y llwybr serth i'r parc.

A stopo'n stond.

A'r swing yn ysgwyd 'nôl-a-mlaen-a-'nôl-a-mlaen.

Swing yn ysgwyd 'nôl-a-mlaen ar noson dawel, lonydd.

A hithe'n syllu arni.

A finne'n syllu arni hi. Ar 'i hwyneb, ar y diferyn bach o dan 'i thrwyn, un arall ar 'i boch. A goleuade Gwynfa yn y cefndir – dwy lamp lachar, fel dwy leuad lawn, un wrth ddrws y ffrynt a'r llall wrth y talcen pella wrth wal y Waun. Dou lygad melyn, mowr, yn watsho popeth, yn cadw golwg arnon ni ar draws y cwm. Diolch i Wncwl William – ar ôl hen fusnes cas y byrglers.

'Branwen – cer!

Cer mas o'r tŷ! Cer mas i sefyll ar yr hewl! Fe ffona i'r polîs!'

Annibendod. Cawdel llwyr. Ffenest y gegin-mas yn deilchion; darnau gwydr fel darnau bach o iâ dros y sil a'r llawr. Droriau wedi'u moelyd, drysau cypyrddau led y pen a phopeth ar wasgar dros y llawr.

'Wyt ti'n fyddar, groten? Mas o'r tŷ 'ma! Nawr!'

'Ond beth amdanat ti?'

Mae ei dwylo'n crynu. Yn cael gwaith deialu'r ffôn. Mae ei llais fel brefiad oen.

'Police – at once. To Gwynfa, top of Bowen Street. We've been burgled. Branwen, mas â ti i'r stryd! Cer mas!'

Troi.

Rhedeg mas trw' ddrws y ffrynt, lawr y steps a mas i'r ffordd. Edrych lan, a gweld pob ffenest yn goleuo yn 'i thro nes bod Gwynfa fel goleudy.

'Whassamatter, lovely? Why is your 'ouse like Blackpool illuminations?'

'We've been burgled says my Mami.'

'Burgled!'

'What does "burgled" mean?'

'Branwen! Wyt ti'n iawn?'

Fe alla i deimlo'i breichie'n dynn amdana i nawr. Cofio'i chryndod, 'i hochened, 'i hana'l ar 'y ngwegil, gwres 'i chorff. Cofio'i geirie, air am air.

'Falle bod y jawled wedi dwgyd lot o bethe. Ond 'sdim ots. Ma' croeso iddyn nhw ga'l y cwbwl. Y cwbwl ond 'y Mranwen fach i. Ti yw popeth s'da fi yn y byd. Popeth . . . Popeth . . .'

Stop.

'Rubbish they are, the buggers!'

'Bloody 'eartless, mun. Stealin' from a widow.'

'With a little one an' all.'

'Been through so much she 'as already.'

'Who d'you think would do it? No-one from round 'ere.'

'Don' you be so sure. We got Cairo Row, remember. An' the Concretes.'

'An' the new estate down 'Afod.'

'Cup o' tea, love? Lots o' sugar. It'll do you good it will.'

Carthen gynnes droston ni.

Hi a fi fel parsel, reit ar ganol ffordd, o dan y lamp fach wantan wrth y gât. A'r darne gwydr ar dop y wal yn fflicran fel rhesed o ganhwylle.

'Looks like you disturbed 'em, Mrs Roberts. Looks like they ran off round the back an' down the gully.'

'Looks like you were lucky – you say they only stole that little box o' jewellry. An' you'll get the insurance for them.'

'Could 'ave been much worse.'

'Best thing you could 'ave done, put all the lights on, leave the 'ouse at once.'

'You were very brave.'

'We'll catch 'em don' you worry.'

Ond 'nethon nhw ddim.

'Good night.'

'Sleep tight.'

Dim byth.

'Dwi'm yn licio'ch gada'l chi.

A ma' croeso i chi gysgu acw – Mattie wedi deud . . .'

'Diolch, Bob, ma'n well 'da ni fod 'ma.'

'Mi liciwn i gael gafael yn y cnafon drwg. Dysgu gwers i'r diawliad.'

Mae ei ddagrau'n cronni . . .

'Sut fath o berson ddaru hyn? Fedar o gysgu'n dawal yn 'i wely heno?'

'Rhynto fe a'i gydwybod, Bob . . . Nos da, a diolch.'

A Bob yn mynd.

A ninne'n dwy yn clywed gwich y gât, yn cloi'r drws a'i follto, yn mynd yn betrus, law yn llaw, i jeco drws y cefen, a'r pishyn pren o'dd Bob wedi'i hoelio dros ffenest y gegin mas. Gwrando, mynd 'nôl i jeco drws y ffrynt a bod y llenni ar bob ffenest wedi'u tynnu'n dynn. Mynd i jeco popeth am yr eildro, am y trydydd tro.

'Reit te, lan â ni . . .'

'I dilyn lan y staere. Gam wrth gam, fel morwyn fach briodas. Miwn i'n stafell wely. O'dd y rhestr LIST OF LOSSES ar y gwely: One black leather box containing gold earrings (circle shaped), one coral necklace, one string of pearls, one silver chain with letter 'G', one silver anchor-shaped brooch, one silver bracelet with small lock attached, one pair of gold cufflinks, one gentleman's wristwatch.

'Looks like we were lucky, Branwen . . . They only stole that little box o' jewellry. We'll get the insurance for them.'

O'n i isie gofyn beth o'dd 'insurance', ond o'dd 'i chlywed hi'n siarad Sysneg wedi 'nhowlu i. A ta beth, o'dd 'yn sylw i ar yr haenen dene o bowdwr gwyn fel eira dros y dodrefn.

'Could 'ave been much worse . . . Much worse . . .'

Fe roies i 'mraich am 'i sgwydde hi, y Sysneg yn 'y neud i'n lletwhith.

'Ond Branwen, 'y mai i o'dd e. O'dd y bocs bach du fan hyn, ar y cwpwrdd. O'n i wedi bod yn edrych ar y pethe pert, meddwl gwisgo rhwbeth – y broetsh ne'r freichled arian – a phenderfynu pido, rhag ofon gollen i nhw. A dim ond mynd i'r pictiwrs o'n ni ontefe? A roies i mo'r bocs 'nôl yn y drôr. O'dd e yn y golwg, i bob byrgler yn y byd 'i weld e. A nawr ma' popeth wedi mynd am byth . . .'

O'n i ddim yn gwbod beth i 'weud – dim ond y peth cynta dda'th i 'meddwl i.

'Mami, you were very brave . . .'

A fe wenodd hi. A 'na falch o'n i o weld 'i gwên.

O'r diwedd.

Mae goleuni gwan yn streipen rhwng y llenni. Gwawr welw'n goleuo'r stafell, a phowdwr gwyn y plismyn fel haenen gynta'r gaeaf dros y Foel.

Ar doriad gwawr fel hyn mae popeth yn annelwig, yn gymysglyd, ar y ffin rhwng cofio a dychmygu. Cyffro neithiwr cyn y troi-a'r-trosi hir, di-gwsg. Kathleen Ferrier yn yr oriau mân, sŵn dŵr yn cronni yn y cwpwrdd crasu. Olwyn pwll y Waun yn gwichian – ai dychmygu hynny oedd hi, wrth weld, rhwng cwsg ac effro, yr olwyn fach Meccano'n saff ar y ford fach wrth y gwely?

Rhaid gwneud yn siŵr o un peth . . . Codi, camu dros ei mam sy'n cysgu dan yr eiderdown ar y llawr. Twmblo dan y dillad yn y drôr. Ydy, mae e 'na, yn saff, mor saff ag oedd e neithiwr.

Dechrau gwisgo, troi i edrych ar ei mam bob hyn a hyn. Mae brigyn yn disgyn lawr y simne a brân fel petai'n chwerthin arni. Neu'n cyfarch diwrnod newydd, falle.

Mae hithau'n ddigon hapus. Mae ei bocs o drugareddau'n saff. A'r tegan bach Meccano. A'i mam.

Mae hi'n mynd ar flaenau'i thraed i'r gegin. Mae'n amser brecwast.

Y BYRGLERS

Un tro yr oedd Mami a fi wedi mynd am dro i weld Polyanna yn y pictiwrs yn yr Odeon. Rwy'n hoffi mynd i'r pictiwrs. Rwy'n cael twb o hufen iâ ac ar y ffordd adref mae Mami a fi'n cael bag o fish-a-chips. Roedd Polyanna'n ffilm dda iawn am ferch fach yn cael ei hactio gan Hayley Mills. Roedd hi'n gwisgo gwn nos gwyn drwy'r amser (a het wellt ambell waith) ac roedd ganddi ffrecls ar ei thrwyn bach smwt a gwallt hir melyn. Hoffwn i fod yn Polyanna. Neu yn Hayley Mills.

Ar ôl cael chips aethom adref yn y car.

171

Ar ôl mynd i mewn i'r tŷ roedd Mami wedi sylwi bod pethau dros y lle i gyd. "Beth yw hyn?" meddai hi ac aeth i ffonio'r polis. Roedd hi'n crio am fod popeth yn y bocs bach du wedi mynd am byth. Ond fe ddaeth y plismyn i roi powdwr fingerprints dros bopeth a dweud y byddant yn siŵr o ddal y byrgler. (Sef lleidr.)

Ac yna es i i gael pop Dandylion and Burdock gyda Bob a Mati Jones yn Balaclava Street. (Mae Mrs Mati Jones yn dod i helpu Mami yn y tŷ.) Fe ddywedodd hi "I hope they catch the sculptor!" "Cylprit" oedd y gair cywir meddai Mami, sef rhywun sydd wedi gwneud rhywbeth drwg. "Sculptor" yw Mr Evans lawr y ffordd sy'n gwneud cerrig beddi. Byddaf yn mynd i edrych arno ambell waith pan fydd e'n torri'r slabiai mawr yn hirsgwar ac yn naddi'r llythrenau mewn i'r garreg ac yn ei peintio a phaent aur arbenig. Pobl neis, garedig yw Mr a Mrs Bob Jones. Rwy'n hoffi Lad y ci a Joey'r Budgie hefyd.

Diwrnod braf o haf.

'Bob, go fetch Joey out the garden and 'ang 'is cage up in the sun. Do 'im good it will.'

A Bob yn cario'r caetsh a'i osod yn ofalus ar fachyn ar wal y shed. A Lad yn cyfarth yn llawn cyffro, a Joey'n clochdar ei ddiléit, yn hopian 'nôl a mlaen o un gangen draw i'r llall, a hongian ar y bariau, a'i big yn pigo, pigo.

'Mae o'n licio allan fa'ma 'sti. Wrth dy fodd, on'd wyt 'rhen foi?'

A Joey'n gwyro'i ben a hopian eto.

'Callia 'nei di'r rwdlyn!'

A Bob yn syllu arno'n hir.

'Y gwres sy'n 'i gynhyrfu'n lân. Ella 'i fod o'n cofio . . .'

'Cofio beth?'

'Am fod yn rhydd erstalwm, ym mhen draw'r byd yng ngwlad yr haul . . .'

'Ond fuodd e erioed yn rhydd . . .'

'Ond mae o'n medru cofio – hen, hen gof yn dŵad 'nôl i'w aflonyddu . . . Ia, isio'i ryddid mae o, druan. Ond mi fasa hynny'n ddiwadd arno.'

'Pam?'

'Joey allan yn y byd mawr creulon? Fasa fo'm yn para diwrnod! Na, y caetsh 'ma ydi 'i fyd o, bellach.'

'Bob, go fetch some pop an' biscuits for the little one.'

''Rhen faria gythral 'ma sy'n dy gadw di ar dir y byw, 'te Joey?'

'Did you 'ear me, Bob? She must be thirsty.'

'Aye, I 'eard you, Mat. Mae isie dŵr ffresh arnat titha hefyd, Joey bach.'

'Bob . . .'

'Ia?'

'Ble ma' pen-draw'r-byd-yng-ngwlad-yr haul?'

Ochenaid, codi'i gap a chrafu'i ben . . .

'Rhywle na wela i na Mattie fyth . . .'

. . . A chodi'i lygaid at yr haul a chrychu'i dalcen yn feddylgar cyn troi a gwenu.

'Wyt ti'n hogan glyfar – deuda wrtha i lle mae adar melyn yn byw?'

'Ddim yn siŵr . . .'

'Y Canaries, hogan!'

A Bob yn chwerthin a diflannu mewn i'r tŷ. A Lad yn dilyn ôl ei draed, ei gwt bach stwmp yn ysgwyd.

A Joey bach a finne'n syllu ar ein gilydd.

'Helô, Joey, a shwt wyt ti, te? Ti'n lico mas fan hyn? Ma' hi'n dwym on'd yw hi? A ma' syched arnat ti siŵr o fod . . .'

Ond wedyn, beth ddigwyddodd? Wy'n cofio agor drws y caetsh, estyn am y cafan dŵr . . . A wedyn – gweld y cej yn wag a'r gwydr bach a'r gloch yn siglo yn yr awel. A'r panig yn dechre codi o rwle yn 'y nghrombil. Trio 'mherswado'n hunan taw breuddwydio o'n i, hunlle o'dd hi, y bydden i'n dihuno unrhyw eiliad. Styried jengid, rhedeg o 'na am 'y mywyd, rhoi'r bai ar rywun arall, falle. Ond ar bwy?

Penderfynu mentro edrych lan i'r awyr – a 'na ble o'dd e, yn sbecyn glas ar las, yn cylchu'n ddiolchgar cyn glanio ar y lein ddillad. Dala'n llaw mas, sibrwd 'Joey pretty boy!' a fynte'n ysgwyd 'i adenydd yn jocôs. 'Joey! Dere 'ma!' Mynd ato fe gan bwyll, ac ynte'n siglo ar y lein, yn ffaelu credu'i lwc. Ond yn sydyn, hop-hop-hop – a bant â fe i'r bondo. 'Joey! Dere lawr!' O'n i'n gweiddi erbyn hyn, yn estyn lan amdano fe, yn trio pido llefen. A'r jawl yn troi 'i ben i'r ochor yn gwmws fel 'se fe'n wherthin arna i.

'Joey! Joey pretty boy! Come on down! Please come on down!'

A'r blydi budgie jawl yn glanhau'i blydi blu a chachu miwn i'r bondo.

A wedyn – whiw! Lan â fe uwchben y to, lan uwchben yr aerials a'r shimneie, lan a lan i'r awyr las. A finne'n syllu miwn i'r haul, a'i weld e'n diflannu'n sbecyn llai a llai o hyd, cyn mynd am byth i'r pellter.

A Bob yn sefyll yn y drws yn dal y pop. A Lad yn dod i ishte wrth 'i ymyl. A Mattie'n dod i sefyll gyda nhw, plât o Marie biscuits yn 'i llaw. A'r tri'n syllu ar y cêj cyn syllu lan i'r gwacter glas.

'Well done, Bob! An' well done, Branwen! Good job you did b'there!

'I'm very sorry . . .'

'No you're not, you naughty girl! I 'eard you talkin', you an' Bob! 'Bout Joey wantin' to be free! Wel now 'e's free 'e won'

174

last the night! The magpies an' the crows will get 'im! Thank you very much an' well done the both of you!'

A stop.

'Da iawn chi!

Wy'n browd ohonoch chi! Mor browd!'

Mae'r cwpan arian yn y cwpwrdd, yn disgleirio'n bert drwy'r gwydr. A wyneb crwn Miss Morris yn disgleirio'n binc.

'Y wobr gynta! Yn y Genedlaethol! Y tro cynta i ni drio! A ninne'n curo pawb! Drwy Gymru i gyd, benbaladr! A i Mrs Carpenter ma'r diolch, am 'ych hyfforddi yr holl fisoedd 'ma, am fynd â chi bob cam i'r Eisteddfod, am y llwyddiant mawr i gyd. Rhowch ddiolch i Mrs Carpenter.'

A phawb yn siantio 'Di-olch, Mus-us Carp-en-ter' a churo dwylo.

'Hip, hip, hwrê i Mrs Carpenter!'

'Hip, hip, hwrê!'

A wyneb Mrs Carpenter yn bictiwr. Gwenu, hanner llefen, a rhoi'i dwylo'n fodlon ar ei bola mowr.

'Yn sugno bron Maria'n faban bach.'

A thon o chwerthin-tu-ôl-i-ddwylo ym mhen pella'r dosbarth. A wyneb Mrs Carpenter fel y galchen.

'Alun Wyn a Robert James, gwetwch wrtha i – beth yw'r jôc?'

'Ddim yn gwybod, Mrs Carpenter.'

'Ond o'ch chi'n wherthin! Pam?'

'Ddim yn gwybod.'

'Fe weta i wrthoch chi! O'ch chi'n wherthin achos bo' ni'n canu am fabi bêch yn sugno bron! Bron y Forwyn Fair! Bron fel hon!'

Mae hi'n agor botymau ei blows wen i arddangos ei bron wen sy'n drwch o wythiennau glas.

'Cyn bo hir fe fydda inne'n bwydo babi bach â hon. Alun Wyn a Robert James – fydd hynny'n ddoniol?'

'Na fydd.'

'Fe fuoch chithe'n sugno bronne'ch Mamis. O'dd hynny'n ddoniol?'

'Nago'dd.'

'Na – wedyn cerwch mês o 'ngolwg i, yr hen gryts drwg!'

Dau grwtyn bach yn mynd trwy'r drws yn dawel a phenisel, heibio i Miss Morris a rhyw ddyn.

Dyn dierth.

Stwcyn crwn. Wyneb gwelw fel y lleuad. 'I ben yn moeli. Crys neilon gwyn, string fest odano. Bronne bach fel bronne Alun Wyn a Rhian Jones. Tei â phatrwm dail. Waffts o rwbeth sicli'n codi o'i geseilie.

O'dd e'n sefyll 'da'r hen Scary. O'n nhw'n debyg o ran maint a siâp, heblaw bod un â bronne mowr a'r llall â bronne llai. O'n nhw'n gegrwth, yn edrych ar Mrs Carpenter a'i blows agored. A ninne'r plant yn edrych ar y dyn a Scary. Beth o'dd yn mynd i ddigwydd nesa?

Fe gaeodd Mrs Carpenter fotyme'i blows. Yn hamddenol. Dim hast. Dim ffwdan. Cyn troi aton ni a gwenu.

'Reit te, blant, ma' hi'n amser whare. Mas â chi – yn dawel!'

A phawb yn cerdded mas, heb edrych ar wep Scary, heb edrych ar y dyn.

A'r drws yn cau tu cefen i ni.

MRS CARPENTER

Roedd ein dosbarth ni yn drist iawn heddiw. Mae Mrs Carpenter yn gadael i gael babi bach. Wel, roedd pawb yn hapus ei bod yn mynd i gael babi, ond yn anhapus am ei bod yn gadael. Mae pawb yn hoffi Mrs Carpenter. Mae'r babi yn ei bola nawr ond bydd yn dod allan yn yr ysbyty. Mae ei bola wedi mynd yn fawr ac mae Mrs Carpenter yn gwisgo "smocs" pert. Diolch byth, bydd hi'n dod nôl i'r ysgol ar ôl i'r babi ddod allan o'i bola. A bydd pawb yn falch. Efallai y bydd yn dod â'r babi newydd gyda hi. Byddwn i wrth fy modd yn edrych ar ei ôl.

Mr Rowlands fydd ein athro nawr. Roedd e yn yr ysgol ddoe ac yn cerdded o gwmpas gyda Miss Morris ac yn gofyn lot o bethau. Beth oedd enwau pawb, ble roedd pethau'n cael eu cadw, pryd roedd pethau'n digwydd. Dywedodd Mrs Carpenter wrtho ein bod yn blant da iawn. "Mae pawb yn neis yn y dosbarth yma" meddai hi. "Wel os bydd pawb yn neis gyda fi, fe fyddaf i'n neis gyda phawb. Dyna'r fargen!" meddai Mr Rowlands. Ac yna dywedodd "Achos rwy'n hoffi plant bach neis!" a chwerthin dros y lle.

Nid wyf yn siwr a fyddaf yn ei hoffi. Mae ganddo ddwylo pinc a bysedd tew ac mae e'n gwynto fel siop gemist. Ond nid dyma pam. Mae rhywbeth arall hefyd. Beth, tybed? Rhaid aros i weld.

New Century Bridge ar noson stormus.

Mae hi'n rhuthro ar ei phen ei hunan ar hyd y tiwbyn hir, ei phen lawr o dan ei hymbarél fach goch, ei choler dros ei bochau. Mae'r cesair yn bownsio ar yr haearn, yn pigo'i dwylo, yn suddo mewn i'r welingtons coch. Mae hi'n wlyb, yn oer, yn hwyr. Rhaid rhedeg, camu dros y pyllau dŵr. Swish, swish, swish a naid. Swish, osgoi. Swish, swish, splash.

Ac aros.

Iesu Grist Goleuni'r Byd.

Yn sefyll dan y golau ym mhen draw'r bont. Eurgylch am ei ben, ei wallt hir yn diferu dros ei dalcen a'i lygaid tywyll a'i fochau main, dros goler ei got law siabi. Mae lamp yn hongian o'i law chwith; lamp olew, debyg i lamp glöwr. Falle mai dyna yw hi, mae'n anodd gweld drwy'r cesair. Mae e'n estyn ei fraich dde uwch ei ben. Mae hi'n gallu gweld ei ddwrn, yn dynn ynghau.

Mae hi'n ei wylio, ei llygaid wedi'u hoelio ar ei ddwrn, sy'n dechrau agor fesul bys. Un bys ar ôl y llall yn saethu mas; coron fach o fysedd yn ymagor yn y golau. Coron wen mewn golau melyn; coron wen yn disgyn i'r cysgodion gan bwyll bach, lawr a lawr i blygion tywyll y got law.

Ac yna'n sydyn, mae bys mawr pinc yn saethu mas, yn pwynto ati'n llawn cyhuddiad. Fel bys sosej yr athro newydd.

Mae hi'n syllu arno, cyn cerdded mlaen, heibio iddo, heb gymryd mwy o sylw.

'Wêl hi mo'r dyn yn edrych arni'n syn, ei wyneb yn llawn siom. 'Wêl hi mohono'n troi a dechrau cerdded 'nôl drwy'r pyllau dŵr; a 'wêl hi mo'i lamp yn bob-bob-boban lawr y grisiau cerrig i'r tywyllwch.

PWYSIG!
VERY PRIVATE PROPERTY!
NEW CENTURY BRIDGE AR NOSON STORMUS

Dyma lun o beth welais i ar y bont neithiwr. Roeddwn yn meddwl y byddwn yn teimlo'n well ar ôl ei wneud ond nawr rwy'n poeni y byddai Mami'n grac petai yn ei weld, a phawb arall hefyd. Felly byddaf yn ei rwygo a'i dafli mewn i'r Rayburn.

Fel arfer mae'n hawdd ysgrifenu stori ar gyfer "llun-a-stori" ond nid wyf yn siwr beth i ddweud am hwn. Rwyf wedi bod yn meddwl am y dyn a pham ei fod wedi gwneud beth wnaeth e. Roedd e am roi ofn i fi, siwr o fod, ond doedd dim ofn arnaf o gwbl. Dyna pam nad wyf wedi dweud dim byd wrth Mami am y peth. Byddai hi'n poeni ac yn gwneud ffys a dweud wrth y polis. A byddent yn fy holi beth ddigwyddodd ac nid wyf eisiau cofio. (Y cyfan rwy'n ei gofio oedd ei fod yn debyg i Iesu Grist. Efallai y byddai hynny'n helpu'r polis i chwilio amdano achos does dim llawer o bobl sy'n debyg iddo Ef y ffordd hyn.)

Neu efallai y byddai'r polis yn meddwl fy mod yn dychmygi neu'n dweud celwydd. Efallai y byddai Mami'n meddwl hynny hefyd. Na, gwell i fi beidio sôn wrth neb.

Fy hoff wers yn yr ysgol yw llun-a-stori. Rwy'n tynnu lluniau gweddol dda ond rwy'n ardderchog am ysgrifenu stori. Byddaf wastad yn cael seren aur heblaw am ambell waith pan fyddaf can't be botherd. Ambell waith mae Mr Rowlands yn gofyn a yw'r stori'n wir. Rwyf yn ateb "Na" yn bendant. Ond mae ambell stori'n wir iawn, iawn. Ac ambell lun hefyd. Ond maen well peidio dangos y rhai hynny, fel hwn, i neb.

Ambell waith mae Mr Rowlands yn darllen fy stori i'r plant eraill ac yn dweud "fel hyn mae ysgrifenu stori." Mae 'r plant eraill yn galw "Tichers Pet" arnaf. Rydym yn galw Mr Rowlands yn "Rowli Powli Rwdin and Pie Kisd the Girls and Made them Cry."

Byddai'n neis petai'n mynd o'r ysgol a Mrs Carpenter yn dod nôl. Ond does dim gobaith o hynny ar hyn o bryd.

Does neb yn gwybod a yw fy storis i yn wir neu beidio. Neb. Byth. Dim ond fi.

PRIVATE AM BYTH BYTH BYTHOEDD
AC AMEN!

180

'Game, set and match to Miss B. D. Roberts!'

O'n i wedi ennill! Wedi curo Christine Truman! O'dd tyrfa Wimbledon ar 'i thra'd yn wafo'r dreigie coch yn wyllt.

'The plucky little Welsh girl's gone and done it! A win for Wales! And what a win! And what a girl!'

Misoedd o ymarfer â'r hen raced dyllog o'r sang-di-fang. Bwrw pêl yn erbyn wal am orie, clatsho bant yn erbyn mawrion gore'r byd – Evonne Goolagong, Maria Bueno, Rod Laver, Ken Rosewall a Lew Hoad – a'u curo'n rhacs bob un. Fel heddi. Curtsy o fla'n Princess Alexandra, gafel yn y plât arian a'i godi uwch 'y mhen i gyfeiliant cymeradwyeth y dorf a chlic-clic-clic y camerâu.

'And on this day when a nine year-old has made tennis history, on this truly momentous day for Wales, it's good-bye from the Centre Court at Wimbledon. Good-bye everyone!'

Pobol yn ciwo am lofnod, yn 'y nabod i ar y stryd, llun ohona i yn y *Western Mail* a'r *Cymro* a'r *Cwm Leader*. O'n i'n enwog a thalentog. O'n i'n rhywun!

'Ac mae un o'n disgyblion disgleiriaf ni, Branwen Dyddgu Roberts, wedi rhoi'r ysgol orau yn y byd – Ysgol Tan-y-berth – ar y map!'

O'n i hefyd yn bencampwraig Chwaraeon y Gymanwlad a'r Olympics. Pob record yn y byd yn ca'l 'i thorri'n rhacs. Naid uchel dros y rhaff o'dd yn 'mystyn rhwng y shed a'r goeden fale; ras ganllath ar hyd y gwli; naid hir ar y lawnt; towlu shot-put carreg, javelin o bren bambŵ. Ennill popeth. Fi'r Victrix Ludorum fach. A'r cwbwl dros 'y nghenedl. Y teimlad gore yn y byd o'dd sefyll ar ben bocs, y Ddraig Goch fowr o'r basement dros f'ysgwydde, a Hen Wlad fy Nhade'n atseinio yn 'y nghlustie.

O'n i'n ennill pob ras gyfnewid hefyd.

Ar 'y mhen 'yn hunan fach.

Trist, ontefe?

Feri sad.

Y ROLERS SKATES

Rwy'n teimlo'n drist a hapus yr un pryd heddiw. Yn hapus am fy mod i wedi cael rolers skates yn anrheg. Yn drist achos merch o'r enw Llinos Edwards oedd yn berchen arnyn nhw. Mae hi wedi marw ac roedd ei mam yn dweud bod Llinos yn hoffi'r rolers skates yn fawr. "Roedd hi'n gamster arnyn nhw," meddai Mrs Edwards. "Byddai wedi bod yn bencampwraig petai hi wedi cael byw." Roedd Llinos wedi eu cael nhw ar ei phen blwydd yn ddeg oed ond roedd hi wedi marw pan oedd hi'n ddeuddeg. Mae ei bedd yn y fynwent a "Gadewch i blant bychain ddyfod ataf i arno ac angel gwyn mewn casyn gwydr. Mae bob amser lot o flodau pert ar y bedd a dim byth blodau wedi gwywo neu rhai esgus.

Rwy'n hoffi'r rolers skates. Maen nhw'n drwm ac yn sgleiniog gyda phedair olwyn ddu ar bob un. (Rhaid rhoi olew arnyn nhw bob hyn a hyn er mwyn eu cadw i droi.) Mae'n rhaid clymu'r lasys yn dynn neu gallant ddod yn rhydd a gallwn syrthio a chael dolur. Galluwch eu gwneud yn fwy neu'n llai wrth ddefnyddio sbaner bach arbenig a throi'r sgrews. Mae hyn yn beth da achos byddant yn para am flynyddoedd er y bydd fy nhraed yn tyfu. Maint tri yw fy nhraed ar hyn o bryd a maint pump yw rhai Mami. Rwy'n hoffi cael mesur fy nhraed mewn siop sgidiau. Mae rhaid i chi roi eich traed i mewn i beiriant X RAY a galluwch weld esgyrn eich traed er mwyn gwneud yn siwr bod yr esgid yn ffitio.

Rwyf wedi bod yn ymarfer ar y rolers skates yn ôl ac ymlaen ar y pafin o flaen y tŷ. Rhaid i chi bwyso ymlaen trwy'r amser nid pwyso yn ôl neu byddwch yn syrthio ar eich pen-ôl neu'n waeth byth ar eich cefn a chael dolur. Rwyf wedi cael llawer o ddamweiniau bach ac un ddamwain fawr pan smashiais i mewn i wal y Waun a bwrw fy mhen. Roeddwn yn meddwl fy mod yn gweld sêr ond doeddwn i ddim yn siwr. Ond doedd dim llawer o waed, diolch byth.

Roedd Mam Llinos yn garedig iawn yn rhoi'r rolers skates i fi. Roedd hi'n dweud ei bod yn falch bod merch fach iach yn gallu chwarae gyda nhw. "Pob lwc i chi, Branwen meddai. A gwenu. Ond roedd hi'n llefain yr un pryd.

'Drychwch, Branwen!
Dyma lun o Llinos yn Eisteddfod Maesteg. Yn 'i blazer lliwie'r Urdd. Wel, eich blazer chi – achos chi sy berchen arni nawr, ontefe? Drychwch – ma' nished gwyn ym mhoced y frest. A drychwch ar y wên 'na! A llond 'i phen o gyrls! Cyn iddi gael torri'i gwallt yn fyr i fynd i'r Cownti.

'A beth am hwn? Hi a'i thad ar lan y môr yn Lavernock. Cannw'll 'i lygad e, druan. A hwn yn Barry Island – trip ysgol Sul, a hithe'n hapus fel y gog, er gwaetha'r gwynt a'r glaw. A hwn wedyn – on'd yw hi'n forwyn briodas fach bert? Ond hwn wy'n lico ore – 'i the-parti pen-blwydd yn ddeuddeg. Cyn iddi fynd yn dost . . . O, maddeuwch i fi, Branwen fach, am dorri lawr fel hyn. Ond hi o'dd 'y nghroten fach i, 'y nghwbwl i, ar ôl i'w thad hi farw. A nawr ma' hithe wedi mynd . . . A 'sneb ar ôl . . . Dim neb, dim byd. Dim ond bocsed o hen lunie. A so'r rheini'n gallu dangos popeth – 'i llyged glas hi, mor neis o'dd hi, mor hapus a llawn bywyd . . .'

'One-an'-turnsie-two-an'-curtsie-three-an'-splitsie-out!'

Cheryl sy'n sgipio wrth i Angela droi un pen i'r rhaff yn rhythmig. Mae'r pen arall yn sownd wrth beipen ar dalcen pella'r Bute. Maen nhw'n canolbwyntio ar y chwarae, heb sylwi ar groten fach sy'n sefyll yn eu gwylio ar draws y ffordd, yn ddigon pell, fel arfer, i beidio tynnu sylw. Ond fel gwyfyn bach yn cael ei dynnu at y golau, mae hi'n nesu atyn nhw. Gam wrth gam, mae hi'n dod yn ddigon agos i glirio'i llwnc a dechrau ar y sgript . . .

'Hello! Excuse me, I'm sorry to interrupt your game. But would you like to be friends with me?'

Maen nhw'n troi i edrych arni'n oeraidd. A'r gwyfyn bach yn dal i hofran . . .

'Please will you two be my friends? I'd really like to join your game.'

Maen nhw'n edrych ar ei gilydd. Mae Cheryl yn codi'i haelie ac mae Angela'n codi'i hysgwyddau'n ddifater. Pwnad bach i'w gilydd, mwy o godi aeliau ac ysgwyddau – ac yna'r geiriau bach nefolaidd.

'Okay! We need another pair of 'ands to 'old the rope.'

'Thank-you! Thank-you very much!'

O'r diwedd!

O'n i'n ffaelu credu'n lwc! O'dd 'y mhlans i wedi gwitho! Yr holl 'ddigwydd' cerdded hibo, yr holl bractiso beth i weud. Yn gwmws fel dysgu pennill ar 'y nghof. Ond colli plwc y funud ola. A cherdded mla'n bob tro heb dynnu sylw. A'r merched perta yn y byd yn anwybyddu'r groten fach ddisylw. Dim gwên a dim cyfarchiad. Dim byd ond siom.

Tan nawr. O'n nhw'n gwenu arna i! Yn 'y ngwahodd miwn i'w gêm!

'I'm Angela.'

'I'm Cheryl. An' who are you?'

'I'm Branwen.'

Y saib arferol – ond o'n nhw'n rhy boleit i holi mwy . . .

'Bran-wen . . .'

'An' where d'you live, Bran-wen?'

'In Gwynfa.'

'Where the 'eck is 'at?'

'Don' be cheeky, Cheryl. It's the big 'ouse up the road. Come on Bran-wen, come an' play.'

Cymryd rôl y beipen. Dal y rhaff yn ufudd. Troi-a-throi yn rhythmig. Syllu ar y ddwy angyles, ar 'u dillad pert, ar ringlets-Lucy-Attwell Angela, ar wallt tonnog, tywyll Cheryl, ar 'u rhubane pinc a'u sane gwynion. A rhyfeddu. At 'u harddwch a'u gosgeiddrwydd.

Odw i'n mynd dros ben llestri? Falle. Ond fel'na'n gwmws o'n i'n teimlo yn 'u cwmni. Yn falch, yn freintiedig, yn ffaelu credu'n blydi lwc.

'Would you like a drink o' pop?'

Gwahoddiad mewn i'r Bute!

'Upstairs. Thass where we live.'

Cerdded yn freuddwydiol heibio i bileri mawr y portsh a chroesi'r rhiniog i ganol rhyfeddodau'r cyntedd eang. Dringo'r staer lydan – a dychmygu Cinderella'n dod i gwrdd â'i thywysog hardd a'r esgid wydr yn ffitio'n berffaith a'r adar bach yn taenu blodau a rhubanau a phawb yn hapus iawn am byth – a'i bren cochlyd yn drwch o gerfiadau cain, canllawiau uchel ar bob ochr a'r banisters â phatrwm nadroedd yn cordeddu. Edrych lawr a gweld y cyntedd yn ei holl ogoniant – y teils amryliw ar y llawr, y papur wal lliw gwin, y nenfwd cerfiedig, drysau derw'n arwain mewn i'r bariau – PUBLIC BAR (Men Only) a LOUNGE (Ladies to be Accompanied) – a phob drws yn sownd ynghau.

'Six o'clock we open, see.'

'An' anyway, we're nor allowed in there.'

Does dim ots. Fe ddaw cyfleon eto, ddigon, i sawru rhyfeddodau'r dirgel fannau hyn. Dringo'r staer yw'r peth pwysig nawr, y staer lan i'r nefoedd, yng nghwmni dwy angyles. Cyrraedd y ffenest eglwysig ar dop y landin. Drysau cilagored yn ei denu i'r stafelloedd cyfrin – parlwr a thair stafell wely – a'r rheini'n sgwâr ac eang fel neuaddau. Cael eistedd yn y gegin enfawr â'i bord a'i meinciau pren a'i stof fawr ddu a'i sinc mawr gwyn.

Cael cyfeillgarwch chwiorydd bach y Bute Hotel – mae hi'n olau mlaen.

'Bytis.

'Na beth wyt ti a fi, ontefe, Mot?'

Isaac Morgan, yn dwlu ar ei gi. A hithau'n dwlu ar y gair. 'Bytis'. Gair dynion, cydweithwyr lawr y pwll. Gair cryf, gair dealltwriaeth, ymddiriedaeth. Gwell na 'ffrinds' a 'mates' a 'pals'.

'Ma' fe'n ddeuddeg oed, 'rhen Mot.'

'Wyth deg pedwar, 'se fe'n berson.'

'Ife, nawr?'

'Ie. Saith mlynedd am bob blwyddyn a ma' saith un-deg-dau yn wyth-deg-pedwar.'

'O'n i'n gwbod bo' ti'n groten glefer! A jiw, jiw, ma'r hen Mot a finne jyst â bod 'run oed! P'un ohonon ni eith gynta, sgwn i?'

Chwerthin. Peswch. Poeri.

Isaac Morgan, druan. Wedi dod o Ledrod bell. Yn byw yn Hebron Street ers deugain mlynedd. Magu tri o blant ar ôl marwolaeth sydyn Vera'i wraig – David Glyndwr, Violet Ann a Gwendolen Verona, a fydd yn Gwennie Fach am byth. Y teulu cyntaf yn y stryd i gael bathrwm yn y tŷ, a hynny gan y cyngor, oherwydd salwch Gwennie. Wyddai neb o'r dechrau beth oedd y broblem; ond Gwennie Fach yw Gwennie Fach ac mae pawb yn garedig wrthi ac yn teimlo trueni drosti, druan, a hithau ddim yn gallu gweld heb help ei sbectol drwchus na cherdded heb help ffon na siarad mewn brawddegau. Mae dringo'r staer yn anodd iddi, felly mae hi'n cysgu yn y parlwr, mewn gwely bach â bariau ar ei hyd. Mae Mot yn cysgu wrth droed ei gwely, a phan fydd Gwennie'n dihuno ganol nos a thrio codi – fel y gwna bob nos – bydd Mot yn cyfarth nes dihuno Isaac.

Ci defaid call a phert yw Mot â'i flewiach llwyd a du, ei lygaid anghymarus, dwy bawen fel dwy raw a chwt fel baner.

'Un jeniwin o Shir 'Berteifi, ontefe, Mot? Wedi dod bob cam o Ledrod, yn gwmws fel fi'n hunan.'

Yr unig ddau o'r teulu estynedig sy'n deall ei gilydd yn Gymraeg.

'Glyndwr, mun, will you listen to me one last time? Send Lynette to the Welsh School.'

'Dad, don' start tha' nonsense with me again.'

'Just give the girl a chance to learn the language.'

'As I've said to you many times before, the chance you never gave to me, eh, Dad?'

A'r hen ŵr yn amneidio'i ben yn drist a'i gofio'i hunan yn grwtyn uniaith yn gadael Lledrod am y gwithe, yn waglaw ond yn llawn gobeithion. Yn cwrdd â Vera Cottrell hardd o Exeter, a digon yn cael ei ddweud a'i wneud, er gwaetha'r anawsterau iaith, i sicrhau bod babi ar y ffordd heb fawr o ffwdan. Priodi. Crafu byw. Isaac yn disgyn i berfedd Pwll y Waun yn feunyddiol neu'n feunosol, heblaw am y Miners' Fortnight blynyddol yn Trecco Bay ac ambell ymweliad prin â Lledrod i gladdu un o'r teulu.

'My big mistake, I know. And I'm sorry 'bout it, Glyn. I can't believe I didn't pass the language on to you an' Vi – an' Gwennie, come to that, not that she can speak much English either. But no Welsh was needed in those days. Except in chapel.'

'You've lapsed b'there as well.'

'Aye, no shape on me these days.'

'Oh come on, Dad. Talk about didoreth! You're givin' up you are!'

'An' who can blame me? I've had a hard life, me. Lost

187

my wife, my one an' only love. Lost my eye, three fingers, and now the blwmin' neumo's getting to me.'

'Fetch the bloody violin! You'd 'ave 'ad a 'ard life back in Welsh Wales too! With all 'at muck an' 'em bloody sheep an' cows!'

'Allright! Let's not argue. An' there's no need for swearing either. All I'm saying is, give Lynette a chance. 'Cos things are different now.'

Y gwahaniaeth mawr yw Ysgol Tan-y-berth. Eithafwyr wedi bod yn cnocio drysau, casglu enwau. Yr ysgol wedi llwyddo. A'r gwrthwynebiad iddi'n dechrau cilio. Ac Isaac Morgan o Ffarm Bryn Ffynnon, Lledrod, yn gweld y cyfle i leddfu rhywfaint ar ei gydwybod euog. Ac i glywed ei wyres ienga'n siarad Iaith y Nefoedd cyn i fogfa dwst y glo ei lethu'n llwyr.

'Spit their guts out they do.

On the pavement, an' outside the door b'there.'

'Yellow phlegms, green ones – all the colours of the rainbow! Disgustin' ych-a-fi it is.'

'An' some o' them do pee.'

'An' puke – an' worse!'

'Cheryl, don' you say 'at word!'

'Why not, Ange? It's true! They do number-two as well. Cachu-lumps into the drains b'there. An' our Mam 'as to wash it down with disinfectant every mornin'.'

'Our Dad do say 'e'll 'ammer 'em.'

'But 'e never catches 'em.'

''E's usually too drunk to catch a cold, thass why.'

'Leaves the cleanin' to our Mam.'

'No' fair iss not.'

'You'll never see me scrubbin' on my knees!'

'Nor me – not never! Now come on! We'll go play pantomime up the landin'.'

Ffenest eglwys.

Gwydrau cain, coch a glas a phiws. Lliwiau llachar yng ngoleuni'r haul. Yn taflu patrwm lliwgar lawr y staere, ar garped brown y landin, ar y sil fawr, lydan y gallech eistedd arni, sefyll arni, dawnsio arni. Ar y llenni trymion y gallech eu cau a'u hagor yn union fel llenni llwyfan. Ac Angela'n cael bod yn Cinderella, Snow White neu Red Riding Hood, a Cheryl yn Prince Charming neu'r Big Bad Wolf yn ôl y galw.

A finne'n fodlon bod yn unrhyw un.

Yn unrhyw beth – corrach, coeden, ceffyl, gwrach, llygoden – dim ond i fi ga'l bod yn rhan o'r ddrama. Ond o'dd 'da fi un rôl bwysig iawn. Fi o'dd menyw'r gwisgoedd a'r coluro – y stwff cuddiedig yn y basement yn ca'l defnydd da o'r diwedd. A fy mam yn gwbod dim.

Ambell waith, ar ôl stop-tap prynhawn, bydde'r staere'n dod yn rhan o'r llwyfan a'r ddrama'n troi'n syrcas neu'n sioe ddanso. Clowns yn twmblo o'r top i'r gwaelod, acrobats yn balanso ar y banisters, dawnswragedd heini'n pirhouetto o staer i staer. A bydde Mr Flynn yn dod i watsho'r sioe, i glapo'i ddwylo a gweiddi 'Encore! Encore!' Bydde Mrs Flynn yn ymddangos ambell waith, i bipo arnon ni o ddrws y gegin. O'dd hi'n fenyw bert, yn debyg iawn i fami Lucy Attwell. Heblaw am fy mam, wyddwn i ddim am fenyw bertach. Gwallt cyrls, lliw marmalêd, dan dyrban du; llyged glas fel dŵr pwll nofio. A chleisie duon dan 'i llyged, yn neud y glas yn lasach.

Cwm Baths.

NO DIVING, JUMPING, RUNNING, PUSHING
NO EATING OR DRINKING IN THE POOL
NO CHEWING GUM
NO DOGS

Dan ei sang ar ddiwrnod braf. Plant fel gwybed lliwgar yn pingo yn y dŵr, yn neidio, plymio mewn i'r glesni, yn

189

gweiddi, gwichan, tasgu dŵr. Does dim gobaith nofio, dim llathen sgwâr yn wag. Dim ond bwrlwm myrdd o gyrff.

Mae hi'n gorwedd ar ei chefn ar y llain o dir cymharol wag sy wrth y reilins rhwng y pwll a'r parc, yn dychmygu'i bod hi'n bolaheulo ar dywod gwyn rhyw draethell anghyfannedd. Hawaii, falle, neu Haiti neu Honolulu – rhywle paradwysaidd Robinson Criwsaidd Swiss Family Robinsaidd a welodd rhwng cloriau melyn y National Geographic yn y stydi. Mae hi'n syllu lan i'r awyr las, yn teimlo tonnau mân y môr yn llyfu'i thraed, gwres yr haul fel llaw faldodus, fel canmoliaeth gynnes. Does dim sŵn ond sibrwd dŵr ar dywod a'r awel ysgafn yn ei gwallt.

Troi ar ei bola a chau ei llygaid. Dychmygu sleifio'n ddiog fel llysywen trwy'r dŵr sy'n gynnes fel dŵr bath. Dŵr y Barrier Reef neu Fôr yr India, neu baradwys California, falle. Syllu lawr i'r dyfnder clir. Gweld heigiau pysgod yn cyhwfan oddi tani, fel baneri lliwgar yn y gwynt. Penderfynu troi'n bysgodyn coch, un sy'n gwibio'n fywiog rhwng y cwrel a thrwy'r deiliant tanfor trwchus. Nofio 'nôl a mlaen a mewn a mas yn sbecyn coch yng nghanol myrdd o sbeciau coch. Un pwyth bach coch yng nghanol cwrlid hardd sy'n chwyrlïo o dan y dŵr.

Mae'r haul yn dwym. Rhaid codi ar ei heistedd a chymryd joch o'r botel bop sydd yn ei bag. Byddai wrth ei bodd yn neidio mewn i'r pwll a theimlo ias y dŵr fel iâ amdani. Ond does dim pwynt. Dim lle i nofio, dim egni, dim amynedd a dim cwmni.

Gorwedd 'nôl. Dychmygu eto. Mae hi'n nofio mewn pwll enfawr y tro hwn, yn un o chwech sy'n brwydro am y Fedal Aur. A hi sydd ar y blaen – wrth gwrs. Ac mae deunaw llath o lesni disglair rhyngddi hi a phen draw'r pwll a buddugoliaeth.

'And Branwen Roberts is in the lead!'

Mae'r ewyn gwyn yn tasgu dros ei phen. Llond ei cheg a'i thrwyn o chlorine, llond ei chlustiau o weiddi'r dorf.

'Yes! It's Branwen Roberts for the Gold! And she's doing it for Wales! Hear the crowd! They're with her all the way!'

190

Ei hysgyfaint ar fin ffrwydro, ei breichiau'n brifo. Troi ei phen – does neb o fewn cyrraedd iddi. Un ymdrech enfawr arall – cicio, rhwyfo'i breichiau'n wyllt – ac mae ei llaw yn cyffwrdd yn y bar. Mae hi wedi ennill! Dros ei gwlad! Mae hi'n boddi mewn bonllefau.

'Little Branwen Roberts is the winner! The new Freestyle Champion of the Commonwealth!'

Y freuddwyd fawr.

A'r hunllef annioddefol.

Sinco. Mas o 'nyfnder. Ffaelu ca'l 'y ngwynt. Bybls ffyrnig yn cronni yn 'y nghlustie. Trio cadw 'mhen uwchben y dŵr, fel y cathod bach ym mwced Wncwl William.

'Hey! You there! Whassyourname, in the red bathers an' black cap! Are you okay?'

Padlo, padlo. Nofio am 'y mywyd. Rhaid cyrra'dd glan rhaid cyrra'dd glan rhaid cyrra'dd glan. Cyrra'dd glan ne' foddi cyrra'dd glan ne' foddi. Padlo-padlo-mynd-a-mynd.

Ond dal i sinco.

Lawr

a lawr

a lawr.

A'r dŵr yn cau amdana i a theimlo'r gwaelod â bla'n 'y nhra'd a 'mhen i'n hollti a wedyn breichie Mr James yn gafel rownd 'y nghanol a'i law o dan 'y ngên a 'nghodi lan nes bo' 'mhen i mas o'r dŵr.

'Breathe deep don' panic breathe an' count an'-one-an'-two-an'-three an' breathe.'

A'r dŵr a'r dagre'n llosgi'n llyged nes o'n i'n ffaelu gweld dim byd.

'Hold on to me, my lovely – I'm takin' you to safety. It's the shallow end for you from now on, bach . . . A nasty fright she's 'ad.'

Tagu. Hwdu miwn i'r dŵr.

'Sorry 'bout the mess!'

'Don' you worry, lovely. See? I saved you. You're okay. An' stop starin' at 'er everyone! Off you go to the cubicles to dress!'

'Ti'n dangos un ti gynta.'

'Na, ti gynta. Fi'n rhy shei.'

'O derwch mla'n, you two! We 'aven' got all day! A ta bethi, Carys Howells, since when are you too shy? Ti'n dangos tits ti a pen-ôl ti i'r bechgyn bob whip stitsh.'

'Ma' hynny'n diffrent.'

'Pam?'

'Ma' fe yn, 'na i gyd.'

Gwynt chlorine yn llosgi'u ffroenau, eu tywelion dros eu hysgwyddau a'u dillad nofio lawr at eu bogeiliau. A'r tair yn dechrau amau'r syniad gwych o 'edrych ar ei gilydd'.

'Come on, mun, Megan Wilcox! Fi'n shivero to death fan hyn!'

'Na, you two gynta . . .'

'Branwen?'

'Na, ddim isie . . .'

'Well for goodness sake! Chi fel bloody plant! Reit, fi'n mynd gynta, iawn? You two after, mind!'

Mae hi'n tynnu'r wisg nofio lawr at ei phen-gliniau i ddatgelu'r hollt bach rhwng ei choesau. Un moel, diniwed.

'Hwnna yw e?'

'Pam? Whassamarrer with it?'

'Wedest ti bo' blew 'da ti!'

'I never did! Funny imagination ti, fel arfer, Branwen Roberts!'

Mae hi'n codi'i gwisg yn swrth, ac mae'r gêm yn colli'i blas yn sydyn.

'I'm no' showin' you no more! Less gerr out of 'ere neu bydd Rowli Powli'n dod i pôco'i drwyn o dan y drws!'

'Na!'

'Fe not allowed yn ciwbicls y merched!'

'Don' you be too sure! Pwy sy'n trysto Rowli Powli?'

Neb. Pawb yn gwisgo'n ffrantig.

'Carys – ody Mam a Dad ti'n neud e?'

'Neud beth, nawr, Megan?'

'Yn y gwely. You know – sex!'

'Fi'n clywed nhw rhai gweithiau. Awful noise they make. Yn y nos. Gweiddi "Yes! Yes! Yes!" A springs y gwely'n creako.'

'Dad fi'n gweud wrth mam fi, "Come on! Come on! I can't 'old no more!"'

'Dad fi'n gweiddi "Whassamarrer with you, woman? You are tighter than a bloody nun!" A Mam fi'n gweiddi "Gerroff me, you big 'uge ape!"'

A Branwen Dyddgu Roberts yn dweud dim.

'He's my handyman he is.'

A Morfydd Morgan yn gwenu ar ei gŵr, â glint bach yn ei llygaid.

'Very handy with your hands you are, eh Glyn?'

'So I should be, bein' a mechanic down the mine.'

'Down the mine is not my meaning – and you know it, Glyndwr Morgan!'

'Ah! I get your meanin'! Well I got three kids to prove it, 'aven' I?'

A Glyndwr yn rhoi pinsiad sydyn i'w phen-ôl.

'Show you 'ow 'andy I am in bed tonight!'

A John a Jeff a Jennifer Lynette yn edrych ar ei gilydd, yn ddigon hen i ddeall. Ac Isaac Morgan yn bytheirio.

'Like kids you are you two! Talking smut like that! In front of your children! Dere, Luned fach. Dere di 'da fi. Ewn ni mas am wâc.'

''Er name's Lynette! An' no Welsh in this 'ouse, thank you very much!'

'Listen to me, Glyn . . .'

'No, you listen to me, Dad!'

Taflu edrychiad sydyn draw at Morfydd.

'We want to tell you somethin', Mor an' me.'

Edrychiad arall – ac mae Morfydd yn rhoi nòd fach sydyn.

'Right 'en, you three – out you go to play.'

'But Pops . . .'

'Out!'

A'r plant anfoddog yn diflannu mas i'r cefn.

'We've been thinkin', Dad, talkin' too, a lot. About Lynette.'

Mae Isaac Morgan yn troi ei ben, yn debyg iawn i ystum Mot.

'An' we've decided. We'll send 'er to the Welsh school, aye . . .'

A'i dad yn syllu'n anghrediniol arno â'i un llygad.

'Glyndwr – what have you just said?'

'I said we'll send 'er to the Welsh School. Late though it is. 'Cos it's a good school, so they say. She'll learn the language quick enough, 'er bein' bright. An' she'll 'ave good company as well. 'Er friend Meryl from Balaclava's startin' too. An' there's a little Welsh girl from top o' Bowen Street goes there already.'

'Aye, I know. I've met 'er once or twice . . .'

'So – are you 'appy now?'

'Happy? I'm nearly crying!'

Ac Isaac yn ysgwyd llaw â'i fab.

'Thank you, Glyndwr. You have made an old man very glad. If only your old Mam-gu Bryn Ffynnon was alive. She'd be crying into her apron . . .'

'Don't get all sentimental with me, Dad. An' remember, English is still the language of this family. As I've said before – thanks to you – eh Dad?'

Ac Isaac yn rhoi ochenaid. Ac yn peswch. Ac yn poeri mewn i'r tân.

Y MERCHED NEWYDD

Roedd dwy ferch newydd yn yr ysgol heddiw. Lynette a Meryl yw eu henwau. Mae Meryl yn byw yn Balaclava a Lynette yn Hebron. Gransha Lynette yw Mr Eisac Morgan, rwyn ei nabod e a mae en neis. Mae en galw Lynette yn "Luned". Nana Meryl yw Mrs Thomas Cwc. (Does neb yn ei hoffi hi.) Mae Meryl a Lynette yn ffrindiau achos roedden nhwn mynd i ysgol Waun Juniors. Heddiw roedd Miss Morris wedi rhoi Lynette a Meryl i sefyll o flaen pawb. "Mae merched newydd yn yr ysgol" meddai. "Lynette a Meryl yw eu henwau. Yn anffodus dydyn nhw ddim yn siarad Cymraeg eto. Yn ffodus, byddwn ni yn gallu eu helpu nhw i ddysgu. Felly rhaid i bawb siarad Cymraeg bob amser gyda nhw. Dim Saesneg o gwbl. Iawn?" Ac roedd pawb yn ateb "Iawn, Miss Morris" ac yn gwenu ar y merched newydd. Roedd Lynette yn gwenu nôl ond roedd hin edrych tipyn bach yn nerfys. Doedd Meryl ddim yn gwenu, dim ond gwgu.

Mae sŵn da i "gwgu". Na, sŵn drwg a hyll. Fel bod yn "grac" a "gwyllt" a "gwallgof". Mae "gorffwyll" yn air hyll hefyd ac mae en rhoi ofn mawr i fi.

Maer geiriau hyn i gyd yn dechrau gyda "G".

Mae enw Mami ("Gwenda) hefyd yn dechrau gyda "G".

Mae hi hefyd yn rhoi ofn i fi ambell waith.

Mae lot o bobl yn rhoi ofn i fi, yn enwedig Miss Morris. Mae hin rhoi ofn i bawb ond does neb yn dweud dim byd. Byth. Rhag ofn.

'I'm no' speakin' Welsh for no-one!'

Meryl, yn stampo'i thra'd ar lawr fel asyn glan-y-môr, yn neud sŵn fel asyn, hefyd. Sŵn udo od. A Scary'n 'i llusgo draw i'r cwpwrdd addurniade a'i thowlu hi miwn iddo fe, i ganol y potie glud a'r paent a chloi'r drws a rhoi'r allwedd rhwng 'i bronne. A sŵn udo a chico yn dod o'r cwpwrdd nes i Scary weiddi 'Stopwch y sŵn 'na Meryl Thomas! Neu fe ewn ni â chi i bromenâd Porthcawl a bydd rhaid i chi gario pobol ar 'ych cefen lan a lawr am byth!' Dda'th dim smic o'r cwpwrdd wedyn.

Ond pwy siglodd mas o'r gegin ond Mrs Thomas Cwc, a gofyn a o'dd rhywun wedi gweld 'our Meryl' yn ddiweddar. 'I bod hi ar goll. Bod cino'n barod a dim sôn amdani. A o'dd pawb yn trio pido edrych ar y cwpwrdd, ond yn edrych arno fe sgiw-whiff nes bod 'u llyged yn mynd sgiw-whiff hefyd. A Scary'n esgus cysgu wrth 'i desg a'i phen yn gorwedd ar Rumpelstiltskin. A Mrs Thomas Cwc yn cynddeiriogi a gafel ynddi a dechre'i hysgwyd hi a'i hysgwyd hi mor galed nes bod dannedd dodi'r Scary fach yn ysgwyd yn 'i phen a'r allwedd yn saethu mas o'i bronne a chwmpo ar y llawr. A Mrs Thomas Cwc yn gweud 'Aha!' a chodi'r allwedd a mynd i agor drws y cwpwrdd. A phawb yn dala'u hana'l . . .

Ond do'dd dim sôn am Meryl. O'dd y cwpwrdd addurniade'n hollol wag.

'Aha!' medde Mrs Thomas Cwc yr eildro. 'I know all about your little game, Miss Mary Scary Morris!' A phawb yn trio pido wherthin a Scary'n trio cadw'i cheg ar gau rhag tynnu sylw at 'i dannedd dodi. 'You've strung 'er up you 'ave! As an Angel Gabriel or Ysgub y Cynhaeaf or Gwennol Fach y Gwanwyn or a measly Mari Lwyd! Fi'n gwpod trics chi i gyd! But she's somewhere in this school! I'll find 'er, don' you worry!'

A Mrs Thomas Cwc yn edrych arnon ni a gwenu'n neis.

'Cinio'n barod, blant. Cinio sbesial heddi – donkey pie!'

A winco arnon ni fel menyw wallgo.

A wedyn fe ddihunes i.

BREUDDWYDION OD

Rwy'n cael llawer o freuddwydion od. Mae Mam'in dweud na ddylwn fwyta caws cyn mynd i'r gwely. Neu falle fy mod yn darllen pethau rhy gyffrous cyn mynd i gysgu – Treasure Island, Swiss Family Robinson, What Katy Did. Ond nid caws na llyfrau sy'n creu breuddwydion od ond beth sydd wedi digwydd yn y dydd. Os oes rhywbeth wedi eich gwneud yn hapus bydd y freuddwyd yn un hapus er ei bod yn od. Ond os bydd rhywbeth wedi eich gwneud yn ofnus neu'n anhapus bydd y freuddwyd yn gas ac yn od. Weithiau rydych yn breuddwydio am beth sydd wedi digwydd amser maith yn ôl ac rydych yn meddwl ac yn gobeithio eich bod wedi ei anghofio ond rydych chi ddim ac mae popeth yn dod nôl yn fyw a phobol hefyd ac enw'r math yna o freuddwyd yw hunllef. Ystyr y gair "hunllef" yw llefain yn eich cwsg. Rwy'n gwybod fy mod yn gwneud hynny ambell waith, oherwydd byddaf yn clywed fy hunan yn llefain ac weithiau bydd fy ngobennydd yn wlyb pan fyddaf yn dihuno. Ond nid wyf yn dweud wrth neb. Ac nid wyf am ysgrifennu mwy am fy hunllefau.

Y Diwedd.

'Cymraeg yw iaith yr ysgol hon!'

'I don' care a damn! An' anyway who are you to tell me, Branwen Roberts?'

'Ma' Miss Morris wedi gweud . . .'

'Fuck Miss Morris! I never wanted to come 'ere in the first place! My Mam an' Nana forced me. But my Dad knew best.'

'Pam? Beth wedodd e?'

'"Shift my daughter from Waun Juniors to the Welsh school? For 'em Nazi Nationalists to get 'old of 'er? Over my dead body!" But my Nana an' my Mam they 'ad their way they did.'

'Wel da iawn nhw!'

'You sound just like a bloody teacher! The only reason they sent me 'ere is because it's more convenient! My Nana can look after me, my Mam out workin' every day.'

'O? Yn ble?'

'Down the Christmas trimmins factory, if you 'ave to know, you little nosy parker!'

'Gwaith diddorol.'

'Diddorol! It's bloody borin', mun! We get free samples, mind. And she do nick a lot as well. All 'em little shiny baubles, all 'at glitter, she do give 'em to 'er friends an' family. Very generous she is, my Mam. An' anyway it's a berrer job than stuffin' bloody chickens. Who wants free samples o' bloody giblets!'

'Mae fy mam yn gweithio hefyd, ambell waith . . .'

'Don' wan'no know about your bloody Mam! Don' wan'no know nothin' about you or anyone else in this bloody school! Just leave me alone, okay? An' anyway, who do you think you are, you bloody 'oiti-toit?'

FY NGWAITH PWYSIG

Rwyf wedi cael gwaith pwysig yn yr ysgol. Helpu'r "Newydd-ddyfodiaid", sef Meryl a Lynette a Simon Simms i siarad Cymraeg.

Dim ond ers wythnos mae Simon Simms yn yr ysgol ac nid yw'n siarad llawer o ddim byd dim ond cadw'n dawel a darllen ac ysgrifennu bob munud. (Ond mae e'n dweud ei fod yn gallu siarad Ffrangeg gan taw Ffrances yw ei fam.) Ei dad yw Doctor Simms y doctor newydd. Mae e'n cael ei alw'n "Simon Simms y Swot" gan ei fod yn glefer iawn ac yn gallu gwneud pob sym yn hawdd.

Mae Lynette yn siarad Cymraeg yn dda iawn erbyn hyn ond mae Meryl yn anobeithiol gan nad yw yn trio o gwbl. Nid yw ei mam na'i thad yn siarad Cymraeg ac mae ei Nana, Mrs Thomas Cwc, yn pallu siarad Cymraeg a hi.

"I've spoken English to her since she was a baby" meddai hi. "I can't change now."

Maen nhw wedi anfon Meryl i Ysgol Tan-y-Berth gan fod y bws spesial yn stopio reit tu fas i'r tŷ ac mae Mrs Thomas Cwc yn edrych ar ôl Meryl bob prynhawn pan fydd mam Meryl yn gweithio yn y ffatri trimins Nadolig. (Mae tad Meryl bant yn rhywle.)

Mae'r tri wedi cael dod i Ysgol Tan-y-berth am ei bod yn ysgol dda. (Mae pawb yn pasio Scolarship bob blwyddyn.) Ac hefyd am ei bod yn ysgol newydd, bert.

Er nad yw Simon eisiau help, ac er nad yw Meryl eisiau siarad Cymraeg rwy'n falch iawn taw fi sydd wedi cael y gwaith o helpu'r plant yma. Gwaith hynod bwysig, medd Miss Morris. Am fy mod i'n siarad Cymraeg yn arbennig o dda ac am fy mod yn ferch mor ddibynadwy.

'Dwyt ti ddim yn drwst!

Diflannu fel'na! Heb weud i ble! Na phryd fyddet ti 'nôl! O, na, o'dd hynny'n gofyn gormod!'

O'dd hi'n cerdded 'nôl a mla'n, y kimono coch yn dynn amdani, yn pwffian ar 'i sigarét, yng nghanol lot o fwg. O'dd hi'n debyg iawn i ddraig – dim un hyll, fygythiol 'Ddyry

Cychwyn' – ond un fach eiddil, bert fel yr un ar blat bach hirsgwar ar ddreser fowr Mam-gu. Wncwl Ben y morwr meddw wedi dod ag e bob cam o Thailand ne' Indonesia ne' Japan. Crac dwfwn lawr y canol, yn torri reit drw' gorff y ddraig, fel 'se rhywun wedi'i hollti hi â chleddyf. A Mam-gu'n dannod.

'Ti gracodd hwnna, Gwenda, pan o't ti'n groten fach. Mynnu whare tŷ-bach-twt â llestri gore'r ddreser.'

'Wel 'na gelwydd, Mama! A chithe wastad wedi gweud taw Wncwl Ben o'dd wedi craco'r blwmin peth! Cyn gadel y blwmin porthladd siŵr o fod!'

'Naddo fi . . .'

'O do! Yn 'i fedd-dod, meddech chi! O'dd e'n feddw dwll drw'r amser! Wy'n cofio'i ddwylo'n ysgwyd, 'i gwpan yn ratlo ar y soser, a fynte'n sarnu'i de. Ond 'na fe, mae'n haws rhoi bai ar gam. 'Y meio i am bopeth! 'Na'ch hanes chi erio'd – beio, beio! Byth yn cydymdeimlo, byth yn helpu. Dim ond dannod a beirniadu. Yr un hen stori!'

A Mam-gu'n troi bant yn sydyn a chodi'i ffedog at 'i llyged . . .

A nawr o'dd y ddraig fach bert yn dala i holi 'mherfedd . . .

'Wel? Ble fuest ti? A finne fan hyn, ar 'y mhen 'yn hunan fach, yn becso'n ened? Pam wyt ti'n droednoeth? Ble ma' dy sandale di? A dy watsh fach newydd? A beth yw'r plaster mowr 'na ar dy fraich? Beth sy wedi digwydd, Branwen?'

Lot fowr o hen gwestiyne lletwhith. A'r stori'n hir. A finne'n ffaelu'i gweud hi'n onest. Yn goffod gweud celwydde rhonc.

O'n i wedi ca'l diwrnod hir . . .

Mae hi'n cysgodi rhag y storm.

Mewn cuddfan newydd sbon yng nghanol y 'Grand Avenue' – rhodfa o gofgolofnau drudfawr i fawrion oes a fu. Dynion busnes – perchnogion a rheolwyr pyllau a ffatrïoedd, siopwyr, cynghorwyr, undebwyr, enwogion o fri. Hen fedd mawreddog, un marmor, du o dan yr ywen fwyaf, hynaf yn y fynwent.

Here Lieth the Mortal Remains
of
Thomas George
late of this parish
founder (1891) of T. George & Sons, E.M.S.
(Engineering Merchants and Suppliers)

Heddwch i'w Lwch

Yn gwmni i'r gwron mae ei wraig a'i fab a'i ferch-yng-nghyfraith a dau ŵyr. Ac angel yn eu gwarchod un ac oll, ei adenydd mawr ar led, ei ben yn gwyro'n wylaidd a'i ddwylo ynghyd mewn ystum gweddi.

Mae haul y bore wedi cilio'n sydyn ac ildiodd yr awyr las i'r cymylau duon. Mae sŵn y glaw ar y marmor fel Rhaeadr Pen-y-cwm yn taro yn erbyn gwely'r graig, ddeugain troedfedd dda islaw. Rhaid aros yn amyneddgar i'r storm dawelu, a hithau heb got na welingtons na picsi cap nac ymbarél. Ond 'fyddai'r rheini'n fawr o gysgod, â'r gwynt mor gryf a'r glaw mor drwm.

Y bedd yw ei hymgeledd, er gwaetha'i leithder tywyll a'r diferion oer sy'n cosi'i gwegil. Ac mae'r angel â'r llygaid trist, caeedig yn warcheidwad drosti.

Lawr yn y pellter – hanner ffordd ar hyd afonig o lwybr serth sy'n arwain at yr eglwys – gall weld Bob Go-fetch a dau gydweithiwr. Mae hi'n teimlo drostyn nhw, yn ymbalfalu'n seithug mewn bedd agored â'i ochrau wedi dymchwel yn y storm. Ac yn ôl eu brys a'u ffwdan, mae angladd ar ei ffordd. Tri dyn cydnerth mewn cotiau sgleiniog yn ymladd yn erbyn bysedd y cloc a grym y dŵr a'i ddonnog genlli.

A hithau'n gwylio popeth.

Druen bach â nhw.

Yn bracso yn y pwdel brown, yn dwlu ofon gweld y prosesiwn angladdol yn cyrredd unrhyw funud. A finne'n joio,

201

yn amseru'r sioe i gyd â'r watsh fach newydd Mickey Mouse ges i'n anrheg 'da Wncwl William am ennill yn y Steddfod Sir. O ie, 'ma beth fydde sbort.

Hanner awr o balu ffyrnig, agor ffosydd, panic llwyr. A'r galarwyr yn dod dribs-a-drabs fesul dou neu dri o dan 'u hymbaréls a mentro dringo'r tyle at y bedd a phipo miwn i'r twll, 'u penne'n ysgwyd mewn anobeth. Ar ôl trafodeth a mwy o ysgwyd penne a lot o sychu trwyne, o'n nhw'n sleido 'nôl ar hyd y tyle i gysgodi ym mhortsh yr eglwys.

Mwy o balu.

Mwy o ymbalfalu yn y twll, ond fawr o lwyddiant. Ac mae gwaeth i ddod. Y ceir angladdol – yn cordeddu'n rhesaid hir, urddasol gan aros, fel trên mewn stesion, wrth yr eglwys. Mae'r ymgymerwr mwfflog yn camu o'r car cyntaf, sy'n cario'r arch a'r torchau blodau, yn cael gair â'r ficer a'r ddirprwyaeth yn y porth cyn brasgamu lan y llethr i gwrdd â Bob. Pwyllgor sydyn rhyngddynt, a'r ddau'n chwifio'u breichiau a phwyntio'u bysedd i wynebau'i gilydd cyn i'r ymgymerwr lithro'n wlyb, ddi-urddas 'nôl at y ceir. A Bob yn ysgwyd ei ben a chodi'i freichiau mewn anobaith cyn dychwelyd i'r twll a dechrau palu eto gyda'r lleill.

Hanner awr o fynd-a-dod gofidus rhwng y ceir a'r bedd. Ond dim i'w wneud ond ildio i'r elfennau a gohirio'r claddu. A'r ymgymerwr yn rhoi arwydd a'r prosesiwn ceir yn cychwyn ar ei siwrnai droellog, fel Siani Flewog ddu ar hyd y llwybrau gwlyb, heibio i'r bedd drylliedig lle mae Bob a'i weithwyr at eu pennau-gliniau yn y mwd. Maen nhw'n tynnu'u capiau a phengrymu, fel milwyr yn y Somme yn dweud eu pader olaf.

Rhes o falwod.

Fel'ny o'n i'n gweld y ceir angladdol yn llusgo hibo i 'nghuddfan yn 'y medd. Malwod duon, mowr, hen slygs hyll,

yn sheino yn y glaw, gan adel llwybyr o lysnafedd yn y mwd.
A'r gyrrwr a'r ymgymerwr yn 'u du, yn 'u seti uchel, fel llyged
corniog y falwoden gynta, a siamber fowr yr arch fel cragen
wydr. O'dd yr arch yn bert – derw gole, trimins arian a thorch
siâp 'GRANMA' o flode gwyn. O'dd rhai o'r bobol yn y ceir yn
sychu'u dagre â'u macynnon. O'dd ambell facyn yn cwato
ambell wên.

Ochenaid o ryddhad.

Mae'r dynion yn y bedd yn pwyso ar eu hoffer ac yn
syllu ar y ceir yn diflannu gan bwyll bach trwy'r gatiau.
Mae Bob yn codi'i lygaid at y nefoedd dywyll cyn rhoi
arwydd bach i'r lleill ac mae pawb yn dringo lan o'r bedd
a'i baglu am y cwt sinc ar bwys y mortuary i gael smôc a
dishgled dwym.

Mae hithau'n aros yn ei bedd. Ar ei phen ei hunan fach.
Yn synfyfyrio am hen waith diflas torwyr beddau, am
fywyd a marwolaeth, am y Rowntrees Fruit Gum yn ei cheg
a'r bys eiliadau ar y watsh fach Mickey Mouse yn tician
rownd-a-rownd. Am natur ffawd, am anffawd cynnal
angladd ar anterth storm, am mor ffodus yw hi i gael bedd
mawr clyd yn gysgod, heb orfod ei rannu â'r un enaid byw.

Synfyfyrio am farw creulon cathod bach mewn bwced; am
farw'n hen fel Anti Marged, yn ifanc, fel y groten Llinos 'na;
am lusgo marw, godde'n hir . . . Am farw'n sydyn – damwain,
falle – fory, heddiw, nawr, y funud hon.

'Tha' funny little girl from Gwynfa – she dropped down
dead you know! Up Waun Cemetery – of all the creepy
places to drop down dead! In a grave she was – a little girl
like 'at! Who the 'ell let 'er go there? But there you are –
died she did, poor dab. All on 'er own an' all. Sudden? Don'
talk to me! Very sad it is – but a funny little girl she was.'

Pwy fyddai yn ei hangladd? Yn llefain, yn cofio
amdani'n annwyl? Yn gwenu'n ddi-hid, yn cuddio'u
chwerthin â macynnon gwyn? A'r dorch ar ben ei harch?

Siâp **BRANWEN** tybed? Neu galon fach? Neu gath? Siâp bathodyn yr Urdd – dail gwyrdd a blodau coch a gwyn? Torch o rosys fyddai ei dewis hi. Rhai enfawr, coch. Ond 'châi hi fawr o ddewis a hithau wedi marw, yn gorff bach oer mewn arch. Os câi rybudd o'i marwolaeth o flaen llaw, gallai drefnu popeth. Torch o rosys coch a 'Branwen Dyddgu Roberts' mewn llythrennau coch ar garden aur. A 'Rho im yr hedd' yn emyn wrth ei bedd a'i mam yn torri'i chalon. A Mam-gu, wrth gwrs, os byddai byw . . . A Mr Godwin Bach Gweinidog yn gorfod cadw draw 'ar gais yr ymadawedig'. Gair mawr i groten fach.

'Ond mae hi'n groten glefer . . .'

A beth am Granma, druan, pwy bynnag oedd hi? Oedd hi'n debyg i Mam-gu? Yn becso, yn pregethu?

'Caton pawb! Cer mas o'r bedd 'na! So fe'n lle i groten fach! Cer mas i'r houl! Ti'n welw reit!'

Pwl o hiraeth sydyn – am wên Mam-gu, ei llais, ei llygaid du tu ôl i'r sbectol gron, ei harfer bach o blygu'i phen wrth siarad . . .

'Paid â gweiddi arna i, Gwenda . . .'

'Wel stopwch chi bregethu, Mama!'

A finne wastad yn y canol.

Yn ca'l 'y nhynnu rhwng y ddwy.

'Mami – ma' Mam-gu ar y ffôn!'

'Gwed wrthi 'mod i yn y gwely.'

'Mami, llythyr 'wrth Mam-gu. So ti wedi'i agor e.'

'Darllen di fe – a rho wbod i fi os o's rhwbeth pwysig.'

'Licen i sgrifennu 'nôl . . .'

'G'na di fel lici di . . . A chofia fi ati . . .'

Bob amser y 'Cofia fi ati . . .' A phob amser – ddyddie, wthnose'n ddiweddarach – y difaru sydyn, a'r trip i Aberaeron yn y car.

'Dere Branwen! Y'n ni'n mynd i dŷ Mam-gu.'

'Nawr?'

'Ie, nawr!'

Yn hwyr y nos, ar doriad gwawr, ta pryd y bydde'r hireth yn mynd yn drech na'i balchder dwl.

Mae hi'n synfyfyrio am y tun bisgedi.

O'i blaen hi yn y bedd, a'r label â'i sgrifen bert yn dal yn sownd.

Nadolig Llawen i chi'ch dwy
oddi wrth
Mama / Mam-gu

'A chofia taw ti sy'n ca'l y chocolate creams i gyd gan dy fod yn groten dda, yn neis i dy fam-gu.'

Tun bach pert sy nawr yn orlawn o drysorau. Straeon, dyddiaduron, photos a llythyron; dail a blodau wedi'u sychu; rhubanau gwallt, cerrig glan-y-môr a lot o blu amryliw. Un bluen wen . . . Llun bwthyn bach to gwellt sy ar y caead, un tebyg i fwthyn Elen Ifans, drws nesa i dŷ Mam-gu. Hen wrach fantach a mwstashog a'i siol am ei hysgwyddau, clocs siabi am ei thraed a chap bach gwlân am ei phen. Syrthio o ben stôl wrth wyngalchu'r waliau oedd ei diwedd hi. Marw mewn pwll o wyngalch, druan, fel petai churn o laeth wedi moelyd drosti.

'Ma' clamp o hanes yn mynd i'r pridd y prynhawn 'ma, Branwen. Elen Ifans, wedi byw ym mhen draw'r byd. Pennsylvania, Llunden. Wedi gweld sawl rhyfel – y Boer, dou ryfel byd. Wedi colli gŵr a mab a merch, wedi godde lot – lot fowr. A fe allet ti dyngu na chroesodd hi 'rioed yr hewl o'r bwthyn bach 'na. Dim lot o Sysneg, ond llond pen o iaith bur Shir Aberteifi. Ma'i theip hi'n brin ffor' hyn.'

'Good riddance to bad rubbish!'

'Beth wedest ti?'

'Good riddance . . .'

''Na ddigon, yr hen groten ddrwg! Siarad am Elen Ifans fel'na! A hithe wedi marw! A ble ddysgest ti shwt iaith? Pwy ddysgodd di?'

'Neb. Fel'na wy'n lico siarad.'

'Wel rhag dy g'wilydd di! A cer o 'ngolwg i!'

Tun bach pert sy nawr mewn bedd, wedi'i roi mewn cwdyn plastig a'i stwffo rhwng dwy garreg, dan slabyn fflat o farmor.

Mae'r glaw'n gostegu.

Mae hithau'n dal i synfyfyrio. Am stormydd bywyd, angladdau, eirch a gwyngalch, fruit gums a bisgedi a thai to gwellt a gwrachod bach mwstashog. Am ei Mam-gu, a'i mam. Am fod yn od. Am y treisicl bach coch.

Wedi'i barcio wrth y bedd. Yn ddigysgod yn y ddrycin. Un trwsgwl a henffasiwn a fu'n segur ers blynyddoedd yn y shed. Ond ar ôl lot o rwbio a glanhau a'i beintio'n goch mae e bron fel newydd – yn weddol ddisglair a di-rwd.

'Branwen – cofia bod isie i rywun ddod i jeco'r brêcs a'r teiers, cyn iti fentro ar 'i gefen e.'

Ond dim yn cael ei wneud, fel arfer. Ac mae hithau'n ddigon hapus. Dim busnesu, dim pregethu, dim ymyrryd – dim ond rhyddid i fynd a dod yn ôl ei chwiw fach od ei hunan.

A bant â hi bob cyfle. Canu'r gloch fach tincl-tincl; gwibio lan a lawr y pafin, draw at wal y Waun a 'nôl. Mentro mwy – lawr y ffordd ryw ganllath – a throi 'nôl. Mentro 'mhellach fyth – ar hyd y gwlis cefn, drwy'r mwd a'r pyllau dŵr, rhag i neb ei gweld. Rhag gorfod godde gwawd. Ond cael ei dal o'r diwedd.

''Ere she comes!'

'The silly little Welshie!'

'On 'er silly little tricycle!'

'Bit too old for 'at, eh, Welshie?'

'An' where's 'at silly little dollies' pram you 'ad!'

'We speak Welsh an' all! Gobble, gobble, gobble!'

'Lanferpwlgwyngylgogerychwyndrobwl!'

'Speak some Welsh for us, Welshie!'

'Come on! We 'aven' gorr all day!'

'Lost your tongue 'en, Welshie?'

'Oh, come on, leave 'er. We go' berrer things to do.'

'Aye, lessgo down the Bracchi's.'

A hithau'n pedlo am ei bywyd draw i'r fynwent. Troi mewn trwy'r clwydi mawr, heibio i'r arwydd aur a du, pedlo'n galed, dringo'r llwybrau igam-ogam, gorfod gwthio yn y mannau serth nes cyrraedd y cornel pellaf, uchaf un. A pharcio, cael ei gwynt ac edrych lawr y llechwedd serth. Gweld y llwybrau'n torri rhwng y rhesi hirion gwyn a llwyd a du, y deri a'r coed yw, y llwyni rhododendron, tŵr yr eglwys, waliau brics y mort. A'r cyfan yn gyfarwydd. Yn ddigyfnewid.

A hithau'n saff.

Un fruit gum sydd ar ôl.

Jeli meddal, coch yn glynu ar gledr ei llaw. Mae'r glaw mawr bellach yn law mân ac mae stribyn gwan o felyn yn hollti'r mwrllwch. Mae'r prynhawn yn dechrau tynnu ato a'r olygfa o geg y bedd fel llun pensil ar bapur llwyd. Silwéts – wal hir y fynwent a'r gatiau pigog, tŵr sgwâr yr eglwys, shimne'r mortuary, cerrig beddi fel dannedd pwdr, canghennau fel crafangau, brigau'n byseddu'r awyr, angylion yn estyn am y nefoedd. Ar draws y cwm, mae creigiau ucha'r Foel fel cyllyll yn rhwygo'r gwyll. I'r dde, mae'r Broken Wall fel craith ar gnawd Waun Bowen. Ac fel ploryn gwyn, anghynnes – Gwynfa.

Gall glywed lleisiau Bob a'r lleill yn dal i weithio yn y bedd drylliedig. Islaw mae'r mortuary, yr adeilad gwaharddedig, bariau dros ei ffenest lychlyd, padloc ar ei ddrws. A'r hanesion amdano mor erchyll â'r fytholeg am ddwnshwn du'r Destructor.

Ysbrydion drwg yn llechu, fampeirod gwaedlyd, hyll-ddanheddog. Ystlumod. Creaduriaid dychryn un ac oll. Fe'u gwelwyd gan sawl tyst – cwsmeriaid brith y Bute Hotel a'r Resurrection Club drws nesa – yn hwyr sawl noson.

'I swear to God an' 'ope to die! I saw 'em flyin' all around! Like ugly angels, all in black!'

'Me too! Cwtshin' down I was – mindin' my own business, if you do get my meanin'. Up by them posh graves, bit 'igher than the mort, just below Catholic Row where all the photos are. I couldn' do my business there with all 'em faces starin' at me! Why do they put photos of the corpses on their graves I'll never know! Anyway, there I was, cwtshin' down, tidy like, late one night, after stop tap. We don' 'ave no choice but to use the Cem – Joe Flynn don' like no mess outside the Bute, so we do nip over the wall we do. An' we do see some funny things an' all!'

Ambell gaead bedd yn codi. Cerrig beddi'n ysgwyd. Rhywun – rhywbeth, falle? – yn cario lantern bob-bob-bob o fedd i fedd. Cyrff adar a brogaod a llygod bach y maes wedi'u gosod ar y beddi. Corff cath ddu ar draws y llwybr. Cyrff ystlumod yn hongian o fariau ffenest fach y mort. Oen bach â'i wddw wedi'i hollti wedi'i adael wrth y drws. Aberth. Sbort sadistig. Jôc ddiniwed. Celwydd noeth? Doedd neb yn siŵr.

A'r stori fwyaf erchyll. Yr un hollol wir. Am fenyw'n gorwedd ar y slabyn mawr o lechen, yn gelain, borcyn, druan fach, ar noson Calan Gaeaf. Wedi'i pharatoi, yn barod am ei harch. A bawd ei throed, neu flaen ei bys, neu ael neu amrant, neu ryw ran arall o'i hanatomi – doedd neb yn siŵr – yn rhoi twitsh fach sydyn. A hithau wedi marw! A'r ymgymerwr yn cael sioc ei fywyd! Fe a'i fab.

'She was finished! Dead! Nice an' ready for 'er coffin! An' there she was, twitshin' like an 'eadless 'en!'

Ond fe gadwon nhw eu pennau, a'i chodi bant o'r slabyn a'i rhoi mewn amdo handi. A'i chario mas i'r hers. A mynd â hi i'r Cottage dair milltir lawr y cwm.

'In the bloody 'earse! Imagine! But they pumped 'er 'eart an' gave 'er oxygen an' got 'er back to life. An' the poor dab – no, the lucky sod! – lived to tell the tale.'

Am y tywyllwch. A'r môr goleuni yn ei chynnal, a'r côr o leisiau yn ei hannog ar hyd twnnel hir. A golau rhyfeddach

fyth yn ei ben draw, yn ei dallu, yn ei chynhesu drwyddi. A
hithau'n estyn am y golau a'r cynhesrwydd, yn teimlo llaw,
yn clywed llais. A'r llais yn galw arni, y llaw yn gafael
ynddi, yn ei chodi fry, o'r twnnel dudew mas i'r haul.

'She went on to be a Pentecostal preacher down in Ponty.
So they say.'

Roedd hi'n stori dda.

Gwyll.

A niwlen lonydd, laith yn cau am groten fach mewn
bedd. 'Wêl hi fawr ddim ond mwrllwch llwyd yn garthen
ddyfrllyd dros y cwm. Clyw leisiau'r gweithwyr yn codi'n
donnau o gyfeiriad y mortuary – maen nhw wrthi'n
casglu'u hoffer, yn eu cloi dros nos yn y cwt bach sinc, yn
paratoi at fynd sha thre. Gall glywed dripian dŵr – drip,
drip, drip o'r ywen fawr. Drip, drip, drip ar y marmor uwch
ei phen. Gall glywed synau pell – hymian cyson Pwll y
Waun, traffig, trenau, plant yn chwarae. Synau saff y cwm.

Rywle draw i'r dde, sŵn cyfarth ci. Mot, falle? Rhy bell i
fod yn siŵr. Ond fe'i dychmyga'n rhedeg 'nôl a mlaen ar
hyd y llwybrau, ac Isaac Morgan yn taflu brigyn iddo a Mot
yn ei ddychwelyd yn awyddus. Nes y blinai Isaac ac anelu
am ei fainc. Byddai'n sychu'r gwlybaniaeth oddi arni â'i
facyn poced, yn eistedd yn fyr ei wynt ac yn estyn am ei
losin. A Mot yn ei lygadu'n ddisgwylgar.

'Ci da, Mot.'

Mae hi'n teimlo'n gysglyd. Bu'n ddiwrnod hir. Mae'n
bryd iddi fynd sha thre.

Yn hen, hen bryd.

O'dd Mickey Mouse yn sgrechen arna i. Bydde'r gatie'n
cau cyn hir. Ond do'dd dim problem, dim ond cripan mas drw'r
drws bach gwyrdd, fel o'n i wedi neud sawl tro o'r bla'n.

Ond o'dd ofon arna i fentro mas o'r bedd. I wynebu Bob

Go-fetch a'i bregeth a'i gwestiyne lletchwith. A falle Isaac Morgan hefyd. O'n i'n moyn 'u hosgoi nhw'u dou, a chyrra'dd 'nôl i Gwynfa heb ga'l stŵr.

O'dd gofyn bod yn slei. A finne wedi bod yn ddigon slei yn barod. Palu celwydde wrth fy mam – pledio bola tost, pen tost, popeth tost – er mwyn ca'l mitsho bant o'r ysgol. A'r eiliad a'th hi 'nôl i'r gwely o'n i wedi jengid ar y treisicl. A hithe'n sylwi dim, yn ame dim, fel arfer. Ond fe fydde hi ar ddi-hun erbyn hyn, yn dechre pyslo ble o'dd y claf. Y gnawes fach slei o glaf.

Do'dd dim dewis ond 'i mentro hi. A 'na beth 'nes i. Camu mas trw'r ENTRANCE, rhoi naid lawr i'r llwybyr – a sinco'n strêt i bwll o ddŵr, dros 'y mhigyrne, nes bod y sane a'r sandale newydd yn sopen. Drat. Shwt allen i egluro hyn? Trw' dynnu'r sgript gelwyddog mas o 'mhen.

'Pam est ti o'r tŷ a tithe'n dost?'

'Isie awyr iach.'

'Ble fuest ti?'

'Am wâc.'

'A'r tra'd gwlyb?'

'Pwll mowr o ddŵr ar y gwli.'

Rhodd Mam o sgript. Îsi pîsi, dim byd haws.

Ne' falle, gyda lwc, allen i slipo miwn i'r tŷ, heb iddi sylweddoli dim, glanhau'r sandale, golchi'r sane . . . Ie, gyda lwc, ond o'dd rhaid symud o fan hyn . . .

CRASH!

Sŵn taran, daeargryn, y *Titanic* yn taro'r mynydd iâ, trên trwy dwnnel, tonnau gwyllt yn pwno'r Prom yn Aberystwyth, clympiau glo'n arllwys o'r cart lawr i'r pafin, casgenni'n rowlio lawr y ramp i seler y Bute Hotel – a'r cyfan gyda'i gilydd yn un crescendo anferth.

A hithau ar ei chwrcwd. Wedi cwtsho lawr yn reddfol, ei llygaid yn dynn ynghau a'i dwylo dros ei chlustiau. Yn meddwl bod ei byd ar ben. Ei bod hi wedi marw.

A'r twrw'n troi'n dawelwch llethol fel mewn angladd.

Ac yna lleisiau'n gweiddi, traed yn rhuthro.

'Dduw Mawr!'

'Good God!'

'It's the big old yew tree! Crashed right down it 'as!'

'On 'at little girl! The funny little one! She's sittin' by 'at big 'uge slab b'there!'

'Branwen! Wyt ti'n iawn? Bob sy efo ti'r hen hogan.'

Teimlo breichiau yn ei chodi. Poen aruthrol yn ei braich. Rhywbeth twym yn llifo dros ei llaw.

'She's 'urt 'er arm!'

'She's 'urt 'er 'ead an' all. Go fetch the First Aid box from down the mort!'

'Forget the bloody box! Go fetch a bloody doctor! Jack, go down the sexton's office, quick! You can phone from there!'

'Dim doctor, Bob. Dim doctor.'

'Ond mi wyt ti wedi brifo.'

'Dim doctor! Plîs, dim doctor! Ddim yn lico doctor!'

'Ond beth os wyt ti 'di torri dy fraich? Wedi cael concussion, ella?'

'Naddo! 'Drychwch.'

Mae hi'n sefyll ar ei thraed yn dalog, yn codi'i braich yn uchel dros ei phen a'i hysgwyd rownd a rownd fel melin wynt.

''Sdim byd yn bod! Hen gwt bach ar y croen. Fe roia i blaster arno fe ar ôl mynd sha thre. Heb i Mami wbod. Eith hi'n grac, fel arall. Yn grac iawn.'

'What's she sayin', Bob?'

'She doesn't want a doctor.'

'No, no doctor, please!'

Mae Bob yn gweiddi lawr y llethr.

'Hey Jack! Forget the doctor! She's allright.'

'Diolch, Bob.'

Mae Mot yn dod o rywle, fel drychiolaeth mas o'r niwl. Neidio fel ci syrcas dros ganghennau'r ywen, dros y darnau marmor a dawnsio'n wyllt, ei gwt fel baner, ei lygaid rhyfedd yn disgleirio. Mae hithau'n dawnsio hefyd, i brofi ei bod yn berffaith iach. Mae hi'n taflu brigyn bach o'r ywen lan yn uchel ac mae Mot yn mynd amdano a'i ddal yn hawdd cyn dechrau dawnsio eto.

Mae'r lleisiau'n mynd-a-dod . . .

'She seems allright.'

'Tough she is.'

'Iste, Mot! Wel, groten, gest ti ddolur?'

'Naddo!'

'Wyt ti'n iawn, 'rhen hogan?'

'Odw!'

Ma'i phen yn troi . . .

'Ond ma' isie bod yn siŵr. I'll take her to see my daughter-in-law, Morfydd. She's a nurse. She'll see to her.'

'Na! 'Sdim isie!'

'Dere di 'da Mot a fi a Gwennie, 'na ti groten dda.'

'Ia, dos di efo Isaac.'

Maen nhw'n dechrau cerdded lawr y tyle, Isaac yn hwpo Gwennie yn ei chadair, Bob yn llywio'r treisicl a Mot yn rhedeg rownd . . . Mot yn mynd-a-dod . . . Isaac a'r beic yn mynd-a-dod . . . Popeth yn mynd-a-dod-a-mynd-a-dod . . . Fel y boen yn ei phen hi . . . Yn ei braich . . .

A'r niwl o flaen ei llygaid . . .

'She'll be allright.'

Mae'r fenyw neis yn gwenu wrth roi'r botel Dettol yn y bag bach du.

'There – nice an' clean you are. No blood or mud!'

'Thank you very much.'

'No need. An' as I said before, it's good to meet you seein' as you're Lynette's little friend. You're nice to her, she says.'

'She's nice to me and all. And Mr Morgan here. I'm glad that he's Lynette's Gransha.'

Mae Isaac Morgan yn gafael yn ei llaw a gwenu.

'Gei dithe alw "Gransha" arna i os wyt ti am.'

'Alla i wir!'

'Cei siŵr. Fydd 'da fi wyres fach arall bei procsi wedyn.'

'Beth?'

'He means you'll be just like one of his own grand-children. Am I right, Gransha?'

'Right you are as always, Morfydd fach.'

'Chi'n siarad Cymrâg hefyd?'

'No. Understand, that's all. Enough to stop this man from saying nasty things about me! Eh, Gransha?'

'I never would!'

'I was only joking. You know that. Think the world of you I do. We all do.'

Mae hi'n rhoi cusan ar ei dalcen moel a sibrwd rhywbeth yn ei glust cyn cario'r bowlen mas i'r gegin.

'Hei, groten? Beth yw'r dagre 'na?'

'Ffaelu credu . . .'

'Credu beth?'

'Bo' fi'n ca'l gweud "Gransha" wrthoch chi.'

Gwenu, gafael yn ei llaw.

'Gwranda nawr, ti wedi'i cha'l hi'n galed heddi. Ma' Morfydd yn gweud bo' ti'n itha da, ond y dyle dy fam ga'l gwbod . . .'

'Na!'

'. . . a dyle doctor ga'l pip fach arnat ti, rhag ofan.'

'Na! Gadwch i fi fod!'

O'n i wedi cyrraedd gwaelod Bowen Street.

Wedi ffarwelio ag Isaac Morgan ar gornel Hebron. A phwyllo i gymryd ana'l, i ymarfer y ddeialog cyn cyrredd Gwynfa. O'dd rhaid 'i cha'l hi'n berffeth.

'Es i mas am wâc. Lawr y bancin.'

'Yn y glaw?'

'Glaw mân – i glirio 'mhen.'

'A'r sandale?'

'Baglu dros garreg. Pwll o ddŵr. Ma'n nhw yn y gegin-mas yn sychu. Y sane ar y lein.'

'A'r plaster?'

'Crafad bach. Dim byd o werth.'

'A'r watsh?'

Damo jawl! Y blwmin watsh! Dim ond gobitho na fydde hi'n sylwi. Ond rhaid meddwl, paratoi, rhag ofon . . . Gweud rhyw gelwydd bach . . . Ie – wedi'i cholli hi. Yn yr ysgol. Na, rhag ofon iddi holi. Yn yr ardd yn rhwle. Na, rhy hawdd. Y pwll nofio. Ie! Stafell newid y pwll nofio. Lawr y gratin dŵr. Weles i hi'n diflannu. Wedi mynd am byth. Tr'eni. Tr'eni mowr. A finne wedi bod yn becso. Ofon gweud ers dyddie.

Do'dd dim isie gweud y gwir. 'Mod i wedi'i chwato hi. Mewn potyn blode. Hen bot jam yn llawn o ddwrach gwyrdd. Ar hen, hen fedd, ar bwys yr eglwys, o dan borfa grin a chwyn. A neb yn gwbod dim. Dim ond Gransha Morgan. A Gwennie fach. A Mot.

Na, do'dd dim isie iddi wbod. Do'dd dim isie i neb wbod. Fydde neb yn gwbod fod wyneb Mickey Mouse yn rhacs.

Dim byth.

'Weda i ddim gair wrth neb.'

'Addo?'

'Addo. A wedith Mot ddim chwaith. Na 'nei di Mot, 'rhen ffrind? Y'n ni'n rhai da am gadw ambell gyfrinach fach. A Gwennie, wedyn . . . Wel Gwennie fach yw Gwennie fach, ontefe, Gwennie?'

Mae Gransha'n eistedd ar ei fainc, yn maldodi clustiau Mot, sy'n syllu lan i'w wyneb. Mae Gwennie'n eistedd yn ei chadair olwyn, ei chorff yn sypyn trwm, ei phen ar dro.

'Ie, Gwennie fach yw Gwennie fach . . .'

Ochenaid. Sychu'i geg â'i hances wen. Hen ŵr bach crwm a byr ei wynt ar ôl ca'l hwrdd o beswch. A dagrau lond ei lygaid.

'Cofia di, sa i'n hapus am y peth.'

'Ond pam?'

'Shwt alla i fod yn hapus? Dy weld ti'n dala i ddod fan

hyn i'r fynwent. Ar ôl y ddamwen 'na. A tithe wedi addo i dy fam . . .'

'Ond wy'n lico dod 'ma.'

'Mynwent yw hi, groten! 'Sneb fod lico dod i fynwent! I shwt hen le torcalonnus a'i lond o gyrff!'

'Wy'n teimlo'n saff 'ma.'

'Fuest ti 'bytu farw 'ma!'

'Naddo! Crafad ges i!'

'Ond fe alle hi fod lot gwa'th!'

Ochenaid arall.

'A tithe'n ffrinds â Luned fach a chwbwl. Sa i'n moyn 'i thwyllo hi . . .'

''Sdim isie iddi wbod. 'Sdim isie i chi weud. Plîs pidwch gweud wrth neb. Chi newydd addo!'

'Odw, odw. A fe gadwa i'n addewid, paid ti becso . . .'

A Gransha'n gwenu. A Mot yn gwenu hefyd ac yn siglo'i gwt. A gallech dyngu bod Gwennie fach yn gwenu gyda nhw. Ond dyw hi ddim. Mae hi yn ei byd bach pell ei hunan, rywle draw dros grib y Foel.

'Croten ryfedd wyt ti, Branwen. Ti'n hen o fla'n dy amser. Beth ddaw ohonot ti?'

Mae Gwennie'n troi'i phen at Gransha. Mae yntau'n estyn am ei llaw.

'A tithe, Gwennie fach . . .'

Peswch eto, sychu'r dagrau.

'Ond dere, Branwen! Towla'r pishyn pren 'ma i Mot, i chi'ch dou ga'l 'bach o sbort!'

Mae'r pren yn hedfan draw i'r llwyni rhododendron, a Mot yn sgathru ar ei ôl gan sgido ar y dail. A Gransha'n chwerthin.

'Ma'n bryd i hwnna fagu 'bach o sens!'

A'i chwerthin yn troi'n beswch.

Carlamu.

Sleido. Sgido wrth droi cornel. Cwmpo ar 'i ochor, 'i goese lan. Bustachu ar 'i dra'd a rhedeg 'to ar hyd y pafin ochor hyn, croesi'r ffordd, 'nôl ar hyd y pafin arall. A phawb yn cwato, sgathru, neido mas o'i ffordd. A fynte'n ddall gan ofon. 'I lyged mowr yn rowlo'n wyllt, 'i ben yn troi, 'i dra'd yn stablan. Whys fel blanced ar 'i gefen, poer yn hongian fel gwe corryn mas o'i geg. A llinyn hir o gachu gwlyb yn diferu o'i ben-ôl.

Ma' fe'n cyrredd pen draw'r stryd. Yn troi, yn pawennu'r pafin fel tarw gorffwyll. A dechre rhuthro. Reit amdanon ni.

Y BUSTACH

Heddiw, ar y ffordd i'r ysgol yn y bws, gwelsom fustach gwyllt. Roedd yn rhedeg lan a lawr y stryd, yn bwrw mewn i waliau, drysau a pholion lamp. Roedd rhaff yn hongian round ei wddf, ac roedd yn chwys i gyd. Roedd e'n cachu dros y lle ac yn pisho hefyd. Roedd plisman wedi stopo'r bws ac roedd y plant i gyd a Barrie White yn edrych drwy'r ffenestri ar y bustach. Bob hyn a hyn roedd yn rhoi ei ben lawr ac yn crafu'r pafin gydai droed fel tarw sy'n ymladd matadors yn Sbaen. Fe ddaeth dyn mas o siop Peglers ac ysgwyd lliain coch o'i flaen ac roedd pawb yn chwerthin nes i'r bustach ddechrau rhedeg ar ôl y dyn ac yna roedd pawb yn sgathru ac yn sgrechen unwaith eto. Yn sydyn roedd y bustach wedi rhedeg at ein bws ac wedi neidio ar y platfform a thrio dod mewn atom. Roedd e'n gwneud sŵn mawr fel petai mewn poen ac roedd pawb wedi cael sioc ac ofn. Ond gafaelodd Barrie yn y rhaff a'i lusgo oddi ar y bws a daeth y plisman iw helpu ac yna daeth dau ddyn mewn bratiau brown a lot o waed arnynt a bwrw'r bustach ar ei ben yn galed gyda'u dyrnau a hen ffon fawr haearn a'i lusgo nôl i'r lladd-dy. Dywedais i

"Druan bach ag e" ond dywedodd Barrie "Not druan bach at all. He could have killed you, strong brute like that. Best place for a mad ox is the sloterhouse. Or on my plate on Sunday!" Falle y byddaf yn ei weld yn hongian yn siop Mr Charles cyn hir. Y bustach, dim Barrie White. Roedd ganddo lygaid pert. Fel Barrie.

'Tuck in, love!'

Stêc a chips, bowlenaid o domatos, llond plât o fara-menyn tenau, te llaethog, melys mewn llestri gwyn â blodau aur, lliain les, cyllyll a ffyrc sy'n disgleirio â phob symudiad. A serviettes! Rhai gwyn wedi'u plygu'n bert draws-cornel.

A mam Lynette yn gwisgo sgarff liwgar dros ei gwallt, a ffedog dros ei ffrog, un las â ffrilen goch. Mae hi'n debyg iawn i'r fam sy'n hysbysebu RINSO.

Cegin olau, braf a'r llenni neilon dros y ffenest yn chwifio fel hwyliau yn yr haul. Bord a chadeiriau o bren golau a fformeica glas; dwy gadair esmwyth wrth y tân, a sinc a stof mor loyw ag arian.

Yn y Middle Room mae'r televison, ar ben cwpwrdd bach pwrpasol.

'Pops fi wedi'i neud e. A'r ford fach. A'r bocs i gadw glo. Pops fi'n dda gyda pethau fel'na.'

'Pops?'

'Tad fi. Pops ni'n galw fe.'

'Pam?'

'Why do we call 'im Pops, Mam?'

'No idea how it started, bach. And listen now, you two – it's nice to hear you speaking Welsh. But you'll have to speak in English when he comes home from work. All right?'

'All right.'

Mae Mam Lynette yn plygu dillad Pops a'u rhoi i grasu o flaen y tân.

217

'Gwynt neis, ontefe?'

'Pwy wynt, Branwen?'

'Gwynt crasu dillad.'

'Crasu?'

'Airo.'

'What's airo i neud â wind?'

'Y dwpsen! "Gwynto" – "smelling". The airing clothes are smelling nice. Ond pam na chawn ni siarad yn Gymrâg pan ddaw dy dad sha thre?'

'Pops yn gallu bod yn od ymbythtu pethe fel'na. Ma' fe'n Labour Party t'wel'. Ond dim ots, dere lan i bedrwm fi.'

Heibio i ddrws y Best Room â'i three-piece beige, ei charped coch a'i llenni a chlustogau hufen. A'r ornaments ar sil y ffenest a'r silff-ben-tân a thair hwyaden ar y waliau. A llun o Glyndwr a Morfydd Morgan yn gwenu ar y camera ar ddiwrnod eu priodas. A gwynt paent newydd yn gymysg â gwynt y rhosys yn y vase a'r ffrwythau mewn bowlen ar y ford fach isel.

Lan i'r nefoedd fach o stafell wely.

Cymyle glas a gwyn.

Ar y papur wal a'r cwrlid. A'r lampshed hefyd. Rhubane a ffrils glas ar y lamp fach ar y ford ac ar ffrâm y llun o Lynette a Pops ar lan y môr. Rhuban glas am wddw'r Tedi glas ar y gwely a glas o'dd lliw y ci bach fflyffi y gallech chi gadw pyjamas yn 'i fola fe.

'Ma'r glas 'ma'n bert, Lynette.'

'Favourite lliw fi yw e. Pwy liw yw bedrwm ti?'

'Coch a phinc wrth gwrs! Hoff liwie fi!'

Beth wedes i? Do'dd dim byd haws. Palu celwydd ar ben celwydd. Hyd yn oed â ffrindie.

Beth wy'n siarad? Yn enwedig gyda ffrindie.

FY FFRINDIAU GORAU

Enwau fy ffrindiau gorau yw Jennifer Lynette Morgan, Meryl Thomas a Cheryl ac Angela Flynn.

1. Lynette Morgan.

Mae hi'n byw ar dop Hebron Street gyda'i mam a'i thad a'i dau frawd, Jeff a John. Efeilliaid (twins) yw Jeff a John. Mae'n anodd dweud pwy yw Jeff a pwy yw John ac weithiau maen nhw'n twyllo er mwyn sbort. Nyrs yw mam Lynette (Morfydd.) Weithiau mae hi'n mynd i weithio yn yr ysbyty ond weithiau mae hi'n aros gartre i edrych ar ôl y plant a chadw'r tŷ yn deidi. (Mae e'n deidi iawn.) Ambell waith, pan fydd hi newydd gyrraedd nôl o'r ysbyty, mae hi'n dal i wisgo'i hiwnifform, un smart, glas a gwyn. Mae hi'n neis. Ac yn bert. Ac yn smart bob amser, a byth yn smocio nac yn gwisgo'i slipers a'i dressing gown yn y prynhawn. Glowr yw tad Lynette, ym Mhwll y Waun. Mae e'n neis hefyd.

Rwy'n hoffi mynd i'w tŷ nhw. Mae lliain les ar y ford amser te, a matiau bach a lluniau rhosys arnyn nhw, a chwpanau a soseri posh, a cyllyll a ffyrc i gyd yn matsho, a serviets bach gwyn. A llond y ford o bethau neis: ham salad, picls, chips bach crincli, bara menyn (tenau), a hufen iâ a Bartlet Pears i bwdin. Mae ganddyn nhw Best Room, Middle Room a Kitchen. Rwy'n hoffi'r carped coch sydd yn y Best Room. A'r ornaments i gyd. A lluniau'r teulu mewn fframiau pert. A does byth dim dwst arnyn nhw. Mae tair ystafell wely lan y lofft. Mae ystafell Lynette yn bert, yn las a gwyn i gyd. Mae'r bathrwm ar bwys y gegin, un newydd, gwyn, yn sbarclo'n lân.

Rwy'n hoffi mynd i potshing shed Pops (Glyndwr Morgan, tad Lynette) ar dop yr ardd. Mae Lynette yn cael helpu Pops i wneud llawer o bethau yno – plannu planhigion mewn potiau, cwiro pethau sydd wedi torri, hogi cyllyll, ffidlan gydag enjin car. Mae hi hefyd yn helpu gyda jobs fel peintio ffenest neu ffens neu gât neu adeiladu wal fach frics ar hyd y llwybr. Mae hin cael rhoi'r sement rhwng y brics a wedyn gwasgu'r brics yn dynn. Mae Pops yn dweud wrthi "Good little worker you are, Lynette!" A wedyn mae e'n winco ac yn dweud "Even though you are a girl!" Ac mae Lynette yn codi ei dwrn a thynnu ei thafod arno ac mae pawb yn chwerthin.

Mae Lynette yn lwcus iawn.

2. Meryl Thomas.
Mae hi'n byw ar waelod Balaclava Street gyda'i mam. Ambell waith mae ei Uncle Richard yn byw gyda nhw, neu rhyw Uncle arall, ond dim bob amser. (Mae ganddi lot o Uncles.) Nid wyf erioed wedi gweld tad Meryl. Mae ef wedi mynd i ffwrdd i rywle.

Gan fod Lynette a fi'n ffrindiau gyda Meryl mae Mrs Thomas Cwc, Nan Meryl, yn rhoi second helpings i ni o bethau neis fel chips a Spoted Dic. Dy'n ni byth ddim yn moyn second helpings o ddim byd arall. Mae hi'n neisach wrthon ni nag y mae hi wrth y plant eraill. Nid wyf wedi bod yn nhŷ Meryl eto. Dyw hi na Lynette ddim wedi bod yn fy nhŷ i chwaith. Dim eto. Mae Meryl a Lynette yn dysgu Cymraeg yn dda. Mae Lynette yn well na Meryl ond rhaid rhoi amser iddyn nhw medd Miss Morris.

3 a 4. Cheryl ac Angela Flynn.

Maen nhw'n byw yn y Bute Hotel gyda'u tad a'u mam. Mae gwallt a llygaid tywyll gan Cheryl fel Mr Flynn, a gwallt melyn a llygaid glas gan Angela fel Mrs Flynn. Maen nhw'n bert iawn. Rwy'n credu mai nhw ywr merched pertaf yn y byd. Maen nhw bob amser yn gwisgo rhubanau pinc yn eu gwalltiau.

Mae gwynt cwrw a thybaco ym mhobman lawr staer yn y Bute. A galluch wynto'r toilets sydd yn y cefn. Mae gwynt polish a Domestos a smwddio lan y llofft. Mae Mrs Flynn bob amser yn smwddio neu'n polisho. Neu yn golchi dillad. Neu yn paratoi bwyd. Neu yn sgwrior llawr neu'r stepyn drws. Mae hi'n sgwrio ar ei gliniau ac mae ei dwylo'n mynd yn goch i gyd a darnau bach o'r croen yn dod yn rhydd. Ar ôl iddi lanhau lawr staer mae'r llên gwynto'n neis ond ar ôl i lot o ddynion fod yna'n meddwi ac yn smocio am oriau mae e'n gwynto o gwrw a thybaco a thoilets fel o'r blaen. Mae Angela a Cheryl yn dweud ei bod yn gorfod taflu dŵr a disinffectant rownd y drws a dros y pafin bob bore gan fod dynion wedi meddwi yn gwneud pi-pî phethau eraill yno bob nos. Does dim menywod yn cael mynd i mewn i'r Public Bar. Maen nhw'n cael mynd i'r Lounge Bar ond does neb byth yn mynd i hwnnw meddai Angela a Cheryl. Dy'n ni ddim yn cael mynd iddyn nhw chwaith. "It's no place for little girls" meddai Mr Flynn.

Nid wyf wedi ysgrifennu stori mor hir a hon o'r blaen. Ond roedd rhaid iddi fod yn hir gan fod gen i lot o ffrindiau.

O'n i wedi bod yn giwt.

Wedi gwitho pethe mas yn dda. Wedi cymhennu'r stafell ffrynt, clirio'r gegin, golchi llestri ddoe ac echdoe a rhoi'r dillad ar y lein. A'r cwbwl erbyn canol bore, cyn iddi stwmblo lawr y staere yn y kimono coch a'r slipers rhacs, 'i gwallt yn glyme a mascara nithwr fel dagre duon lawr 'i boche. Ac o'dd 'i brecwast ar y ford yn barod – 'i choffi du a'i sigaréts.

O'dd rhaid rhoi amser iddi ddihuno'n iawn . . . Coffi arall, cynnig tost a marmalêd. Aros, disgwl cyfle, pido tynnu sylw – cyn pownso fel Tabitha.

'Mami, wyt ti'n cofio nithwr?'

Olion y rouge a'r lipstic a'i llyged cylche-duon yn f'atgoffa i o'r clown yn syrcas Chipperfields, hwnnw ddwgodd hat Deerstalker Wncwl William a'i thowlu hi i'r eliffant. A hwnnw'n 'i wafo hi â'i drwnc a phawb yn wherthin. Pawb ond Wncwl William. A'r clown yn dod â hi 'nôl yn stici â hen boer a sleim . . . Ac unweth o'dd sylw pawb wedi'i hoelio ar yr acrobats, pan o'dd pawb yn edrych lan at dop y babell, fe dowlodd Wncwl William hi lawr i'r dwnshwn rhwng y seti. A mynd gatre hebddi.

O'dd y llyged cylche-duon yn edrych arna i'n llawn amheueth.

'Beth ti'n feddwl, Branwen? "Odw i'n cofio nithwr?" Beth wyt ti'n 'i awgrymu?'

Cerdded ar blisgyn wy.

'Ti'n cofio gweud y celen i fynd i de at Uncle Len a Bopa Vi?'

O'dd hi'n crychu'i thalcen, yn tynnu'n ffyrnig ar 'i sigarét.

'Odw . . . Nagw . . . Atgoffa fi . . .'

'Uncle Len a Bopa Vi Lynette. Wedi'n gwahodd ni – Lynette a fi – i de. Fory, ar ôl ysgol, yn 'u tŷ nhw, lawr yn Balaclava. Cofio?'

O'dd hi'n trio'n galed . . .

'Wedest ti y celen i – nithwr, yn y gwely. Ti bown' o fod yn cofio . . .'

Ond do'dd hi ddim. A do'dd dim rhyfedd a hithe'n hwrnu'n drwm pan es i miwn i'r gwely ati.

222

'Mami, plîs ga i fynd?'

'Fydd raid i fi styried, Branwen, ar ôl ca'l gwbod pwy yn gwmws yw y bobol 'ma – yr Uncle Len a'r Bopa Vi 'ma. Iawn?'

Bopa Vi, merch hynaf Gransha, ac Uncle Len, ei gŵr.

Yn ddi-blant – heblaw am John a Jeff a Jennifer Lynette.

'Like our very own, you are, you three.'

A Bopa Vi yn sychu'r dagrau ac Uncle Len yn rhoi ei freichiau hir amdani.

'Now then, Vi, what do we always say?'

'We 'ave to count our blessings, Len. An' these three are our blessings.'

'Holmleigh', Balaclava Street yw eu cartref – gefn-gefn â thŷ Gransha a Gwennie Fach, a gât fach hwylus yn cysylltu'r ddwy ardd gefn. Tŷ lliwgar – cegin oren; bathrwm gwyrdd a glas, yn drwch o gregyn môr a gwymon a physgod o bob lliw a llun; parlwr piws ag ambell fflach o aur. Maen nhw'n gwpwl lliwgar, o'u dillad smart i'w décor anghydffurfiol, o wefusau ac ewinedd sgarlad Bopa Vi, ei gwallt eboni a'i llygaid fioled i wallt cochlyd Uncle Len a'i gasgliadau o ieir-bach-yr-haf amryliw – rhesi o focsys gwydr, pum 'specimen' ym mhob un – a phìn bach lliwgar ym mhob gwegil. Caiff y tywelion, dillad gwely a llieiniau bord eu berw-liwio'n llachar – popeth, gallwch dyngu, heblaw Snowy'r Cairn Terrier gwyn, a'u car du, Morris Series Eight.

I sedd gefn y car bach hwnnw y caiff y plant eu llwytho'n llawn halibalŵ a hwyl ar brynhawniau braf o haf. Uncle Len yn canu'r corn a'r Morris bach yn peswch lawr Balaclava i sgwâr yr Empire a throi lan New Street a chroesi New Bridge ac ar hyd Foel Road a dringo lan dros grib Foel Ddu gan anelu am Borthcawl neu Southerndown, neu draw i Benrhyn Gŵyr. Abertawe â'i drên-bach-mwydyn-coch-y-Mwmbwls yw 'favourite place' y plant. Hwnnw yw hoff le Bopa Vi, hefyd, a hithau'n cael dwyawr dda o siopa yn

C & A a David Evans tra bod Uncle Len a'r 'terrors' – 'and the terrible terrier!' – yn cael sbort ar y traeth.

Es i 'da nhw unweth.

Ni'r plant a Snowy'r ci – â'i dafod pinc a'i drwyn diferol a'i 'Yap! Yap! Yap!' a'i flewiach gwyn fel trwch eira dros bob man – wedi'n sgwasho'n dynn ar sêt y cefen. Basged picnic, barcud, batie, bathers, Bouncy Ball, rhawie a bwcedi, rhwyd bysgota – a rhwbeth mewn hen gwdyn brown – popeth wedi'i stwffo miwn i'r sgwaryn bach o fŵt. Uncle Len yn tapo'i fysedd hir yn ddiamynedd ar lyw'r car – a finne'n pyslo, trio cofio . . .

'Come on, Vi!'

A John a Jeff a Lynette yn cydsianto 'Bo-pa Vi! Bo-pa Vi!' a chlapo'u dwylo, a finne'n 'u dynwared. A Bopa Vi'n ymddangos mewn ffrog haul felen a sodle uchel, coch, a phoppers coch a melyn am 'i gwddw a'i harddwrn a hat houl fflopi am 'i phen. Ac Uncle Len yn culhau'i lyged a sgyrnygu'i ddannedd a neud sŵn growlo.

'Grr! I'd take you straight to Merthyr Mawr and rape you in the sand dunes if we didn't have the baggage!'

'Len! Behave!'

'Hey, you terrors, she's preaching me again!'

Ac Uncle Len yn troi a wafo'i freichie fel arweinydd côr a'r plant yn sianto 'Don' you preach 'im, Bopa Vi!' A finne'n joino miwn. Ac Uncle Len yn hisian 'Come on you little bugger!' wrth y Morris bach wrth ddechre dringo'r Foel, a Bopa Vi'n hisian 'Language, Len!' Corws arall o 'Don' you preach 'im, Bopa Vi' ac Uncle Len yn gwasgu'i phen-glin yn slei a wherthin.

'Sorry, Liz!'

'Liz' – a hithe'n 'Vi'? O'n i'n ffaelu deall, ond holes i ddim byd, dim ond ishte 'nôl a gweld beth fydde'n digwydd nesa.

Wrth ddod at dop y rhicyn cynta, a'r Foel fel wal o'n blaene a Gwynfa ymhell o'tanon ni i'r dde, fe windodd Uncle Len y ffenest lawr a phwynto'i fys.

'Look, Branwen, there's your Mam! Waving in the window! Wave back to her, before we go round this bend!'

A finne'n syllu lawr i'r pellter a thrio gweld a welwn i ryw symudiad.

'Quick! Or it'll be too late! And she'll have gone!'

A finne'n codi llaw'n ddiniwed. Ac Uncle Len yn dechre wherthin. Yn corco wherthin nes 'i fod e'n ca'l ffwdan i ddreifo'n strêt. O'n i'n gallu'i weld e yn y drych, 'i fwstásh orenj yn twitsho fel cwt wiwer. A'r plant yn dechre wherthin, hefyd. Allen i dyngu bo' Snowy'n wherthin gyda nhw, 'i dafod yn hongian mas rhwng 'i ddannedd pwdwr. Pawb yn wherthin am 'y mhen i. Pawb ond Bopa Vi.

'Leave the poor kid alone. Not right it is. Stop it, now! All of you! And don't you fret about it, bach. Twp they are, that's all.'

Fe edryches i drw'r ffenest 'to, ond o'dd Gwynfa wedi mynd, wedi diflannu tu ôl i'r graig. A fe ddechreues i deimlo'n unig. Yn sydyn, yn 'u canol nhw i gyd, yn 'u sŵn a'u sbort fe deimles i hen hireth od. Am fy mam, 'nôl yn Gwynfa. Ar 'i phen 'i hunan fach. Yn y gwely, falle. Ne'n cysgu ar y soffa. Do'dd dim enjoio iddi hi. Dim galifanto. Dim trips bach gyda ffrindie, dim owtins glan-y-môr ne' siopa. Dim cwmni. Dim byth.

Ond wedyn, wrth i Wncwl Len raso'r car fel Sterling Moss lawr ochor bella'r Foel, nes bo'r cwbwl yn ysgwyd ac yn ratlo, a phawb yn sgrechen wherthin, fe deimles i 'bach yn well.

A fe anghofies i amdani.

'Right then, you little terrors! Seeing as we're driving round the mountain . . .'

A'r plant a Bopa Vi fel un yn gweiddi 'Let's have a lovely sing-song!'

'Come on then – sing! "She'll be com-ing round the mount-ain when she comes!"'

'"When she comes!"'

'"She'll be com-ing round the mount-ain when she comes!"'

'"When she comes!"'

Ac Uncle Len yn gwasgu pen-lin Bopa Vi a winco arni.

'Vi, I love you when you come!'

'Len! The children!'

'Kids, she's preaching me again!'

'Don' you preach 'im, Bopa Vi!'

'I do love your Bopa Vi! Kids, do you love your Bopa Vi?'

'Yes! Yes! Bo-pa Vi! Bo-pa Vi!'

A finne'n joino miwn. Yn esgus joio.

'Right then, I spy with my little eye, something beginning with "S".'

'Snowy.'

'No.'

'Steerin' wheel.'

'No.'

'Sea.'

'No – not yet.'

'Snails.'

'Where do you see snails, you twpsyn?'

'Stones.'

'No. Give up?'

'Yes.'

'Snot! Under Branwen's nose!'

'Len!'

A phawb ond Bopa Vi yn wherthin.

'Only joking, love! Speaking of which – here's a good one, you lot! Why couldn't the viper vipe 'er nose? 'Cos the adder 'ad 'er 'ankerchief!'

A phawb – gan gynnwys Bopa Vi – yn wherthin 'to. A finne'n wherthin hefyd, yn lle llefen. A sychu 'nhrwyn yn slei.

A thrw'r cwbwl o'dd Uncle Len yn edrych arna i yn 'i ddrych, â golwg ryfedd yn 'i lyged.

'Right, then, everybody out!'

Mae pawb yn twmblo mas o'r Morris, rywle rhwng Pafiliwn Patti a'r Brangwyn Hall. Mae Bopa Vi'n plannu cusan-lipstic-coch ar fwstásh oren Uncle Len.

'See you later, Alligator!'

'In a while, Crocodile!'

Cusan yr un i'r plant – a thrwyn gwlyb Snowy – a bant â hi, yn strytan ar ei sodlau uchel lawr St Helen's Road.

'Right, come on, you little terrors! No lazybones allowed!'

Gofalu bod pawb yn cario rhywbeth – Snowy hyd yn oed, â phêl fach rwber yn ei geg – a bant â nhw'n brosesiwn llwythog, ac Uncle Len fel Pibydd Brith yn brasgamu at y bont dros y ffordd a'r rheilffordd.

'Come on, slowcoaches!'

A phlant bach ufudd Hamelin a'u ci yn ei ddilyn at y traeth.

'Hey, Smiler!

You look as if you're going to a funeral!'

Mae hi'n sefyll ar wahân, tywod mwdlyd yn glynu'n wlyb fel gliw rhwng bodiau'i thraed. Mae hi wedi bod yn brysur, yn archwilio tyllau mwydod môr, yn eu cicio â blaen ei throed a'u chwalu'n fân â'i bysedd. A nawr-ac-yn-y-man yn taflu pip fach slei at Uncle Len a'r plant yn rhedeg law yn llaw mewn a mas o'r môr, yn tasgu dŵr a chwrso'i gilydd a Snowy'n dawnsio dros y tonnau mân. Pawb ond hi'n hedfan barcud ar y tywod sych a'r rhubanau lliwgar fel plu ffesant yn troelli yn yr awyr las. A'r plant yn gwichan, Uncle Len yn chwerthin a Snowy'n Yap-Yap-Yapan a rhedeg rownd a rownd yn wyllt. Mae hi wedi llwyddo i osgoi'r 'sbort' i gyd – criced, rownders, Bouncy Ball. Maen nhw nawr yn rhedeg rasys, ac Uncle Len yn esgus colli, yn esgus colli'i wynt a mynd i orwedd ar y tywod â'i freichiau a'i goesau ar led. Yn sydyn mae e'n neidio ar ei draed ac yn cwrso'r plant ar hyd y traeth a chyfarth a gwneud sŵn 'Grr!' fel ci mawr, gwyllt . . . Neu flaidd . . . Neu arth . . .

Neu fwnci, falle . . .

Ie, mwnci mawr . . . Ei wallt cochlyd dros ei wyneb, ei fwstásh yn twitsho, ei freichiau hir yn hongian . . .

Mwnci orenj.

Orang-utang.

Ac mae hi'n cofio'n sydyn. Y bysedd hir yn tapio . . .

'Let's see what we can do . . .'

Y bysedd hir ar led fel ffan ar ledr gwyrdd y ddesg . . .

'I'm glad to be of service, Mrs Roberts . . .'

Yn clymu o gylch gwegil gwyn ei mam, y noson honno ar y soffa . . .

'Cer o 'ma, Branwen!'

'Now then for the Big Surprise!

Even Smiler will be happier, if not happy!'

Roedd hi wedi trio – wedi eistedd gyda nhw yn y llecyn bach cysgodol wrth y wal, wedi esgus gwerthfawrogi'r picnic – Cherryade, bara-menyn-jam, Angel Cups bach lliwgar, a Sherbert Fountain a thiwb o Smarties bob un i'r plant. Roedd hi wedi diolch, wedi helpu clirio pethau 'nôl i'r fasged. Wedi trio gwenu . . .

'That's better, Smiler! You're much prettier when you're smiling!'

A nawr rhaid esgus eto a rhuthro'n llawn brwdfrydedd gyda'r lleill i ddringo ar y trên a chwilio am le i eistedd.

'Right then, here's the tickets – four half-singles. And behave, you terrors! I'm fetching Bopa Vi. We'll meet you at the Mumbles station. You boys look after the girls – and vicey versa. Lynette – be a good girl. And Smiler – cheer up! It'll never happen!'

A'r trên yn dechrau symud, yn llithro bant fel mwydyn, ac Uncle Len â Snowy dan ei fraich yn mynd yn bellach-bellach ac yn llai-a-llai nes mynd yn ddim. Mae Lynette a Jeff a John yn gyffro i gyd, yn clebran, chwerthin, pwno'i gilydd, codi llaw ar bobl wrth fynd heibio ac yn taflu Smarties at ei gilydd. Mae Lynette yn chwythu powdwr sherbet i wynebau Jeff a John; mae hwythau'n chwythu 'nôl nes bod cwmwl gwyn o bowdwr dros eu dillad. Fel powdwr fingerprints.

Troi ei phen i'r chwith i edrych ar y môr sy'n disgleirio yn yr haul, fel petai cannoedd o fodrwyon diemwnt yn nofio ar ei wyneb.

Troi ei phen i'r dde a gweld y carchar a'r tai a'r parc a'r coleg a pharc arall eto. A'r ceir yn gyrru heibio a'r cyrn yn canu a lot o godi llaw a gweiddi a mwynhau a mwy o godi llaw. Mae hi'n stwffio'i dwylo i'w phocedi ac yn canolbwyntio ar y teithwyr.

Hen ŵr a gwraig, yn gwisgo cotiau brethyn er gwaetha'r gwres. Maen nhw'n pwyso ar ei gilydd yn gariadus, fraich ym mraich. Mae ei wyneb yr un lliw â phwdin sago Mrs Thomas Cwc a bysedd canol ei law dde yn felyn tywyll gan dybaco. Mae'r wraig yn tynnu'i braich yn rhydd a stwffo cudyn bach tu ôl i'w chlust cyn syllu ar ei dwylo a chwarae â'r ddwy fodrwy ar ei bys priodas, bandyn aur a modrwy ddiemwnt sy'n fflachio yn yr haul, fel y rheini sy'n fflachio ar y môr. Mae hi'n chwarae'n nerfus â'r modrwyon, yn eu troi rownd a rownd ei bys, nes i'r hen ŵr ailafael yn ei llaw a'i gwasgu'n dynn.

Dyn a bachgen bach. Y ddau mewn siwtiau llwyd a chrys a thei, y ddau'n gefnsyth, lonydd yn eu seddi. Mae pennau-gliniau'r bachgen bach yn wyn, bron mor wyn â'i grys a'i sanau. Mae gwalltiau'r ddau'n disgleirio'n ddu, bron mor ddu â'u hesgidiau sydd wedi'u clymu'n dynn â lasys trwchus. Bob tro mae'r bachgen bach yn symud – yn pwyntio bys neu'n troi i edrych dros ei ysgwydd – mae'r dyn yn ei geryddu.

'Sit still! Don't shuffle. And don't point! Last time I'm bringing you on holiday!'

Mae'r bachgen yn sythu a llonyddu ac yn syllu mas yn bell i'r môr, gan geisio anwybyddu'r gang o ferched swnllyd sy'n cael y sbort ryfedda wrth dynnu tafod arno.

Dau gariad, yn gorweddian ar draws ei gilydd, yn syllu i lygaid ei gilydd, yn gwbl ddall i bopeth arall. Mae'r llefnyn pimplog yn anwesu boch y groten bengoch yn ei ffrog binc a'i Alice band melfed, du. Mae hi'n anwesu'i fola o dan ei grys.

Tad a mam a merch. Y ddwy'n debyg iawn i'w gilydd –

cyrls melyn, llygaid tywyll, cyrff fel weiers tyn. A'r un fach
yn rhedeg rhwng y seddi, 'nôl a mlaen, yn pwyso dros y
reilin, yn pwynto'i bys at ryfeddodau, yn gweiddi mewn
diléit a rhoi naid bob hyn a hyn i gôl ei mam a thaflu'i
breichiau am ei gwegil a gwichan 'I love you, Mummy!'
cyn neidio i gôl ei thad a gwichan 'And you, too, Daddy!'
A'r ddau riant yn cydadrodd 'We love you too, you funny
little girl!' A'r tri'n cwtsho.
    A'r trên yn cyrraedd Mwmbwls.
    'There they are! Come on!'
    Mae Lynette a Jeff a John yn neidio lawr i'r platfform ac
yn rhuthro draw at Uncle Len a Bopa Vi a Snowy. Mae
Uncle Len yn edrych arni'n rhyfedd unwaith eto.
    'Come on, Smiler, we haven't got all day!'

O'n i wedi ca'l hen ddigon.
    Yn barod i fynd gatre.
    'Branwen, are you allright? You look a bit sick, my love.'
    Bopa Vi, yn dod ata i a rhoi'i braich amdana i. 'Yes, I'm sick
an' tired' – 'na beth ddylen i fod wedi gweud. 'Sick an' tired of
all this horrid nonsense, of your horrid husband, who, by the
way, I remember lying on the sofa in our house – with my
mother! – with his trousers down around his legs!' Ond 'nes i
ddim, wrth gwrs.
    'Branwen – you look quite peaky. Tell me, are you allright?'
    Gwenu 'nes i, a gafel yn 'i llaw.
    'Yes, thank-you very much. And thank-you for a lovely day.'
    'Oh, we haven't finished yet, you terrors! Come on, troops,
follow me and Snowy!'
    Uncle Len, yn torri ar y foment, yn llusgo Snowy at y zebra
crossing a Lynette a John a Jeff yn dilyn ôl 'i dra'd.
    'Come on, over to the Gift Shop – buy a present for your
Mam and Popsi and your Gransha – and for Gwennie too!'
    A Bopa Vi'n edrych arna i'n llawn tosturi, yn gwasgu'n
llaw . . .

'You buy something for your Mammy, lovely . . . Something nice . . .'

'Come on Vi and Smiler! We're running behind schedule! And the Very Big Surprise is yet to come!'

'Oh I got a brother Mike,
  'E do drive a motor bike,
  'E do drive it round the Gower
  At a forty mile an 'our!
  Did you ev-er see,
  Did you ev-er see,
  Did you ev–er seeeeee
  Such a funny thing before!'

Doniol iawn.

Llond car yn morio canu ym maes parcio Caswell Bay.

'Come on, Smiler! Join in, join in!'

Mae hi wedi trio, hymian, canu ambell air neu linell ond mae'r pwysau yn ei stumog yn ei gwneud yn dost. Rhaid cadw'n dawel, syllu draw at lan y môr a gweld yr haul yn isel dros y pyllau dŵr a'r creigiau'n binc.

'Come on, troops!'

Mae Uncle Len yn neidio mas o'r car a deifio mewn i'r bŵt i moyn y rhwyd a'r cwdyn brown. Ac mae'r fintai lawen yn dechrau cerdded yr hanner milltir lan y cwm.

Sawr tyfiant gwlyb a blodau gwyllt – gwyddfid a mwsog a lilis dŵr. Sawr dŵr llonydd, boncyffion llaith.

Sŵn y nant, cân mwyalchen, crawcian brain.

A'r sibrwd.

'Funny little girl she is, that Branwen, Len.'

'Funny, Vi? Bloody sad she is!'

Mae hi'n hwyrhau.

Yr haul yn isel dros y coed, y cysgodion yn ymestyn. Mae briwsion Angel Cups bach lliwgar ar wasgar ar y borfa, dros y tusw o flodau menyn a'r mwclis o lygaid-bach-y-dydd . . .

Ac yn y jar mae'r 'beautiful specimen' yn llachar las, yn llonydd, gelain.

'Perfect, just like your eyes, my lovely Liz, my Violet, my love.'

Fel y ffrog las, bert o Pollecoffs Aberystwyth.

Cyrraedd y llannerch pella.

Llecyn llonydd, a'i glwstwr bach o fyngalos, pob un â'i feranda a'i ffens yn glaerwyn yn yr haul. Rhyw Shangri-la o le. Cuddiedig. Cysgodol. Clyd.

Ac Uncle Len yn arwain ei ddilynwyr i gornel pella'r cae a thynnu allwedd o'i boced a'i chwifio uwch ei ben.

'Shall we tell them, Vi?'

'Yes! Can't keep it secret any longer!'

A Bopa Vi yn troi i'w hannerch.

'This bungalo, children – it's ours, mine and Uncle Len's. We bought it yesterday, got the keys today.'

'Tell them, Vi, we've been looking at some caravans in Trecco Bay and Barry Island. Rubbish they are, compared to these. It's much nicer 'ere, quieter, prettier, more posh. And Bopa Vi can draw and paint to her little heart's content.'

'And this is where you'll come to stay.'

'If you behave yourselves! Well, let's have the opening ceremony! Da-ra! Welcome to our Inglenook!'

Mae Uncle Len yn taflu'r drws ar agor, yn gafael yn Bopa Vi a'i chario fel priodferch dros y rhiniog.

'Come on, Smiler!
   No loitering allowed!'
   Pawb yn trampo miwn i'r blwmin bwthyn.

'Oh, leave 'er be. She'll follow soon enough . . .'

Teimlo'r cosi ar 'y ngwegil. A'r pigad.

'Aw!'

'What's the matter now?'

Rhoi slap i'r gnawes fach sy'n cwmpo lawr i'r borfa, yn troi a throelli fel rownd-a-bowt mewn ffair nes i Uncle Len sathru arni'n chwyrn. A dim ar ôl ond smyjyn du rhwng dwy aden rhacs.

'There! That's the end o' that! Now let's see the sting . . .'

Sugno'r briw, poeri, ac yna sychu'i geg.

'Right then, Vi, my love, take her to the stream and sprinkle nice cold water on it. She'll be right as rain. You terrors – come with me!'

A Bopa Vi'n rhoi'i macyn lliwgar yn nŵr y nant a dabo'r dolur ar 'y ngwegil.

'There you are, my brave girl . . .'

A fe wenes i, yn rhy boenus a blinedig i ddadle dim. I beth? Y cwbwl o'n i'n moyn o'dd mynd sha thre.

Ma'r cof mor glir â ddoe . . .

Er gwaetha'r holl flynydde.

'Funny? Bloody sad she is!'

O'dd y jawl yn iawn. O'n i'n groten drist, yn gweld tristwch mowr ym mhopeth. Y tusw bach o flode gwyllt, cadwyni llyged-bach-y-dydd, blode-menyn – 'You're very fond of butter, Smiler!' – briwsion Angel Cups wedi'u pupro dros y borfa.

Y corff bach llonydd yn y killing jar – adenydd pert ar led, yn las fel glas yr awyr, glas y môr, glas llyged Bopa Vi, glas ffrog fy mam.

Y dolur ar 'y ngwegil, brath dannedd Uncle Len . . .

A'r hireth . . .

Mawr a chreulon . . .

Yn odli gyda 'llefen-torri-calon' . . .

Stop.

DIWRNOD I'W GOFIO

Cefais ddiwrnod i'w gofio pan es i yn y car gyda Lynette fy ffrind a rhai o'i theulu i Abertawe a Mumbles a Caswell Bay. Cawsom sbort wrth chwarae gemau ar y traeth (padlo yn y môr, hala barcud, Bouncy Ball a criced) cyn cael picnic a mynd ar y trên bach. Ac yna aethom i'r cwm pert sydd yn Caswell Bay. Roedd yr haul yn gwenu trwy'r amser ac roedd y môr a'r tywod yn dwym neis ond roedd cysgod yn y cwm ac fe ges i fy mhigo gan bicwnen. Ac yna gwelsom fwthyn bach Uncle Len a Bopa Vi. Mae en neis iawn. Ac yna roedd yn bryd mynd adref. Roedd pawb wedi blino ond yn hapus iawn.

'I saw you goin' in the car.

Saturday it was. A Mam fi'n gweud "Meryl, 'em Dudleys an' the kids are on the galivant again. An' they're takin' tha' Gwynfa girl with 'em this time." Very nice too! Fi'n gweld y bathers, towels, beach ball. An' the big 'uge bag – red, white an' blue it is – with sandwiches an' pop an' stuff.'

'Meryl, you are jealous, you are! 'Cos ni wedi mynd â Branwen gyda ni!'

'Jealous? No! I couldn't care a shit! Your Bopa Vi an' Uncle Len are just a joke in our 'ouse. Wavin' like bloomin' royalty, my Mam says. Laughin', shoutin', singin' like they was in a bloody musical! Like biwmin' Mario Lanza, your Uncle Len! Fi'n gweld chi'n dod 'nôl as well. A Mam fi'n watsho, just in case. "'Ope they don' stop outside our 'ouse for Lynette to puke 'er guts out in the gutter. Remember that time?" she said. "'Orrible it was, chips an' ice cream an' orange juice all mixed up together."'

'Liar! Tad fi wedi dod i gliro'r mess.'

''E never did! Mam fi'n brwsho fe lawr y drain!'

'Double liar ti yn! A ti'n jealous, just because dim car gyda chi!'

'We don' need no car! Go everywhere by bus we do!'

'Aye, down Ponty sometimes. Very nice, too!'

'We go down Cardiff every Christmas!'

'A chi'n mynd lawr Troed-y-cwm on Saturdays to see your Nan an' all!'

'Whass wrong with 'at?'

'Nothin'! Very excitin' I am sure!'

'You are tryin' to be posh you are. Mam fi'n gweud "Bloody oiti-toits 'em Dudleys. Just because 'im Len's the manager down the bank an' she works down the Chemists."'

'Better than gweithio yn y Christmas trimmings factory fel mae Mam ti'n gwneud!'

'Mam fi'n steward lawr y Resurrection Club since ages!'

'Most like yn glanhau toilets!'

'Most like yn boss y Club! Ond anyway, ti'n gwbod beth arall mae Mam fi'n gweud?'

'Tell me!'

'"Didoreth they are, really. Specially that Vi. Proper Lady Muck she is. She never lifts a finger in 'at 'ouse. Len does everythin' – all the cleanin' an' the cookin' too an' all. Very nice too! An' all 'at fancy make-up. Who does she think she is? Bloody Ava Gardner?"'

'No – Elizabeth Taylor, if you must know! She's 'er very spit! Violet eyes an' all! Thass why my Uncle Len do call 'er "Liz"!'

'Oh! Very nice an' all!'

'Neis iawn, wir.'

'Na beth ges i, ar ôl cyrredd 'nôl o'r trip. Esgus gwerthfawrogi'r picsi o'dd hi, yr anrheg hynod chwaethus o'r Mumbles Gift Shop, yn ishte mor jocôs ar 'i fadarchen hud a 'Share my magic in Mumbles' ar draws 'i gap. Ne' falle bod 'na dinc o ddannod ne' genfigen yn 'i llais. Do'n i ddim yn siŵr. Ond o'n i'n cofio'r pwl bach o euogrwydd ges i wrth ddringo lan y Foel a gweld Gwynfa yn y pellter. O'n i'n cofio tric bach anfaddeuol Uncle Len.

'Ti yn 'i lico fe, on'd wyt ti, Mami? Y picsi bach?'

'Odw, yn fowr iawn. A diolch iti, Branwen.'

Ochened. Hwpo cudyn gwallt o'i thalcen.

'A fe brynes i un tebyg i Mam-gu. Un bach brown.'

'Neis iawn, neis iawn . . .'

O'dd rhwbeth ar 'i meddwl hi, a finne ddim yn gadel llonydd iddi weud beth o'dd e.

'Mami, pryd ga i weld Mam-gu? I roi'r picsi iddi. Dyw hi byth yn dod 'ma, a dy'n ninne byth yn mynd . . .'

'Gad hi 'nei di? A cer lan i'r gwely'n groten dda!'

O'n i'n gwbod beth fydde'r came nesa. Gweud 'Nos da', mynd am y drws yn benisel – a wedyn ymddiheuro. A 'na'n gwmws beth ddigwyddodd.

'Sori, Branwen, wedi blino odw i. Ti'n iawn – fe ffona i Mam-gu. Fe geith hi ddod i aros . . .'

'Addo?'

'Addo . . . A gwranda, ma' hi'n bwysig iti wbod hyn – wyt ti'n groten lwcus iawn, yn ca'l galifanto gyda ffrindie.'

Yn groten glefer iawn, yn bachu ar 'y nghyfle. Yn mynd i ishte ar 'i glin, yn rhoi 'mreichie am 'i gwddw . . .

'Mami? Pryd allwn ni'n dwy galifanto? 'Mond ti a fi – neb arall? I Sain Ffagan ne' lan y môr, i whare ar y tra'th . . . Ne' beth am fynd i gerdded – o'dd rhywun yn yr ysgol wedi bod ar Fynydd Illtud, lan ar ben y Banne . . .'

'Fe ewn ni, Branwen! Sawl gwaith ma' isie gweud? Fe 'newn ni'r pethe 'ma i gyd. Pan fydda i wedi gwella.'

'Addo-paddo?'

'Addo . . . A gyda llaw . . .'

O'dd hi'n ffidlo â botyme'r kimono coch, yn cnoi gewin 'i bawd . . .

'Yr "Uncle Len" 'ma – wy'n gwbod nawr pwy yw e.'

O'dd hi'n disgwl ateb?

'Mr Dudley yw e – Rheolwr Banc y Midland. O't ti'n gwbod hynny? Wyt ti'n cofio'i weld e 'da fi?'

'Nagw, cofio dim.'

O'n i'n joio'i thwyllo hi a throi'r gyllell yr un pryd.

'Mami – ti *yn* addo, bo' ti a fi'n mynd i joio? Addo-paddo-ope-to-die?'

O'n i wedi mynd rhy bell.

''Sdim fod gweud pethe fel'na yn tŷ-ni! 'Sdim fod neud sbort am farw! Wyt ti'n deall? Wyt – ti'n – deall!'

O'n i'n deall.

Marw – corff, arch, angladd, claddu, bedd.

Mwd, mortuary, ceir fel malwod mowr.

Llygoden fach mewn poced; adar ar y lawnt.

Anti Marged, Elen Ifans, Llinos Edwards.

Bustach gwyllt mewn lladd-dy.

Y Destructor.

Ffusto oen bach ar 'i ben.

Pryfed, mwydod, drewdod.

Hen stwff afiach yn diferu.

Boddi, bwced, cyrff bach gwlyb ar lwybyr.

Rhoi i gysgu, potel las, skull-an'-crossbones.

Killing jar, pìn mewn gwegil.

Yeats a Kathleen Ferrier.

'What is Life . . .'

Llefen ganol nos.

Llefen ddydd a nos.

Clirio dillad mas o'r wardrob fach.

Crys â'i lewys wedi breuo.

Sbotyn o inc coch.

'Dyw'r groten ddim yn deall.'

'Seren mewn ffurfafen, 'na beth wyt ti, Branwen, croten fowr dy dad . . .'

Llefen.

'Sh! Rhaid sibrwd rhag i Branwen glywed! Ond do's dim gobeth iddo, druan.'

Llefen.

'Ti'n dderyn prin, fy rara avis fach.'

A stop . . .

Gwa'd
ar foch
dros lyged glas
dros friwsion brown . . .

Stop!

Rhaid stopo!

Alla i ddim â gweud dim mwy . . .

Wall Brown
10.06.55
Bowen Street Alotments

Painted Lady
21.07.55
Garden of Holmleigh
Balaclava Street

Wood White
15.08.55
Cowbridge Common

Common Blue
12.07.56
Caswell Woods

Red Admiral
03.08.56
The Foel

IEIR BACH YR HAF

Rwy'n hoffi ieir bach yr haf. Maen nhw'n bert yn hofran yn yr ardd. Maen nhw'n lliwgar iawn, yr un lliw a'r blodau ac yn dangos bod yr haf wedi dod. Rwy'n hoffi pan fydd un yn glanio ar fy mraich. Gallaf weld y patrwm ar yr adenydd hardd a theimlo'r goglish bach. Ond wedyn mae'r iâr fach yr haf yn hedfan lan i'r awyr, draw ymhell. A diflannu. Ac rwy'n teimlo'n drist. Rwy'n teimlon drist wrth weld ieir bach yr haf wedi marw hefyd. Mae rhai yn syrthio ar y llwybr yn yr ardd. Rhai cloff, neu mae eu hadenydd wedi rhwygo. Ac mae'r fwyalchen yn dod i'w bwyta. Ambell waith maen nhw'n cael eu bwytan fyw, a'u coesau a'u hadenydd yn dal i symud. Mae Uncle Len Lynette yn hoffi eu lladd nhw. Mae e'n mynd a'i "killing jar" i bobman. Mae e'n torri tyllau mewn caead pot jam ac yn rhoi rhywbeth sy'n gwynto fel oil of cloves ar wlân cotwm ar waelod y potyn. Dyna'r stwff y bydd Mami yn rhoi ar fy gums pan fydd y ddannodd arnaf. Ond erbyn meddwl, mae stwff y "killing jar" yn gwynto'n debycach i'r stwff ym mhotel las Whcwl William. Hwnnw wnaeth i gathod

bach Tabitha fynd i gysgu nes eu bod yn marw. Ar ôl
rhoi'r iâr fach yr haf yn y jar mae hi'n ysgwyd ei
hadenydd yn wyllt ac yn trio dringo lan y gwydr ond yn
slipo lawr bob tro. Ac yna mae hi'n mynd yn llonydd ac
yn marw. Ac yn mynd yn stiff i gyd. Ac yna mae
Uncle Len yn rhoi pin ynddi a'i rhoi mewn bocs wedi ei
fframo. Ac yna mae e'n rhoi'r bocsys llawn ieir bach yr
haf i hongian ar y wal. Maen nhwn bert yno ac yn
siwto lliwiau'r stafell meddai Bopa Vi ei wraig.
Weithiau byddaf yn meddwl y bydda'i'n well gyda fi eu
gweld nhw'n fyw ac yn iach ac nid yn stiff i gyd. Ac
weithiau rwy'n meddwl eu bod yn bertach ar y wal.

Mae Tabitha fel teigr mewn jyngl.

Yn llechu'n ddelw-lonydd, yn syllu ar ei phrae, y
streipiau am ei bola fel asennau sgerbwd, ei thrilliw
ynghudd ymhlith tyfiant brith pen pella'r ardd. Edrychwch
ar y gewynnau tyn, y pawennau fel petaen nhw wedi'u
hoelio yn y pridd, y llygaid melyn fel lleuadau llawn.
Gwelwch hi'n llygadu'r robin goch sy'n pigo'n ewn yng
ngweddillion hesb y border. Mae'r gwalch yn rhy brysur-
hunanbwysig i sylwi arni. Strytan, pigo yn y pridd, yn y
graean, rhwng cerrig mân y llwybr. Ei frecwast cynnar sydd
ar ei feddwl, druan, nid ei farwolaeth sydyn ac annhymig.

Gwae fe . . .

Petai e'n gweld y pen yn codi, y wefl yn crynu, y bawen
flaen yn symud fesul modfedd, y coesau cefn yn sythu gan
bwyll bach a'r pen-ôl yn siglo'n llawn bygythiad, gallai
hedfan yn ddianaf lan i frigyn isa'r goeden leilac. Gallai
wfftio'r peryg a gwawdio'i erlidiwr i'r cymylau. Ond wêl e
ddim. Dim byd ond hadau a briwsion a mân bryfed ei
ddychymyg. Dim byd ond gobaith gwag am ddal ambell
fwydyn.

Un naid hir, ofnadwy ac mae Tabitha wedi'i ddal. Y cyfan welwch chi yw pentwr bach o blu ar wyrdd y lawnt. A chorff bach llipa, ei frest yn goch, yn hongian mas o'i cheg.

Fy Hoff Anifail

Fy hoff anifail i yw fy nghath, Tabitha. Mae hi'n cael cathod bach ambell waith ond mae'n rhaid cael eu gwared nhw bob tro. Ambell waith mae rhywun yn cymryd un ond fel arfer mae'n rhaid eu lladd nhw sydd yn biti ond does dim dewis achos byddai gormod o gathod o gwmpas y lle. A dim ond cathod ydyn nhw wedi'r cyfan.

Mae Tabitha'n hoffi llaeth a Kit-e-Kat a sborion cig. Mae hi'n hoffi dal llygod ac adar a'u cario nhw yn ei cheg. Pan oeddwn yn fach roeddwn yn trio achub y llygod a'r adar ond nawr nid wyf yn gwneud hyn oherwydd dyna natur cathod gan eu bod yn perthyn i'r teigr a'r llew a'r llewpart.

Rwy'n hoffi Mot, hefyd, ci Mr Eisac Morgan. Ci defaid ydyw, un call iawn, yn gallach na lot o bobl meddai Mr Morgan. Mae e'n hen iawn a bydd yn marw cyn bo hir.

Rwy'n hoffi Lad, ci Mr a Mrs Bob Jones hefyd. Mwngrel bach yw e a dyw e ddim yn gall. Mae Mrs Mattie Jones yn dweud ei fod yn "barking mad". Mae e'n cyfarth lot ac yn tynnu ar y tennyn pan fyddaf yn mynd ag e am dro.

Nid wyf yn hoffi Snowy, ci Uncle Len a Bopa Vi Lynette. Hen gi bach ofnus, diflas yw e, sy'n debycach i gath na chi ac maen nhw'n ei drin fel plentyn gan nad oes plentyn ganddyn hwy. Mae ei flew yn cuddio'i lygaid felly mae'n anodd iddo weld ble mae e'n mynd. Dyna pam mae e'n gi bach miserabl meddai Lynette. Mae hi'n dweud bod Bopa Vi'n rhoi rolers gwallt yn ei flew ond nid wyf yn siŵr a yw hi'n dweud y gwir. Ond mae e'n colli'i flew ar hyd y lle ac mae ganddo flanced fach arbennig i orwedd arni rhag iddo sbwylo'r soffa a'r cadeiriau. Hen fapa mam o gi yw e.

Mae cynffon hir gan Mot ac mae e wrth ei fodd yn troi o gwmpas yn trio'i dal hi. Nid oes cynffon gan Lad gan eu bod wedi ei thorri i ffwrdd er mwyn bod yn bertach ac yn llai o ffwdan. Cynffon fach hyll sydd gan Snowy.

Roeddwn i'n hoffi Joey, budgie Mr a Mrs Jones ond mae e wedi mynd nawr. Mae pethau fel'na'n digwydd, meddai Mami a rhaid peidio poeni amdanyn nhw ac mae bywyd yn mynd yn ei flaen. Ond rwy yn poeni. Achos arnaf i oedd y bai. Fi oedd yn "hunanol" a "difeddwl", yr holl enwau mae Mami'n fy ngalw i. Ac mae'n nhw'n wir hefyd. Ond mae'n galed newid. Un fel yna ydw i a does dim y gallaf ei wneud. Dim ond poeni.

Rwy'n poeni am lot o bethau. Yn cofio am lot o bethau cas sydd wedi digwydd. Ond does neb yn gwybod fy mod yn poeni achos nid wyf yn dweud wrth neb. Does dim pwynt. Byddai neb yn poeni amdanaf i.

(Mae hwn yn breifet iawn.)

O'dd 'na un.
    Yn becso. Yn trio helpu. Yn folon gweud 'i barn.
    'Gwenda, dere i ni ga'l trafod . . .'
    'Trafod beth nawr, Mama?'
    'Branwen . . .'

242

'Branwen, Branwen, Branwen! Chi fel tiwn gron!'

'Ma' isie sylw arni . . .'

'Beth amdana i? Fi sy'n dost! Fi ddyle ga'l y sylw!'

'Wyt ti yn ca'l sylw. Ond ma' pethe'n anodd – i chi'ch dwy.'

'Ac y'ch chithe'n neud pethe'n wa'th â'ch hen ymyrryd!'

'Fe ymyrra i tra galla i, Gwenda. A neud 'y ngore drosoch chi 'ych dwy fach. Tra galla i, tra bydda i.'

'Gwedwch stori'r llong yn gadel porthladd.'

'Ti wedi'i chlywed hi sawl gwaith.'

Wrth gwrs ei bod hi. Gallai ei dweud hi ar ei chof. A'r dweud a'r cofio'n rhan o ystyr 'cysur' a 'bod yn saff'. Fel ceseilio'n ddwy fach – yr hen wraig a'i hwyres – ling-di-long lan y lôn i gasglu mwyar duon neu lysie-duon-bach a'r chwerthin ceg-a-dannedd-coch wrth gyrraedd 'nôl i'r tŷ. Fel tarten yn diferu'n felys, cage-bach yn dwym ar blât a phwdin reis â chrofen ar ei ben ar lechen yn y pantri. Fel Calamine ar ysgwyddau tost ddiwetydd haf. Fel hen albwm a'i lond o luniau oes a fu – lladd mochyn a lladd gwair, 'dy hen-fam-gu yw honna', 'ti'n debyg iawn i'r groten yn y trap-a-poni', 'Wncwl Tom a foddodd yn y Bay of Biscay', 'a 'drycha arno fe, dy hen dda'cu, yn esgus reido penny-farthing!' Fel eistedd ar wal y twlc a chael y stori am yr hwch a neidiodd drosti a rhedeg am ei bywyd am filltiroedd nes syrthio'n farw yn y ffos. Fel 'Songs of Wales' yn agored ar y piano, y llestr wy siâp esgid, y masglu pys o dan y goeden afal, y blodyn menyn o dan yr ên . . .

Fel rhannu'r deck-chair werdd o dan y goeden fwnci.

'Dewch, gwedwch hi, Mam-gu . . . O'chi'n wafo arnyn nhw . . .'

'O'n, yn wafo nes o'dd 'y mraich i'n dost. A llond y dec o forwyr yn wafo 'nôl. A finne'n whilo am 'y nhad – dy hen dda'cu – ond yn ffaelu'n lân â'i weld e. Whilo, whilo – am y macyn gwyn o'dd Mama wedi'i roi iddo fe. Ond o'dd pob morwr bach â'i facyn gwyn – macynnon lond y dec yn wafo. Pawb yn wafo, canno'dd o facynnon gwyn. Ond neb yn wafo arna i. A Mama'n trio'i gore i 'nghysuro i. "Paid becso," medde hi, "Achos ma' fe 'na. Ma' fe'n dy weld *di*, er nag wy ti'n 'i weld *e*.'"

'"Yn gwmws fel dy Dad sydd yn y nefo'dd." 'Na beth wedodd hi, ontefe?'

'Ie . . .'

'Ond wedyn fe weloch chi fe. A fe dowlodd e gusan atoch chi.'

'Do . . .'

'A 'na'r tro d'wetha weloch chi fe.'

'Ie . . .'

A'r ochenaid, fel pob tro.

'Dda'th e byth 'nôl aton ni. Boddi ar 'i fordaith ola, druan bach. A fynte wedi penderfynu dod 'nôl i'r lan am byth, at 'i wraig a'i deulu . . .'

'Odych chi'n 'i gofio fe?'

'Na – dim ond wyneb pell ar long yw e, yn towlu cusan cyn hwylio mas o'r porthladd, a mynd yn bellach, bellach mas i'r môr.'

A'r distawrwydd hir, arferol . . .

'A chi'n dala i hiraethu . . .'

A Mam-gu'n cau ei llygaid a throi ei hwyneb at yr haul.

'Odw, glei . . .'

'Blasa fe â bla'n dy droed!'

Twba golchi ar y lawnt a'i lond o ddŵr. Dou degelled o ddŵr berwedig ar ben bwcedeidi o ddŵr oer. Dŵr claear, clir.

'Cer i ishte yndo fe!'

A Mam-gu'n sinco miwn i'r deck-chair â'i hat wellt am ei phen. A finne'n tynnu'n sandale a theimlo'r borfa'n esmwyth dan 'y ngwadne. Tynnu 'nghrys a theimlo'r gwres yn faldod ysgafn ar 'y ngwar. Mynd i ishte yn y twba, y dŵr hyd at 'y mogel. Gorwedd 'nôl yn braf fel Cleopatra ne'r Queen of Sheba . . .

A splash!

Jwged o ddŵr oer dros 'y mhen, a Mam-gu'n wherthin yn 'i dwble a finne'n tasgu 'nôl nes bod 'i blows yn sopen. Lot o dasgu, lot o wherthin a lot fowr o sbort.

A clic.

A ninne'n rhewi.

'Ti'n joio, Branwen?'

Clic arall.

'Dere, un bach 'to . . .'

'Reit te – dere Branwen!'

A Mam-gu'n tynnu tywel o'r lein ddillad a 'nghodi mas o'r dŵr a 'ngharTio at y tŷ. Fe weles i'r edrychiad dowlodd hi at Wncwl William. Ond chymerodd e ddim sylw, dim ond esgus whare â lens 'i gamera.

'Gwedwch stori'r hoelen fowr, Mam-gu.'

Am y groten fach yn mynnu mynd yn droednoeth, yn sefyll ar hen hoelen, a'r rhwd a'r baw'n gwenwyno'i chorff. Un o'r llu moeswersi am beryglon hollbresennol bywyd. Hoelion, sisyrnau, cerrig miniog, darnau gwydr yn hollti cnawd. Rhywun wedi tagu i farwolaeth ar gwlwm o bubble gum yn ei gorn gwddw. Rhywun arall wedi llyncu chewing gum a galedodd fel sement a mynd yn sownd i'w galon. Peryglon prennau lolipops yn torri tyllau mewn ysgyfaint. Croten fach yn plygu'i phen i wynto rhosyn – a phigyn main yn hollti'i llygad a'i dallu, druan fach! A chroten arall yn pigo'i bys ar nodwydd a honno'n llifo trwy'i gwythiennau reit mewn i'w chalon. A beth am y Black Pat anferth a gnoiodd drwyn babi a gysgai ar flanced yn yr ardd? A'r bachgen bach gwahanglwyfus, druan bach ag e? Pam na fyddai wedi golchi'i ddwylo ar ôl bwyta'r hen fanana brwnt 'na?

'Peils gei di, groten, wrth ishte ar y garreg 'na! A phaid â thwtsh â'r morgrug 'na! Dy bigo gei di!'

Gorymdaith ddiwyd, drefnus yn disgleirio yn yr haul.

A hithau'n gwrando'n astud, yn clywed grŵn, sŵn hymian ysgafn. Yn rhoi ei bys ar risgl y goeden leilac, yn bont ar draws y llif, a theimlo'r cosi.

'Nawrte'r cnafon . . .'

'Na!'

'Dim "Na!" o gwbwl! Hen bethe afiach y'n nhw!'

Tegellaid o ddŵr berw – ac mae 'na bentwr stemllyd, du wrth fôn y goeden leilac. Fel haenen o lo mân yn disgleirio yn yr haul.

Yn gwingo yn yr haul.

Dawns angau morgrug.

'Children – heads on arms!'

Nyrs Mackenzie'n fflontio'i hawdurdod.

'Pennau ar eich breichiau, blant!'

A Rowli-Powli'n ei hadleisio. A phawb yn dawel, pawb yn llonydd yn eu desgiau. Dim smic ond gwichan sgidiau'r Nyrs ysgafndroed a siffrwd ei sanau-neilon du a'i hoferôl las a'i brat bach gwyn wrth fynd o ddesg i ddesg, o ben i ben. A'i Pharker-pen yn crafu ar ei chlipbord. A Rowli Powli'n gweiddi.

'Neb i bipo! No peeping, children!'

Pawb yn esgus peidio pipo. A phawb ond Sarah Collins yn pipo fel y diawl. A Rowli Powli'n trio bod yn ddoniol.

'Only Pedigree Welsh Blacks you'll find!'

Mae'r Nyrs yn gwrthod chwerthin. Rhaid canolbwyntio ar ei phriod waith, sef twrio fel gwahadden yng ngwalltiau'r plant – crew-cuts a chyrls a phony-tails a phlethi, ringlets a rhubanau a chudynnau seimllyd.

O'dd hi'n dod yn nes . . .

Claddu 'mhen yn 'y mreichie. Pwyso 'nhalcen ar y ddesg. Ffidlan â'r pot inc. Stwffo 'mys i'r twll a'i deimlo'n wlyb. Pipo dan 'y mraich a gweld yr ewin glas. Cau 'y nwrn yn dynn. A'i agor. Cyfrwy glas rhwng bys a bawd.

Gwichan . . . Siffrwd . . .

Wrth 'y mhen i. Gwynt TCP a sebon. Bysedd main yn rwfflan yn 'y ngwallt nes neud i 'ngwegil dinglo'n od i gyd. A rwfflan 'to. A 'to. Swn crafu ar y clipbord. A'r gwichan a'r siffrwd yn symud mla'n, yn pellhau i ben draw'r stafell. Pipo dros 'y mreichie. Dal llyged Sarah Collins. Gweld Nyrs a Rowli Powli ben-ben wrth 'i ddesg. A fynte'n crafu'i ben. A Nyrs yn rhoi'r Parker-pen ym mhoced fach 'i hoferôl, a'i chlipord yn 'i bag mowr du. A Rowli'n rhoi pesychiad bach.

'Reit, fe gewch chi godi'ch penne.'

A phawb yn edrych ar 'i gilydd a thowlu pip fach draw at Sarah Collins sy'n dal i gwato'i hwyneb.

'And now then, children, say "Thank you and goodbye" to Nurse Mackenzie.'

'Thank-you-and-good-bye, Nurse-Mack-en-zie.'

A'r gnawes fach yn gwenu'n surbwch cyn gafel yn 'i bag a gwichan mas drw'r drws. A Rowli'n agor 'i Lyfr Mawr Cofrestru a sgriblo rhywbeth ar ddarn o bapur a'i blygu yn ei hanner.

'Reit te, tynnwch eich llyfrau Mental Sums o'ch desgiau. Branwen Roberts, ewch â'r nodyn 'ma at Nyrs i stafell yr athrawon.'

Gordd. Rowli Powli ar 'i ore. A finne mor ddiniwed. Yn sgipo draw ar draws yr iard, yn oedi cyn cnoco'r drws. Yn ca'l 'y nhemto. Yn ildio i'r demtasiwn. A phipo'n sydyn ar y nodyn.

NAME: BRANWEN DYDDGU ROBERTS
ADDRESS: GWYNFA, BOWEN STREET, PENCWM.

'Come in . . .'

Corryn yn croesawu pryfyn.

'. . . and sit. And I'll take that note, thank-you.'

Crychu'i thalcen.

'Brain-one Dudgi Roberts? Dutgi? Dwthgi? How do you say your name?'

'Branwen Dyddgu . . .'

'Well, whatever . . .'

Plygu'i cheg yn dynn wrth sgrifennu ar y ffurflen.

'Give this to your mother. And this too . . .'

Potel fach frown o'i bag a rhwbeth mewn cwdyn gwyn.

'It needs doing twice a day.'

Siglo'i phen.

'Welsh Blacks, indeed . . .'

Sgwro'i dwylo dan y tap.

'You can return to class now – Brainwen, or whatever.'

Brainwen or whatever, y wahanglwyf fach, yn goffod cerdded miwn i'r dosbarth. A phawb yn syllu arna i, ambell un yn gwenu, yn pwno'i gilydd yn wybodus.

'Iawn, Branwen?'

'Iawn diolch, Mr Rowlands.'

O'dd e'n crafu'i ben a phigo'i drwyn. Ac wrth fynd i ishte yn 'y nesg, fe sylwes i ar Sarah Collins yn gwenu'n sbengllyd arna i o'r tu ôl i'w Mental Sums.

Dim cyrls, a dim rhubanau pinc.

Eu pennau wedi'u siafo, a'r ddwy ferch bertaf yn y byd yn edrych fel y dywysoges Anastasia a'i chwiorydd ar ôl i'r Bolsheviks gael gafael ynddyn nhw.

'Our Dad made us 'ave it done.'

'Shaved it off 'imself 'e did.'

'It's bad for business, see.'

'Can't 'ave 'ead lice in a pub.'

''Orrible they are.'

'I know, I had them too. I got this smelly stuff off the nurse.'

A chrib fel rhaca finiog. A'r hen bethe ych-a-fi'n cwmpo miwn i'r bowlen.

'Ti, o bawb! O gartre glân! A finne'n neud 'y ngore! 'Wrth bwy ddalest ti nhw? Rhywun brwnt, fe fentra i!'

'Shavin's better, says our dad.'

'Anyway, it'll grow again, so let's forget it an' go an' play.'

'Let's play fashion show. The cat-walk's on the landin, an up-an'-down the stairs. We'll wear some 'ats to 'ide our 'eads.'

'No, let's play Anastasia.'
'Wha' game's 'at 'en, Branwen?'

Fy ngêm i.

Fi oedd pia hi. Fy syniad i o'r dechre'n deg. O'r diwedd, fi o'dd bòs y gêm.

Angela o'dd Anastasia hardd, Cheryl y Czar golygus a Rasputin hyll a'r milwr Bolshevik mwstashog a'r gwas ffyddlon a'r dyn yn y dorf. Fi o'dd y fam a'r whâr a'r forwyn ffyddlon a'r fenyw yn y dorf a'r awdur a'r cynhyrchydd a'r cofweinydd a meistres y gwisgoedd a'r coluro.

O ie, fi o'dd bòs y gêm. Ac fe 'nes i'n fowr o 'nghyfle. Towlu 'mhwyse, 'u gorfodi nhw i ufuddhau i bob gochymyn. A mwynhau pob eiliad o 'mhŵer newydd. Ymhen tridie o'n ni'n barod am y dress rehearsal. A wedyn – y World Première. A'r gynulleidfa ar landin y Bute Hotel, Mr Flynn yn clapo a wherthin ac esgus llefen yn y manne iawn a Mrs Flynn yn hofran wrth ddrws y gegin, sgarff flodeuog dros 'i phen moel, 'i hwyneb yn welw a'i llyged glas yn ddu. Fel 'se hi'n gwiso colur trwm. Ond do'dd hi ddim. Dolur o'dd hi wedi'i ga'l, dim colur.

'Look who's by the window!
    It's the Black-an-White-Minstrel! Come to have his tea!'
    A Popsi'n canu mewn llais bas, tebyg i Paul Robeson.
    'Poor-little-Sambo-wants-'is-tea, due-da, due-da!'
    'Popsi! Popsi!'
    'Who's "Popsi" when 'e's at 'ome?'
    Mae e'n esgus chwilio, yn mynd at wal y cefn i edrych lan a lawr y gwli, yn dod 'nôl yn drist a chanu eto.
    'Poor-little-Sambo-thass-my-name, due-da, due-da, day!'
    Amser te yn Glynmor, Hebron Street, a'r plant yn gyffro i gyd wrth weld yr wyneb du â'r llygaid gwyn, a'r gwefusau pinc yn gwenu arnyn nhw trwy'r ffenest, a phâr o ddwylo du'n wafo yn yr awyr.

'Waa-y down upon the Swaan-ee river! Baack with the ol' folks at home!'

A Morfydd yn chwarae'r gêm yn well na neb wrth iddo sefyll yn y drws.

'You'll have to sing for your tea, tonight, you handsome black minstrel! But where's your old banjo? Gone an' lost it have you?'

Winc a chwythu cusan ati â'i wefusau pinc, a'i lygaid gwyn yn sbarclo.

'My ol' banjo is safe an' sound. An' 'e'll be in top form for you tonight, my love!'

'Big talk, Sambo! Now get in that scullery quick an' take those dirty clothes off!'

'Or else?'

'I'll be scrubbin' you with Chemico!'

Chwythu cusan arall – a diflannu rownd y cornel.

'Mam?'

'Yes, bach?'

'What was Popsi sayin' now? 'E 'asn' got a banjo.'

'Just a little joke, that's all. Between me an' Pops.'

AMSER TE

Rwy'n hoffi amser te yn nhŷ Lynette. Rydym yn cael bwyd neis ac mae popeth yn lân ac yn deidi. Byddwn yn cael sbort pan fydd tad Lynette yn cyrraedd nôl o'r pwll yn ddu i gyd. Bydd yn siarad a ni drwy'r ffenest a chanu ambell waith ac yn'an esgus camu mewn i'r gegin yn ei ddillad brwnt a bydd mam Lynette yn gweiddi "Glyndwr, don't you dare!" A bydd pawb yn chwerthin. Yna mae'r plant i gyd yn mynd i'r middle room i chwarae neu i edrych ar y television tra bydd tad Lynette yn tynnu'i ddillad a'u gadael wrth ddrws y cefn ac yn mynd i'r bath. Pan ddaw e mas bydd e'n gwisgo dillad glân a slipers a bydd ei wyneb yn sheino'n binc a'i wallt yn ddamp. Mae e'n debyg iawn i Ivor Emmanuel sy'n canu ar y television. Mae ei lais yn debyg hefyd. Yna bydd yn eistedd wrth y ford i gael ei de tra bydd mam Lynette yn sgwrio'r bath gyda Chemico a bicarbonet and soda nes bod popeth yn lân unwaith eto. Bydd e'n jocan ac yn chwerthin gyda'r plant a'u holi am beth wnaethon nhw yn yr ysgol. Wedyn bydd yn mynd i eistedd wrth y tân i gael smôc a darllen ei bapur a bydd Lynette yn mynd i eistedd ar ei gôl. Byddaf yn hoffi gweld Lynette yn cwtsho gydag e. Rwy'n meddwl ei bod yn ferch lwcus iawn.

Cenfigen rhonc.

Yn cnoi. Yn 'y myta i'n fyw. Nes o'n i'n ffaelu edrych arnyn nhw. Yn cwtsho gyda'i gilydd, Lynette ar 'i gôl, yn rhwto'i llaw ar sofol 'i ên. Y ddou'n wherthin a phryfoco, yn plethu'u bysedd, yn goglish. A finne'n ffaelu godde. Yn neud rhyw esgus bach. Rhaid mynd sha thre. Ar unweth.

'Thank-you for the lovely tea.'

A mam Lynette yn edrych arna i. Yn synhwyro.

'You all right, bach?'

'Yes. My Mami's waiting for me.'

'Lynette's dad will walk you home.'

'No! I'll be allright.'

'You sure?'

'Yes.'

Olreit? Wrth gwrs 'y 'mod i. O'n i wastad yn olreit. Dim ots beth ddigwydde, dim ots beth 'nele neb, dim ots beth wede neb. O'dd Branwen Dyddgu Roberts wastad yn dod trwyddi.

'Gweld ti bore fory, Lynette.'

'Ie, gweld ti, Branwen. Ar y bws.'

A drws brown Glynmor yn cau tu cefen i fi.

Drannoeth.

Diwrnod newydd arall. Drama newydd, a'r actores ar ei gorau.

''Mornin', Sunshine!'

''Mornin', Barrie!'

'Come an' sit by me by 'ere. Before the noisy rabble joins us!'

Sedd y gwt. O'r golwg rhag y gyrrwr. Whiff tybaco, lledr, brethyn cwrs ei lifrai. Gwynt dyn. Gwynt dierth. Gwynt cyffro, mentro.

Cwtsho yn ei gesail. Chwarae â strap ei fag. A'r bathodyn ar ei siaced.

'Like my new leather belt?'

Du, clasp disglair iddo.

'You can touch it if you like.'

Blaen bys, braidd gyffwrdd, a Barrie'n gwenu a chau'i lygaid a thynhau ei fola nes bod esgyrn ei asennau'n amlwg o dan ei grys.

'I like it when you touch it, Sunshine . . .'

Troi lawr Hebron, a Barrie'n neidio ar ei draed yn sydyn a chau botymau'i siaced.

'Right then – stop it! An' behave! Until tomorrow! An' no snitchin' – right?'

'Right.'

A Lynette yn dringo ar y bỳs . . .

'Mornin', Angel!'

'Mornin', Barrie!'

. . . Ac yn gwenu arno fel angyles.

A Barrie'n winco arna i.

A chodi'i fawd. A finne'n deall. Y cwlwm rhynton ni. Cyfrinach, amod, dealltwrieth. Dim un gair wrth neb. Fel addewid rhwng oedolion. Cyn i fi droi 'nôl yn blentyn unweth 'to, yn groten fach ddiniwed.

'Lico ringlets ti, Lynette.'

'Diolch, Branwen. Mam fi wedi hala orie'n neud nhw

neithiwr. All 'em fiddly rags. Ond mae hi'n lico gweld fi'n bert. "Like to 'ave a pretty little girl, I do!" 'Na beth mae hi'n gweud. "Little boys are lovely, mind, an' I do love mine both to bits. But 'avin' a little girl to dress up is special." Mam fi'n silly sosej.'

'Your mam is right, my Angel! Little girls are lovely – especially pretty little ones like you – an' Sunshine' ere, o' course! An' look who's comin' on the bus by 'ere – Meryl, my little Marvel!'

Pang arall o genfigen. At Meryl a Lynette.

Yn enwedig at Lynette.

Y 'stop-an'-start' beunyddiol . . .

''Mornin' Sonny!'

. . . a'r poenydio deddfol . . .

'Hei, Alun Wyn! Gwallt ti'n neis y bore 'ma!'

'Yn gwmws fel gwallt merch!'

'Isie bencyt ribbon fi?'

'Ribbons neis i ga'l down Ponty market!'

Solidariti a jawlineb rhwng tair cnawes.

'Alun Wyn mor dew â hyn!'

Lledu'u breichiau, wrth eu bodd yn ei weld yn sgyrnygu a chodi'i ddyrnau dimplog cyn mynd i bwdu i'r sedd flaen.

'Alun Wyn mor wan â pìn!'

'Alun Wyn yn yfed gin!'

'Alun Wyn yn byw mewn bin!'

'Alun Wyn do live in sin!'

'Beth ma' hynna'n 'feddwl, Meryl?'

'Not sure – mam fi'n gweud e often. Pobol yn neud pethe naughty cyn priodi.'

'Pwy bethe?'

'Kisso. Neud babis a phethe.'

'Shwt ma'n nhw'n neud babis a phethe?'

'Branwen! Ti'n dwp ti yn!'

'Hei, Alun Wyn! Ti'n gweud wrth Branwen shwt ma' neud babis!'

'Alun Wyn ddim yn gwbod!'

'Alun Wyn yn 'opeless!'

'Shut up chi!'

'Neu beth, Alun Wyn?'

'Beth ti'n mynd i neud i ni?'

'Rhoi punch i chi 'na beth!'

'O aye? You an' who's army?'

Ac Alun Wyn yn suddo'n ddyfnach mewn i'w sedd. A Barrie White yn rwfflo'i gyrls bach pert.

'Take no notice of 'em, Sonny. Bloody women, dangerous they are!'

Rwy'n teimlo'n drist iawn heddiw. Fel petai rhywbeth trwm yn pwyso arnaf. Yn fy stopo rhag anadlu'n iawn. Yn rhoi pen tost i fi. Yn neud i fi eisiau llefen a bod yn sâl.

Bore dydd Llun dechreuodd e. Pan es i ar y bws edrychodd Barrie arnaf yn od. Dim "Mornin Sunshine" na dim byd, dim ond sefyll ar y platfform ac esgus cowntro arian yn ei fag a rhoi rhowlyn newydd o dicedi yn ei beiriant. Es i i eistedd ar sedd y gwt fel arfer ond ddaeth e ddim i eistedd gyda fi ar peth nesa roedd Lynette yn dringo ar y bws ac fe ddywedodd Barrie "Mornin Angel" wrthi hi ac roedden nhw'n gwenu ar ei gilydd.

Roedd Lynette yn od iawn hefyd. Fe ddywedodd hi'n sydyn "Tin lico Popsi, Branwen? Ti yn, I can tell." Doeddwn i ddim yn gwybod beth i'w ddweud. "Come on, own up!" meddai hi. Ac yna daeth Meryl ar y bws a dywedodd Barrie "Mornin Marvel" wrthi ac roedd hi'n chwerthin. Ac yna gofynnodd Meryl i Lynette "Well, have you asked her yet?" ac fe atebodd Lynette "Yes" ac aeth y ddwy i eistedd ar sedd arall ac edrych arnaf yr

254

holl ffordd lawr y cwm heb wneud sbort un waith ar ben Alun Wyn na Rhian Jones na Sarah Collins.

Maen nhw wedi bod yn od bob dydd ers hynny. Pallu gadael i fi eistedd gyda nhw ar y bws, er bod lle i dair ar sedd y gwt a fy sedd i yw hi beth bynnag. Fi oedd yna gynta, cyn iddyn nhw ddod i'r ysgol hyd yn oed. A fi syn eistedd arni gyntaf bob bore. Ond maen nhw'n fy hwpo bant a dweud wrthyf am fynd i eistedd i sedd arall. Maen nhw'n siarad ac yn chwerthin heb i fi wybod beth yw'r jôc. Ond ruy'n gwybod yn iawn taw fi yw'r jôc.

Yn yr ysgol maen nhw'n ffrindiau mawr ac yn cerdded o gwmpas fel duy gariad ac yn dweud "Sh!" bob tro y byddaf yn dod yn agos. Nid wyf yn gwybod pam eu bod yn gango yn fy erbyn.

Ruy'n becso am ryubeth arall hefyd. Maen nhw'n bagsi Barrie. Mae e'n eistedd gyda nhw ar sedd y gwt. Ac ruyf i yn gorfod eistedd ar wahân i bawb, neu gyda Sarah Collins achos mae hi'n mynnu dod i eistedd gyda fi a chynnig losin stici llawn baw a fflyff i fi. Pan fydd Barrie a fi ar y bws ar ein pennaun hunain bob bore a phrynhawn mae e'n sefyll ar y platfform yn smoco sigaret ac edrych ar y dreifer bob hyn a hyn a golwg nerfus arno fe. Dyw e byth yn eistedd gyda fi ddim muy. Dyw e ddim yn siarad gyda fi. A does dim syniad gyda fi pam. Nid wyf yn gwybod beth ruy wedi ei wneud yn rong.

Ruy'n becso am Mami hefyd. Roedd hi wedi gwella'n dda. Wedi dechrau bod yn hapus unwaith eto a mynd nôl i'r ysgol. Ond mae hi adref eto. Yn drist, yn gwneud dim byd ond cysgu druy'r dydd ac yfed sheri yn y nos. Ac yn y dydd hefyd ambell waith.

Ruy'n trio peidio becso am bopeth. Ond mae'n anodd. A does neb yn guybod achos nid wyf yn dweud wrth neb. Felly does neb yn gallu helpu.

Neb.

'Oh, rest in the Lord,
   Wait patiently for him,
   And he shall give thee
   Thy heart's desires . . .'
Kathleen Ferrier yn canu'i henaid. A Gwynfa'n griddfan. Ffenestri'n clepian, llenni'n hedfan, carpedi brau yn codi'n donnau a fflamau'r tân yn poeri'n las. Dripian y dŵr o'r peipiau a'r cwteri, glaw'n diferu lawr ffenestri. Cystadleuaeth ratlo rhwng drws y ffrynt a drws y cefn, gât y ffrynt yn gwichan 'nôl a mlaen a rhywbeth – llechen, darn o'r simne? – yn chwalu reit tu fas i ffenest y stafell ffrynt.

Storm i alw 'Chi' arni. Storm cadw pobl yn eu tai, rhag sefyllian ar riniogau, rhag crwydro'r strydoedd, rhag mentro o'u parlyrau clyd. Storm cysur a chwmnïaeth rhwng pedair wal, storm sgwrs a stori a diolch am y television. Storm dishgled de a thishen lap ac Ovaltine a Horlicks o flaen y tân. Storm potel dŵr twym, storm esgus da am noson gynnar. Storm caru, storm creu babis.

'Commit thy way unto him,
   And trust in him . . .'
Storm rhoi eich ffydd mewn anaesthetig potel sheri. Storm cwrlo'n sypyn anymwybodol ar y soffa, cysgu, chwyrnu. Storm anghofio. Anwybyddu croten fach sy'n gorwedd ar y llawr yn gwneud jigsaw – Famous People of the World: Churchill, Ghandi, Queen Elizabeth of England. Yr un sy'n gorfod cadw golwg ar y tân ac ar y gath drilliw sy'n mynnu gorwedd ar yr aelwyd.

'Watsha di, Tabitha! Os cwmpith colsyn ar dy ben di, fydd hi'n amen arnat ti! Colsyn ar dy ben, a bydd hi yn "Amen"! O't ti'n gwbod bo' fi'n fardd, Tabitha?'

Mae Tabitha'n codi ac yn troi deirgwaith yn ei hunfan yn ei chwsg cyn suddo 'nôl i'r aelwyd. Mae'r groten fach yn trio'i gorau i anwybyddu Kathleen Ferrier, sŵn y gwynt a'r glaw, y cols yn tasgu, yr hwrnu ffyrnig. Mae hi'n lwmpyn bach o boendod – am ei mam sy'n feddw dwll, am y gwynt a'r glaw difaol, am Tabitha sy'n rhy agos at y tân. Bydd hi'n anodd mynd i'r gwely cyn i'r storm ddistewi, cyn i'w mam ddadebru.

Ac mae hunlle ddoe yn gorwynt yn ei phen.

Glatsh!

Llaw fel rhaw yn clatsho'r bar. A'r gwydrau gweigion ar y sinc yn tinclo fel clychau bach Nadolig.

'Friggin 'ell!'

Glatsh! arall, a'r calendr merched bronnoeth yn syrthio oddi ar ei fachyn, a photyn peint yn moelyd a chwrw'n triclo lawr i'r llawr yn bwll bach ffrothlyd.

''Ow many times 'ave I told you girls to keep out o' this friggin bar? I've told you time an' time again – it's no place for little girls! So what the friggin 'ell are you three doin' 'ere?'

Roedd hi'n benderfynol – peidio dychryn, peidio edrych ar y llygaid gwyllt, y patshys chwys, y dyrnau caled, yr ewinedd du. Trio canolbwyntio. Tatŵs – **R. A. F.**, *I Love Betty XXX* a'r ferch fronnoeth, weflog yn codi'i gwydred o champagne. Llwnc destun i'r holl sbort.

'Well? I'm waitin' for an answer!'

'Playin' we were, thassall.'

'Playin' servin' in a bar.'

'I'll give you playin'!'

Clatshen dros foch Cheryl nes ei bod yn troi.

'Gerr upstairs! An' take your sister with you! Go on, up 'em stairs the both of you!'

Eu gwthio wysg eu cefnau drwy ddrws y bar, ei ddwrn yn erbyn smocking a ffrils eu ffrogiau pert. Clatsho cefnau'u coesau wrth eu dilyn lan y staere. Ac yna troi, a'i gweld hi'n cuddio, yn gwasgu'n dynn yn erbyn wal y cyntedd.

'An' you, you little Welshie bitch! I seen you 'idin' there!'

Ei ddwrn o dan ei thrwyn, ei ddrewdod yn codi cyfog arni.

'Get the fuck off 'ome!'

Rhewi. Ffaelu symud gewyn.

'Did you 'ear me? You understand plain English?'

'Yes.'

'So do as you are told an' fuck off 'ome! An' don' come near 'ere again!'

A lan â fe ar ôl ei ferched, ddau ris ar y tro. A hithau ar y gwaelod, yn syllu ar y ddrama erchyll ar y landin, yn clywed y sioe i gyd. A'r egwyl sydyn. A thawelwch agor bwcl, tynnu belt, ei blygu yn ei hanner a'i blethu rownd-a-rownd y dwylo mawr. Tawelwch y bygythiad pwyllog.

'Now – get – in – there.'

Gole'r haul trw'r ffenest liw.

Patryme – diemwnte, cylchoedd, sgwarie – piws a glas a choch yn hofran dros y staere, ar y walie, ar y dryse, fel lliwie mewn caleidosgop.

A Mrs Flynn yn dod o rywle, a sefyll ar y landin, yn welw, lonydd yn 'i phlyg, 'i llaw'n gafel yn y nobyn crwn ar dop y staere. Yn gwrando, yn gwingo â phob swish-swish-swish y belt.

Do'n i ddim yn gallu godde mwy. O'n i wedi gweld y ddwy ferch fach berta, neisa yn y byd i gyd yn ca'l 'u hwpo, fel dwy fuwch, miwn i'r stafell wely. A'r ddrama erchyll yn parhau'r tu ôl i ddrws caeedig. A finne'n ddiymadferth. Yn un o'r gynulleidfa gwbwl ddiymadferth.

Troi i fynd – ond rhoi un bip fach arall lan y staere. O'dd hi'n syllu arna i drw'r banisters, 'i llyged yn gleisie gwlyb.

A wedyn es i mas drw' ddrws mowr, derw'r Bute Hotel.
A'i gau tu cefen i fi.
Glep.

Heno, o flaen y tân . . .

Mae hi'n gwingo yn ei hunllef seicadelig – lliwiau a phatrymau'r ffenest ar y landin, menywod bronnoeth, llygaid cleisiog, rhubanau pinc. A swish-swish-swish belt ledr yn clymu'r cyfan yn barsel ffrwydrol.

Ffrwydrad tanddaearol.

Gwynfa'n gwegian. Waliau, lloriau a ffenestri, ornaments ac offer tân, platiau swper gweigion, y byngalo bach Bayko. Popeth. A'r gwydraid sheri ar fraich y soffa'n moelyd dros y llawr, a'r cols yn twmblo dros yr aelwyd a Tabitha'n dianc mas i'r gegin.

Ond does dim dianc rhag y daran sy'n rhwygo perfedd daear, na'r munudau hir o rwmblan ffyrnig.

Na'r tawelwch a'r llonyddwch rhyfedd.

Na grŵn yr hwter, fel udo creadur wedi'i glwyfo, bustach ar ei ffordd i'r lladd-dy. Diasbad hir, cyn-oesol dros y cwm, yn dihuno'r byw, yn aflonyddu'r meirw ym mynwent fawr y Waun.

Does dim dianc rhag seirenau ambiwlanses a cheir polîs, y gweiddi croch a'r llefain, yr wynebau gwelw dan y lampau yn y glaw. Plismyn, meddygon, nyrsys, gweinidogion. Gweddwon, babis bach mewn sioliau; plant â llygaid lloi. Camerâu a meicroffonau. Te a chawl a chysur.

YR ANGLADD

Heddiw roedd angladd Mr Glyndwr Morgan, "Popsi", tad fy ffrind Lynette. Roedd yn cael ei gladdu gyda saith dyn arall a gafodd eu lladd yn nhanchwa Pwll y Waun. ("Tân" a "chwa" yw "tanchwa" fel chwa o wynt ond bod y gwynt ar dân.)

Roedd cannoedd yno, yn sefyll yn y glaw. Roedd camerâu y television a meicroffonaur wireless yno a dynion pwysig iawn mewn cotiau a hetiau du o dan ymbarels mawr du. "Aelodau seneddol" oedd rhai ohonynt meddai Mami. (Pobl sydd i fod i ymladd dros bethau pwysig yn y senedd yn Llundain, ond nid ydynt yn gwneud eu gwaith, meddai Mami.)

Roeddwn yn sefyll yn y cefn gyda Mami yn edrych lawr ar y cwbwl a thrio gweld pwy ôn în nabod.

Roedd Mr Bob Jones y torrwr beddau yn sefyll yn y cefndir gydai ddynion. Roedd ganddyn nhw waith trwm iw wneud. Roedd llawer o Bowen Street a Balaclava a Hebron yno.

Roedd plant ac athrawon yr ysgol yno a staff y gegin. (Roedd Meryl yn sefyll gyda Mrs Thomas Cwc.) Roedd Mr Godwin y Gweinidog yno, a lot o weinidogion eraill. "Yr Arglwydd Dduw sydd yn rhoddi ac yn tynnu i ffwrdd" meddai Mr Godwin. Ac roedd bron pawb yn dweud "Amen."

Roedd Doctor Jenkins-cas yno, a Dr Simms-neis. A Mrs White y siop. Roedd hi wedi caur siop am y dydd. Roedd llawer o siopau High Street wedi cau hefyd.

Roedd y canun dda - fel côr yn yr Eisteddfod. "Abide with Me", "Rock of Ages" a "Fy Iesu Bendigedig". Ac roedd band Pwll y Waun yn ardderchog yn eu hiwnifforms glas.

Roedd Lynette yn edrych yn bert iawn mewn cot ddu a chap bach gwyn a muff yn sownd wrth lastig ac roedd hin sychui dagrau gyda macyn gwyn. Roedd hin sefyll rhwng ei mam a Gransha Morgan. Roedd

Jeff a John yr ochor arall, mewn siwtiau llwyd, a wedyn Bopa Vi ac Uncle Len (yr unig dro erioed i fi weld Bopa Vi yn gwisgo dillad du) a Gwennie yn ei chadair olwyn. Pan oedden nhw'n gollwng y saith arch lawr i'r twll mawr, sgwâr roedd pawb yn ddistaw, a dim smic i'w glywed, dim ond y brain yn crawcian. Ond fe roiodd Gwennie sgrech fach, a phwyntio at y twll. Ond doedd neb yn cymryd sylw. Fe roiodd hi sgrech arall, a mynd yn aflonydd i gyd a dechrau ysgwyd y gadair olwyn. Ac fe ddaeth Mr Kelly, sy'n byw drws nesaf i Lynette, i fynd a hi o'r angladd, lawr y rhiw i'r eglwys. Ac roedd hi'n gweiddi ac yn sgrechian bob cam o'r ffordd nes iddyn nhw fynd o'r golwg. Roedd Gransha Morgan eisiau mynd ar eu holau ond fe roiodd Uncle Len ei law ar ei fraich i'w stopio.

Roedd pawb yn gwneud ffys fawr o Lynette.

Ac yna aeth pawb adref yn drist iawn.

Roeddwn i'n drist hefyd oherwydd

1. Roeddwn yn hoffi Mr Glyndwr Morgan.

2. Nid oedd Lynette wedi edrych arnaf na gwneud unrhyw sylw ohonof. Falle nad oedd wedi fy ngweld i yng nghanol cymaint o bobl. Ond roedd hi a Meryl yn dal dwylo ar y diwedd.

Es i 'nôl i'r fynwent.

Ar ôl yr angladd. I gwato yn 'y medd. I feddwl. Cofio. Becso.

Am y noson honno, fisoedd cynt. Y noson fowr yn nhŷ Lynette. Pan o'n ni'n dala'n ffrindie. Morfydd Morgan wedi trefnu'r cwbwl, wedi dwyn perswâd ar fy mam – 'Let her come to stay. And don't you worry, Mrs Roberts, we'll look after her!' Noson fowr y geirie hudol – 'Iawn, fe gei di fynd.' Noson y cyffro gwyllt, y paco bag-dros-nos a'r swper neis a'r Grove Family ar y television a'r splasho dŵr yn y bathrwm a'r cwtsho yn y gwely 'da Lynette a'r midnight feast am naw o'r gloch.

'Right, lights out an' go to sleep!'

'I do love you, Popsi!'

'I do love you too, Lynette. Good night, you both.'

Giglo afreolus dan gwrlid o gymyle gwynion. Pop coch a phopcorn o dan y gwely. Sibrwd . . .

'Branwen, let's pretend ni yn Mallory Towers! Yn y dormitory!'

'Ie! Ti'n cofio'r stori am yr ysbryd? Hwnnw o'dd yn crwydro ar ddisberod lan a lawr y staere?'

'Beth yw "ar ddisberod"?'

''R'un peth ag "ar gyfeiliorn".'

'Ti'n siarad foreign language ti yn. Ond paid â becso, 'sdim ysbryd yn tŷ-ni! Dim ond brodyr fi a Popsi'n codi now-an'-then i mynd am pee!'

A'i lais yn gweiddi lan y staere.

'You two – go to sleep! Before Lynette's mum comes back from work! Or we'll all be in the dog'ouse! An' she'll make me take Branwen 'ome! So like mice it is, okay?'

A ninne'n gwichan fel llygod.

'I mean it! Not a squeak!'

Digon o fygythiad i Lynette, a'r cwpaned pop a'r popcorn yn ca'l 'u stwffo 'nôl o dan y gwely a hithe'n troi a rhoi ochened fach a gorwedd 'nôl a chau'l llyged. A finne'n neud 'run peth a syllu lan ar nenfwd glas. Fel dŵr y môr. Pwll nofio. Yr awyr uwchben Cei Bach. Papur Cadbury's Milk. Ffrog bert o Pollecoffs. Llyged glas yn pipo arna i. Gwythïen las ar foch . . .

Rhaid iddi beidio cofio.

Onid yw hi'n saff dan gwrlid o gymylau? A does dim lle i boen ac anhapusrwydd mewn gwely bach fel hwn. Mae Lynette yn dwlpen o wres cysurlon wrth ei hochr. Mae hi'n gwrando ar ei hana'l ysgafn. Mae synau'r nos mewn tŷ dierth yn ei swyno.

'Good night, Popsi!'

'Good night, boys, an' don' wake the girls or you an' me's in trouble!'

John a Jeff yn dringo'r staer a mynd i'w stafell. Siarad, chwerthin, nes distewi'n sydyn.

Sŵn y television o'r Middle Room – miwsig, chwerthin, mwy o chwerthin.

Ar ôl tipyn, Pops yn dringo'r staer. Chwibanu ysgafn yn dod o'u stafell wely, jinglo arian, belt a bresys yn syrthio ar y leino, clic y wardrob, switsh y golau.

A chwyrnu ysgafn . . .

Sŵn allwedd yn y drws. A'r drws yn agor ac yn cau. Traed yn dringo'r staer.

Sŵn siffrwd neilon.

Sibrwd.

''Ow are you, bach?'

'Tired.'

'Too tired for me?'

'Never too tired for you, Glyn.'

'Good. So come by 'ere to me. I want you – now.'

Mwy o siffrwd.

'No, keep it on. You know I love you in your uniform.'

'Good job I don' love you in your work clothes, Glyndwr Morgan! Fine mess we'd have in this bed!'

'Come by 'ere, my wife, my nurse, my woman! The mother of my children. My everythin' . . . God, I love you, Mor. My lovely Morfydd . . .'

'I love you, Glyn . . .'

A finne'n 'i gasáu e.

Am fod mor neis. Yn ŵr, yn dad, yn garwr. Yn bopeth neis i bawb.

I bawb ond fi.

'I love you, lovely . . .'

O'n i'n gorwedd gyda'i ferch, yn gwrando ar 'i duchan afiach, ar ochneidio dwl 'i wraig. Yn dymuno rhwbeth drwg.

Yn gweddïo . . .
'Rhoi fy mhen bach lawr i gysgu,
Rhoi fy enaid i Grist Iesu.
A gwna i Glyndwr Morgan farw.
Er mwyn Dy enw,
Amen.'

A stop.

Mae Gransha ar ei ben ei hunan.

Dim Mot, dim Gwennie Fach. Dim ond hen ŵr crwm wrth fedd mawr sgwâr, yn syllu ar yr ychydig flodau ffresh ymhlith pentyrrau o hen sypynnau a thorchau crin a chardiau cyfarch wedi melynu, â'u cyfarchion yn gwaedu'n ddu.

Ochneidio, gafael yn dynnach yn ei ffon a phwyso arni'n drwm. Mae'r gwythiennau amlwg ar gefn ei law yn debyg i'r cwteri sy'n cris-croesi brwyn a mawn ac ysgall ardal Caron Is-clawdd ei lencyndod.

Sylwa ar y groten fach sy'n ei wylio o'r ochr draw i'r bedd. Sytha, a syllu dros ei phen ar draws y cwm.

'Rhyfedd o fyd, Branwen fach. Yr hen fyd creulon 'ma sy rownd inni i gyd. 'Sdim yn 'i dowlu fe 'ddar 'i echel. Dim byth. Ma'r jawl yn dala i droi, wa'th beth ddigwyddith.'

Mae ei ana'l yn fyr a'i lais yn crynu. Chwifia'i ffon yn ffyrnig . . .

'Drycha draw – ma'r hen Foel yn dala i dowlu'i gysgod, ma'r houl yn dala i oleuo pen y Waun. Lawr fan'na ma'r afon yn dala i lifo'n ddu, a ma' shimne Pwll y Waun yn dala i hwdu'i pherfedd. Ma'r olwyn windo 'co'n dala i witho, y mashîns yn dala i rwgnach a'r lorïe'n dala i gario. A weli di'r hen gart bach simsan 'na? Ma' fe'n dala i ddringo lan a lawr y tip. Lan a lawr a lan a lawr drw'r dydd a'r nos . . . Pawb a phopeth yn dala i fynd a dod, a dod a mynd. 'Sdim stopo i fod!'

Mae ei lais a'r ffon yn gostwng.

'Lawr fan'na ar yr hewl, weli di nhw? Glywi di nhw? Pobol wrthi'n cloncan, wherthin, cecru – fel 'se dim byd wedi digwydd. Ond beth wy'n siarad? Do's dim byd *wedi* digwydd – iddyn nhw. Dim 'to. Dim gofid a dim galar. 'Sdim hireth yn 'u byta nhw i'r byw. Yr unig beth sy'n bwysig iddyn nhw y funud 'ma yw bod 'u bywyde bach nhw'n rhygnu mla'n. A mla'n a mla'n a mla'n . . .'

Fel yn narluniau Bruegel.

Icarus newydd blymio lawr i'r môr, ac wrthi'n boddi, a neb yn cymryd sylw. Fforddolion yn mynd heibio, amaethwr yn aredig, a draw ar sgwâr y dre mae'r dyrfa fara-menyn wrthi'n boddi mewn prysurdeb. Bargeinio, twyllo, dathlu, meddwi – a neb yn sylwi ar y gwahanglwyf yn ei gornel, y weddw dlawd, y plentyn ar ei wely angau, y corff ar elor.

'Pob un dros 'i hunan yw hi, wel'di.

A Duw dros bawb. Os wyt ti'n credu mewn shwt ddwli. Fe bennes i â'r busnes 'na sawl blwyddyn 'nôl. Ar ôl ca'l siom. A'r holl golledion. Colled ar ôl colled yn 'yn ffusto lawr i'r gwaelod. Colli 'mrawd bach, Defi, yn y Rhyfel Mowr. A finne, y brawd hyna, o'dd fod enlisto, ond 'mod i wedi dod fan hyn, i'r gwithe. A 'ngwaith i'n "werthfawr" i'r llywodreth. Ond o'dd e, 'rhen Defi bach, yn fwy o foi na fi. Yn ddewrach – twpach – falle. Bwled ga'th e, yn y Somme. A chwrdd coffa ar y sgwâr. Union Jacks a gun saliwts. A'i enw ar y gofeb gyda'r lleill i gyd.'

Peswch, poeri.

'A 'nai bach i, wedyn, Jaci Hendre Fowr, yn cwrdd â'i Brynwr yn Dieppe. Nineteen Forty Four, yn dair ar hugen, druan. Gadel gweddw a dou o blant. Fe ga'th ynte send-off teilwng. Yr ardal gyfan yn dod i'w angladd. A'i anghofio erbyn drennydd. 'R'un peth â Glyndwr bach fan hyn – ma'r blode 'ma a'r torche wedi gwywo'n barod. Popeth wedi 'bennu, heblaw am flode'r teulu. Ma'r rheini'n dal i gofio. A fe gofian nhw am byth . . . Tra byddan nhw, ta beth . . .'

Ochenaid.

'O, ie, pob un dros 'i hunan yw hi, Branwen fach, a Duw dros neb.'

O'n i'n clywed pethe mowr.

Tamed o groten yn ishte ar hen fainc, yn sugno Fruit Gums, yn swingo'i choese, yn gwrando ar gân mwyalchen fach fusneslyd a chrawcian brain, ar hunandosturi hen ŵr o'dd wrthi'n boddi yn 'i hireth. Fel 'se neb arall wedi bod trw'r felin. Neb ond fe wedi goffod godde galar. Neb ond fe yn gwbod dim am ofid.

'O'dd colli Vera'n ddigon drwg. Ond o'dd cyfrifoldeb at 'y mhlant yn 'y nghynnal i. Ond ma' colli Glyndwr – ma' hyn wedi shiglo'r tipyn ffydd o'dd 'da fi ar ôl. Wedi'n neud i'n fwy o anghrediniwr. "Anghrediniwr"! 'Na ti glamp o label hyll ar un o blant y seiat, un a fagw'd gyda'r saint yng nghapel bach Lledrod. Ond 'na'n gwmws shwt wy'n teimlo ar ôl dros ddeg a thrigen o flynydde ar y ddaear 'ma. "Oed yr Addewid" myn uffern i! Wfft i bob addewid! A pam ffwdanu credu mewn dim byd? Peth danjerus yw rhoi dy dipyn ffydd yn neb na dim. Dy siomi gei di yn y diwedd.'

Peswch yn 'i ddwble, poeri – a throi i edrych arna i.

'Ond pam ddiawl wy'n gweud y pethe 'ma wrthot ti, o bawb? Rhyw damed o groten sy'n deall dim? Cer di 'nôl i whare – ma' amser whare'n brin. A fe gei di dy siâr o ofid ddigon 'da'r blynydde. Cer, tra galli di. Cer i joio! Cer!'

TRIP YR YSGOL

Aeth trip yr Ysgol i Sain Ffagan. Rwy'n mwynhau mynd yno am ei fod yn lle diddorol ac rydych yn cael

crwydro a chael picnic a dysgu llawer am Gymru yn yr
hen oes ac roeddwn i wedi bod yn edrych ymlaen ers
amser.

Stopiodd y spesial bus y tu allan i'r tŷ a dyma'r
gyrrwr yn canu'r corn sawl gwaith a daeth Miss Morris
allan a chnocio ar y drws a gweiddi "Branwen! Wyt
ti'n barod?" Roedd rhaid i fi redeg allan ar unwaith
gan fod pawb yn aros amdanaf. Roedd cwt cas ar fy
mys ac roedd gwaed ar y sandwiches. Ond doedd dim
ots achos rhai jam coch oedden nhw. (Roeddwn i
wedi codi'n gynnar i'w gwneud nhw a'u rhoi gydag afal
ac oren a losin yn fy masged newydd ges i gan
Mamgu ar fy mhen-blwydd.)

Doedd Mami ddim yn y ffenest i godi ei llaw. Ar
y ffordd i Sain Ffagan roedd rhaid i Miss Morris
fynd i'r bocs cymorth cyntaf a rhoi plaster am fy mys
am fod y gwaed yn dal i ddod trwodd ac yn diferi ar
fy mlows wen. Roeddwn wedi ei golchi a'i smwddio'r
noson cynt ac wedi ei rhoi hi ar y tanc twym i grasi
ond roedd hi'n dal i fod tipyn bach yn ddamp. A
nawr roedd gwaed arni hefyd.

Cawsom ddiwrnod hyfryd yn Sain Ffagan. Ond
roeddwn yn sylwi ar un peth rhyfedd sef bod yr
athrawon, a'r plant hefyd, yn neis iawn wrth Lynette.
Roedd hi'n cael gwneud a dweud beth bynnag roedd
hi eisiau sef eistedd gyda Meryl ar flaen y bus gyda'r
athrawon i gyd, mynd i flaen y ciw yn y siop, yn y
caffi a hyd yn oed yng "Nghegin yr Amgueddfa" ble
mae'r hen gloc a'r droell sydd yn y pennill gan Mr
Iorwerth Peat. Clywais Miss Morris yn sibrwd wrth
Rowli Powli ar ôl iddo ddweud wrth Lynette am

gerdded ar y llwybr nid ar y borfa "Cofiwch beth rwyf wedi dweud, Mr Rowlands, rhaid bod yn neis wrth Lynette am ei bod newydd golli'i thad." Ac roeddwn yn teimlo tipyn bach yn . . . O, dim ots.

Daethom adref ar y bws ac roedd pawb ond fi yn canu "Ar Y Bryn Roedd Pren" a "Brest Pen Coed" a "Bing Bong Be" yn hapus. Roeddwn wedi blino. Roeddwn wedi blino cymaint roeddwn yn teimlo'n dost ac yn gwinegi i gyd. Ac roeddwn yn poeni am Lynette a Meryl yn trio fy osgoi i drwy'r dydd. Ac am y gwaed ar fy mlows. Ac am y jam coch a oedd wedi mynd drwy'r bara-menyn i gyd nes eu bod yn stecs ac wedi sbwylo fy masged newydd neis. Ac am nad oeddwn wedi prynu anrheg i Mami (ac roedd pawb arall wedi prynu rhywbeth i'w Mamis hwy.) Ond doedd dim arian gyda fi achos roedd Mami wedi anghofio rhoi peth i fi ac roedd Mrs Carpenter wedi cynnig rhoi menthyg i fi ond doeddwn i ddim yn licio derbyn. Ac yna fe es i i'r gwely.

Gwynegon
    coesau
    breichiau
    pen
    yn brifo
    curo
    drwm
    bwm bwm bwm
    y treisicl yn drwm
    rhy drwm
    rhaid gorffwys.

Eistedd
 ar y borfa
 wrth y gatiau mawr
 o dan yr arwydd du
 â'i lythrennau aur.

THESE GATES WILL BE OPEN
April 1 – Sept 30: MON-FRI 9.00 – 5.00
OCT 1 – MARCH 31: MON-FRI 10.00 – 4.00
(OR SUNSET, IF BEFORE 4.00)
SATURDAYS 10.00 – 1.00
SUNDAYS (INCLUDING PALM SUNDAYS) 1.00 – 4.00
STRICTLY NO ENTRANCE AT ALL OTHER TIMES
Intruders will be prosecuted
ALL ENQUIRIES AT THE SEXTON'S OFFICE

Please respect the dead

Llythrennau'n nofio
            mewn dŵr du.

      Tanc mawr, dwfn
  ar ford.

Pa ford?
      Ddim yn cofio.

Cofio!
        Y ford natur!
    Na! Dim twtsh!
            Neb i dwtsh â dim!

269

Rhy hwyr.
  Y twtsh bach lleia
    â blaen eich bys
      mae'r tanc
        a'r dŵr
          a'r llythrennau aur
            yn moelyd dros y ford
              a diferu
                blop
                  blop
                    blop
                      dros eich ffrog
                        a'ch sanau
                          a'ch sandalau.

Machlud
        haul
              yn suddo
                    y tu ôl i'r Foel
                          fel colsyn coch i ludw'r grât
                                fel Bouncy Ball i dywod mwdlyd.

O's 'na rywun all ei helpu?
  Cyn i'r gwyll a'r gatiau gau amdani?
    Rhywun i'w chario 'nôl yn saff i Gwynfa?
      Neu yma fydd hi tan y bore, yn gorweddian yn ei chyfog.
      Mewn haig o bysgod aur.

P-L-E-A-S-E R-E-S-P-E-C-T T-H-E D-Y-I-N-G

              DYING DYING
              GOING GOING
                GONE.

A thŵr yr eglwys yn fys cyhuddgar
        bwm
            a draw ar ben y llwybyr

270

bwm
            y mort a'i ddrychiolaethau
                        bwm
            pwyso'i phen ar bren yr arwydd
                        bwm
    a chlywed eco lleisie
            'Whassamatter love?'
                        a blasu cyfog yn ei cheg
'You ill?'
            'O' course she's ill, mun, Marge!'
                        'Aye, she's been sick!'
    'An' see the colour on 'er!'
                        'Like a ghost!'
                        'Well, I never! Issat funny little girl!'
                BWM!
            Gwllwng gafel ar y treisicl
                        dim ots
                        rhy drwm
                        rhy dost
            rhy bwm-bwm-bwm fel drwm.

'Maisie! Catch it! Stop it rollin' down the path!'
                    'Yes, please catch it . . . Stop it . . .'
        'Don' worry, love, I caught it.'
                            'Thank you very much.'
        'She's a lovely little girl.'
                    'Berrer gerr 'er 'ome.'

Diolch
            diolch byth
                    a bwm
                    bwm
            bwm.

'Agor geg yn wide, gweud "A".'

A'r 'Da-iawn-good' a'r rig-ma-rôl arferol yn mynd ar ei nerfau ond mae'n rhy dost i brotestio. A Dr Jenkins-cas yn stwffo'i stethosgop i'w fag bach du.

'Dim byd mowr yn bod as far as I can see. Nothing wrong with her at all. Healthy, right as rain. Fel cneuen, Mrs Roberts.'

Troi, a sibrwd, a rhoi ei fys at ei dalcen.

'Except up here, maybe! And now I'll wash my hands.'

Gwyntyll.
Llafnau'n troi'n llafurus
rownd-a-rownd-a-rownd
a rŵŵn-a-rŵŵn-a-rŵŵn.
Chwys.
Gwallt a gwegil gwlyb,
ceseiliau, cledrau dwylo, dillad gwely
gwlyb.
Gwynegon.
Gordd.

Gwynt lafender.
Fy mam sy'n sychu 'nhalcen.
'Dere di'r un fach. Ma'r doctor ar 'i ffordd.'
'Dim doctor! Na, dim doctor!'
'Doctor Simms – ti'n lico hwnnw.'
Odw. Am 'i fod e'n gafel yn fy llaw.
Yn rhoi 'i law ar 'y nhalcen.
'Make me better, please . . .'
'We'll make you better, don't you fret.'
Better, isie gwella, ddim yn lico bod yn dost.

Gole.
Llachar.
Llosgi llyged.
'Sorry, Branwen.'

Mr Brown yr arbenigwr.
Pigyn yn 'y mraich.
Syrup coch yn codi yn y syrinj.
'You're very brave.'
'No I'm not.'
'Why do you say that?'
Paid â holi, Mr Brown.
Alla i byth â gweud.
Wrth neb.
Dim byth.

A stop.

'Dwli!'

Mae Wncwl William yn gweld ei lun yn nrych y wardrob fawr, yn eistedd ar y gwely gyda'r claf.

'Rheumatic fever? Ar Branwen ni? Ym marn pwy gwac o ddoctor?'

'Mr Jeffrey Brown.'

'Hwnnw – o'n i'n ame!'

'Ma'n nhw'n ofni effeth ar y galon . . .'

'Gwenda, paid â chredu popeth glywi di – ma' Brown a'i deip yn credu'u bod nhw'n Dduw.'

'Ac fel Duw, ma'n rhaid i ninne'i drysto fe.'

'Paid â dechre trafod diwinyddieth â fi, Gwenda. 'Sdim amynedd 'da fi. Ond y cwbwl weda i yw hyn . . .'

'Ti'n gweud gormod, William. Dy broblem fowr di ers blynydde. Un ohonyn nhw ta beth. Wedyn ca' dy geg.'

A fel'ny fu.

Mae hi'n gorwedd yn y gwely sbâr.

Emrys Rees a Bob Go-fetch wedi'i gario lawr i'r stafell ffrynt. A chario'r soffa lan i'r stafell sbâr er mwyn cael mwy o le. Ac Wncwl William yn rhoi'r ordors. A'r lleill yn achwyn yn ei gefn.

'Pwy ma'r jawl yn 'gretu yw e, Bob? Blwmin fforman lawr y pŵll?'

'Blwmin Duw, decini!'

'Gwpod popeth!'

'Hen gono wynabgalad ar y naw!'

'Yffach, wilia dicyn bêch o iaith y Sowth, y Northman ddiawl!'

'Mae isio i chi Hwntws ddysgu! Ond Emrys bach, o ddifri – wyt ti wedi sylwi ar 'i ddwylo fo? Mor wyn a glân.'

'Fel yr ôt, Bob bach, fel yr ôt – yn gwmws fel dwy law doctor.'

'Dyna ydi o, meddan nhw! Neu medda *fo*!'

'Cera o 'ma'r funed 'ma!'

'Wir yr – yn yr Inffyrmari yng Nghaerdydd – os medri di roi cred ar walch mor ryfadd.'

'Doctor Cwac myn asen i!'

'Ia, debyg – ond hitia di befo amdano fo, ma' gynnon ni waith i'w wneud.'

'"Gwaith" yw'r unig air ddyalles i o'r jwmbwl 'na, Bob Bêch! Ond dere, shifftwn ni'r hen gater 'nê o fan'na, i neud mwy o le.'

'Ia – ond gwylia di rhag deffro'r fechan.'

'Tre'ni mowr amdani, Bob.'

'Ia, hen dro garw . . . Matt a minna'n hoff ohoni. Mi gollwn ni 'i gwên fach ddel hi.'

'Bob! Chi'n siarad fel 'sen i wedi marw!'

'Wel hogan, wyt ti'n effro! Sut wyt ti heddiw?'

'Dost.'

'Ond mi welli di.'

'Chi'n credu?'

'Hei! Be 'di'r wynab hir 'ma? A be 'di hwnna ar dy foch di? Deigryn? Argol fowr – rŵan, gwranda di ar Bob! Fi 'di'r babi-blwydd fel arfar. A dwi'm yn licio cystadleuaeth! Wedyn hwda'r hancas 'ma a chwytha iddi fatha hwtar chwaral.'

'Beth?'

'Yn gwmws! Gweta di wrth Bob Go-fetch am wilia Cwmrâg teidi!'

'Hitia di befo hwn – yr hen Hwntw mawr! A tyd, sycha'r dagra 'na – cyn i minna ddechra'u powlio nhw!'

'Ond shwt alla i stopo llefen? Dyw hi ddim yn hawdd, chi'n gwbod! A finne'n teimlo'n dost. Yn drist . . . Yn unig . . . A so'r doctoried yn gallu gwella pobol unig. Wedyn beth yw'r pwynt? Man a man i fi lefen drw'r dydd a'r nos a'r wthnos nesa am flwyddyn gyfan a mla'n a mla'n am byth heb stopo!'

O'n i'n ca'l hwyl go dda.

Llefen-torri-calon on demand. Rhoi ofon mowr i Emrys Rees. Digon i'w hala i gario cader mas i'r gegin er mwyn jengid. A Bob Go-fetch yn edrych draw, yn syllu mas drwy'r ffenest, a deigryn bach fel gwlithyn yn 'i lygad. Ond o'n i ddim wedi 'bennu 'dag e 'to.

'Fuoch chi 'rioed yn teimlo'n unig, Bob? Neb yn gwmni, neb yn becso, neb i wrando arnoch chi?'

'Argol fowr, tyd o'na. Hogan fach fel ti? Be haru ti! Ma' gin ti ddigonadd o ffrindia, decini! Lle maen nhw? Pam na ddôn nhw i dy weld di?'

'Chân nhw ddim. Gormod o ecseitment. Ond 'sdim ots 'da fi ta beth.'

'Pam?'

'Achos . . . 'Na pam – olreit!'

'Iawn – ti ŵyr . . . Ond beth am y gath – Tabitha? Ma' hitha'n gwmni, tydi?'

''Cheith hi'm dod yn agos. 'I blew hi'n rhy ddanjerus.'

'Dyna'u barn nhw, ia? Penna defaid.'

'Beth?'

Esgus ffaelu deall o'n i.

'Hitia befo. Mae'r hen Lad wedi'i wahardd hefyd, mwn. Piti garw, mi fasa'n codi 'chydig ar dy galon. Ond ella – wn i ddim

– ella y medra i neud rhywbeth bach i helpu. Ia – gawn ni weld . . . Gad ti'r cyfan i Bob Go-fetch!'

A fe wenodd e, nes i'r gwlithyn yn 'i lygad dreiglo lawr 'i foch. A fe benderfynes inne ddod â'r sioe i ben a sinco dan y dillad a throi'n wyneb yn flinedig at y wal. Ond o'dd un gic fach 'to yn weddill . . .

'Hen ddynion . . . Cath a blwmin ci . . . So'r rheini'n deall dim . . .'

'Be ddeudist ti?'

O'n i wedi gweud hen ddigon.

AMSER

Dyma'r tro cyntaf i fi ysgrifennu dim ers amser. Ers i fi fynd yn dost, ac mae hynny amser maith yn ôl. (Pump wythnos a thri diwrnod.) Ac mae wedi bod yn amser caled.

Rwy'n dal i fod yn y gwely bach yn y stafell ffrynt. Rwy'n teimlo tipyn bach yn well ond dim llawer. Bydd yn cymryd lot o amser meddai Dr Simms-neis a Mr Brown y spesialist. (Daeth Mr Brown i fy ngweld i'r tŷ ddoe.) A rhaid bod yn amyneddgar. Ond mae hynny'n anodd pan na chewch chi wneud fawr ddim ond gorwedd a chysgu a phan nad ydych eisiau gwneud fawr ddim ond gorwedd a chysgu.

Rwy'n hala tipyn o amser yn meddwl ac rwy'n meddwl weithiau am bawb sy'n byw yn Gwynfa y dyddiau hyn, rydym i gyd yn gorwedd a chysgu ein siâr.

Mami: mae hin gorwedd ac yn cysgu llawer yn y dydd ac ar ddi-hun llawer yn y nos.

Fi: rwy'n gorwedd drwy'r dydd a'r nos ac yn trio cysgu yn y nos ond ddim yn gwneud hynny bob amser.

Tabitha: mae hi'n gorwedd ac yn cysgu pryd bynnag a ble bynnag y gallith hi.

Cofi: mae en cysgu drwy'r dydd yn ei nyth bach clyd ac ar-ddi-hun am oriau yn y nos yn stwffio'i fochau gyda bwyd ac yn mynd round-a-round ar ei olwyn.

Nid yw amser (dydd a nos) yn meddwl dim i Cofi. Mae Mami fel yna hefyd. Nid wyf yn siwr am Tabitha, dim ond iddi gael ei bwyd ar amser mae hi'n hapus.

Mae amser yn meddwl lot i fi y dyddiau hyn am ei fod yn llusgo. Rwy'n meddwl llawer er mwyn gwneud i'r amser fynd heibio'n glouach. Dim ond meddwl y byddaf yn ei wneud ac edrych ar y television ambell waith a gwrando ar y wireless.

Rwyf wedi blino ar ôl ysgrifennu hyn i gyd ac mae'n amser i fi orffen.

'Hamstar ydi o 'sti.'

Yr hen Bob, mor falch o'i bresant i fi. A finne'r cleferstics yn mynnu trio rhacso'r foment.

'Bochdew, Bob.'

'Deuda di. Ond hamstar ydi hamstar. Ac mae hwn yn hamstar sbesial. Sbia!'

O'dd e'n sbesial am fod 'da fe lyged pinc a'i fod e'n gwbwl ddall.

'Bechod drosto'r cr'adur bach!'

'Falle 'i fod e'n lwcus.'

'Pam?'

'Dim byd . . .'

Do'dd 'da fi ddim calon i egluro. O'dd gweld Tabitha'n llygadu'r cêj a thwitsho'i whisgers yn hen ddigon.

'Diolch, Bob.'

'Croeso'n tad. Mattie gafodd y syniad, chwara teg i'w chalon fawr. "The little girl do need some company," medda hi. "Bob, go fetch 'er somethin' nice." A finna'n cynnig doli. "No, she's a big girl now, too old for dolls! What she needs is company – proper company. A nice pet." A dyma finna'n cynnig budgie, er cof am Joey, druan. "No, she'll be upset. Go fetch an 'amster, Bob." A dyma fo iti – 'rhen Cofi bach.'

'O dre Caernarfon ma' fe?'

'Naci'r rwdlan wirion! Naci tad . . .'

A Bob yn hwthu'i drwyn.

'O'r pet shop lawr yn High Street. Ond mi ddaru mi 'i enwi fo er cof am Cofis dre . . . Pob un wan jac dwi wedi'u nabod . . . Pob ffrind a phob perthynas . . . Wyt ti'n dallt?'

'Odw.'

Ond do'n i ddim.

'Edrych ar 'i ôl o . . .'

O'dd dagre lond 'i lyged.

'O, fe wna i, Bob.'

A fe 'nes i. Tan yr anffawd mawr . . . Ond do's dim calon 'da fi i sôn am hynny . . .

Hen wely anghyfforddus.

Y matres wedi sigo ers blynyddoedd a'i springs pigog yn chwilota am ei chnawd. Wrth orwedd ar ei chefn gwêl olion melyn ar y nenfwd, ôl hen leithder – y dŵr a lifodd lawr o'r cwpwrdd crasu flynyddoedd maith yn ôl. Neu ai'r bath a orlifodd? Rhywun anghyfrifol wedi mynd i orwedd, wedi cysgu, falle, a dihuno i gyflafan. Neu ai dyna'r adeg y torrodd tanc y toilet? Neu'r rhew ar fore dydd Nadolig yn ffrwydro'r pibau? A dyna lwc i Santa osod ei anrhegion wrth y pentan neu fe fyddai'r cyfan wedi gwlychu a difetha. Fel y twrci a'r tato pob a'r pwdin wedi llosgi'n ulw yn y ffwrn a dyna lwc fod tun o spam a processed peas yn y cwpwrdd a phacedi jeli a blancmange a pham na chawn ni fwyd ar arffed wrth y tân does dim rhaid cael cinio confensiynol fel pawb arall mae hyn yn llawer mwy o sbort.

Wrth orwedd ar ei chefn yn y stafell ffrynt, fe wêl y lampshed fawr yn hongian ar dair cadwyn hir. Gwydr hufen, sgwigls gwyrdd. Yn drwch o lwch. Mynwent pryfed a phicwn a chorynnod. A Daddy-long-legs enfawr ag un goes. Popeth wedi hen, hen farw. Na, mae un bicwnen yn ymladd am ei bywyd. Troi a bzz a throi. Bzz a throi a bzz. Waltz angheuol cyn llonyddu a distewi. A mynd yn fud.

Wrth orwedd yno ddiwedd y prynhawn fe deimla ias o oerni. Y tân yn isel yn y grat, marwor oer a lludw'n drwch dros deils yr aelwyd. Mae 'na dawch o lwydni dros y stafell – haenen fach o ddwst dros ddrych y pentan, dros y television yn y cornel, a'r wireless o dano. Dros y gadair siglo yn y ffenest. Dros y coffor mawr. Dros bopeth. Heblaw am Mair, y ddoli china, sy'n eistedd ar y ford fach wrth y gwely yn ei dillad coch. Mae'i hwyneb delicet hi'n lân, wedi'i olchi â gwlân cotwm mewn dŵr-a-sebon a'i sychu'n ofalus â macyn gwyn. Mae ei gwallt melyn wedi'i gribo'n bert a'i glymu 'nôl â rhuban pinc. Does dim sôn am unrhyw ddoli arall. Dim Siani Jên na Doli Ddu. Dim Tedi a dim Goli. Mae'r plantos eraill wedi'u hen daflu i focs cardbord yn y basement.

Wrth godi ar ei heistedd a phwyso 'nôl yn erbyn y gobenyddion, gall weld yr eira. Haenen wen o blu yn glynu wrth y ffenest, llen wen yn syrthio'n drwch o'r awyr ddu, a thu hwnt i'r llen, y Foel Ddu fel hen arth wen yn aros ei chyfle'n amyneddgar.

'Beth 'nawn ni â'r hen ddychymyg afiach 'na?

'I dowlu e mas ar y stryd, a gweud wrth fois y bins am ddod i' moyn e a'i gladdu yn y pwll mowr dwfwn sy 'da nhw ym Mhennant Du? 'I dowlu fe miwn i'r afon, a'i weld e'n ca'l 'i

279

gario gyda'r lli? Yn bob-bob-boban gyda'r sbwriel lawr y cwm, lawr i Bontypridd, reit lawr i ddocie mowr Ca'rdydd a mas i'r môr! Ie, 'na beth 'nawn ni!'

Wherthin o'dd hi. A thrio codi 'nghalon. Falle taw'r doctoried o'dd wedi gweud. Wedi'i rhybuddio hi i neud 'i gore drosta i. I ddangos i fi 'i bod hi'n gryf, yn iach, yn abal i edrych ar 'yn ôl i. Ta beth o'dd y rheswm, o'dd hi'n tendo arna i fel nyrs fach gydwybodol.

Dod â dŵr a Lucozade a Lemon Barley Water i dorri syched a llyncu Disprin; bwyd ffein i drio codi archweth – cawl cartre, un clir rhag codi cyfog, cawl tomato mas o dun, wy wedi'i guro miwn i'r lla'th, sudd oren, ffrwythe. A fruit gums yn barod wrth gefen. Ond do'dd dim blas ar ddim.

'Y nghodi i ar y po bach gwyn, sychu 'mhen-ôl a chlirio'r cachu; padelled o ddŵr-a-sebon fore a nos, y twba, ambell waith, er mwyn ca'l 'ymolch iawn' a golchi 'ngwallt. Pyjamas ffresh bob dydd, dŵr lafender a talcum powder.

Cario, clirio, entertaino. Ishte wrth y gwely, cynnig whare whist a dominos a draughts, Ludo, Cluedo, Sorry. A dim egni 'da fi, a hithe'n ddigon balch, ddim isie whare mewn gwirionedd.

Dod i ishte 'da fi ar y gwely, gorwedd 'nôl, cau'i llyged yn flinedig a mynd i gysgu.

'Handi, Branwen, ca'l y gwely lawr.'

Handi iawn. Ca'l cysgu'r dydd a chysgu'r nos.

'Ca'l bod yn gwmni iti lawr fan hyn.'

Ca'l rhannu'r gwely cul, ca'l gwylio'r television tan berfeddion – *Quatermass* a *Panorama* a'r *Late Night News* – nes bod yr Union Jack yn wafo a God Save the Queen yn blero a'r blwmin llais yn gweud 'Good night, everyone, wherever you may be.'

Nes bod eira swnllyd yn llenwi'r sgrin.

A hithe'n hwrnu.

A finne'n mentro codi i droi'r eira bant.

BREUDDWYDIO AR DDI-HUN

O'n in ffaelu cysgu neithiwr. O'n in teimlo'n stiff i gyd. Yn oer, a wedyn twym a wedyn oer. Ambell waith roedd fy nhraed a fy nwylo'n oer a fy mhen yn dwym. Ambell waith roedd fy nghlustiau a fy nhrwyn yn oer a phopeth arall yn dwym, dwym. Ac roedd y gwely bach yn galed. Ac yn gul. Ac roedd Mami wedi fy nguthio at yr erchwyn. (Gair da yw "erchwyn", sef pen draw'r gwely. Mae Mam-gu a Mami'n canu cân am hiraeth sydd yn sôn am "erchwyn". Mae e'n debyg i'r gair "gorwel", sef y llinell lle mae pen draw'r môr. Ond yn eich dychymyg y mae hi. Yn yr hen amser roedd pobl yn credu taw'r gorwel oedd pen draw'r byd ac y byddent yn gallu syrthio dros yr erchwyn fel syrthio dros rhaeadr Pen-y-cwm.)

Neithiwr roedd Mami'n gweiddi ac yn cicio yn ei chwsg. Roedd hi'n gweiddi "Na, na, na! Peidiwch! Gadwch lonydd i fi! Help!" Ond ar ôl i fi ei hysgwyd a gofyn "Mami, beth sy'n bod? Pam wyt ti'n gweiddi fel'na?" fe ddihunodd hi, ac roedd hi'n grac. "Doeddwn i ddim yn gweiddi, Branwen" meddai. "Dy hen ddychymyg di, fel arfer. Cer di nôl i gysgu." Ac fe gododd hi a mynd mas i'r gegin.

Ond roedd hi wedi gweiddi. Gweiddi yn ei chwsg. Rwy'n gwybod hynny. Nid yw pobl ar ddi-hun yn gweiddi "HELP" ar ganol nos. Oni bai eu bod nhw eisiau help go-iawn. Neu efallai ei bod yn bosib breuddwydio ar ddi-hun?

Pan fyddaf wedi tyfu'n fawr ni fyddaf yn gweiddi am help yn fy nghwsg. Byddaf yn gofyn yn iawn am help. Bydd pawb yn dod i helpu wedyn. Mae pobl eisiau helpu. Dim ond i chi ofyn iddyn nhw. Ond mae'n anodd weithiau pan fydd gyda chi neb i ofyn.

Shh!

Dim smic! Dim siarad a dim dadlau, dim ond ufuddhau fel croten dda.

Mae'r twba'n barod ar y llawr, yn llawn dŵr-a-sebon cynnes. Mae tywel gwyrdd a bar o sebon Pears ar wlanen binc ar fraich y gadair.

Rhaid matryd, diosg popeth a chamu mewn i'r twba.

Shh! Dim symud, dim cyffroi. Dim ond sefyll yn stond fel delw.

Rhaid gwlychu'r wlanen, rhwbio'r sebon ynddi, taflu'r sebon 'nôl i'r dŵr – plop – fel carreg mewn i bwll. Rhaid gwthio'i gwallt yn ôl o'i thalcen, golchi'i hwyneb, ei gwddf a'i gwegil. Gwlychu'r wlanen eto, mwy o sebon, golchi'i cheseiliau, lawr ei chefn, ei bola, ei choesau a'u thraed.

Rhaid gwlychu'r wlanen eto, golchi'i bronnau, gwthio'i law . . .

'Na! Ddim isie! Pidwch! Stopwch!'

Mae'r wlanen yn cael ei thaflu 'nôl i'r dŵr.

Fel Sting Ray pinc.

Does dim fisitors wedi galw heddiw, dim ond Bob a Mattie Jones, ac nid "fisitors" ydyn nhw ond pobl sy'n dod i helpu a chadw cwmni.

Rwy'n falch cael llonydd. Peidio gorfod siarad a dweud fy mod yn teimlo'n well pan rwyf yn teimlo'n dost. Nid wyf wedi gorfod gwenu a dweud "diolch" am grêps a Lemon Barley Water a Royal Jeli ych-a-fi. Mr a Mrs Godwin sy'n dod â hwnnw a dweud "Rhywbeth bach ar gyfer corff ac enaid" bob tro. "Gwely'r claf" maen nhw'n galw'r gwely yma. Rwy'n cofio Mamgu yn dweud stori am ddod a gwely rhywun lawr i'r parlwr er mwyn iddo gael marw. Gobeithio na fyddaf i'n marw. Nid wyf eisiau i neb orfod gwisgo fy nillad i ac esgus eu bod yn ddiolchgar. Mae Mrs Edwards yn dod a pwdin cwstard mewn bowlen Pyrex. "Roedd Llinos yn ei hoffi ac fe wnaeth e fyd o les iddi." Rwy'n teimlo fel dweud "Wel naddo, gan ei bod hi wedi marw." Ond wrth gwrs nid wyf yn dweud hynny, dim ond gwenu a dweud "diolch."

Daeth Miss Morris a Rowli Powli yma ddoe. "Llun Dydd Gwyl Dewi Ysgol Tan-y-berth" oedd eu hanrheg. Y plant i gyd mewn rhesi ar yr iard a phawb yn gwenu'n neis. "Trueni nad ydych chi yn y llun, Branwen" meddai Miss Morris. "Ond byddech gwep chi wedi torri'r camera!" meddai Rowli Powli. Roedd pawb (Mami a Miss Morris) yn chwerthin gan eu bod yn meddwl ei fod yn jocian. Ond doedd e ddim, ac roedd e'n gwybod fy mod yn gwybod hynny. Ond doedd dim ots ganddo. Roedd yn hapus yn neud dolur i fi er fy mod yn dost.

Rhesi twt o blant.

Athro ne' un o staff y gegin ar ddou ben pob rhes. Llun lliwgar, er 'i fod e'n ddu-a-gwyn – y merched yn 'u hetie tal a'u siolie, y bechgyn mewn Dai caps a gwasgode a phawb â'i ddaffodil neu gennin. A Lynette dalog, dal, yng nghanol y rhes fla'n yn dala'r arwydd.

DYDD GŴYL DEWI
YSGOL TAN-Y-BERTH
GWANWYN Y GYMRAEG YN Y CWM

Ma' Meryl i'r dde iddi a Simon Simms i'r whith a'r tri'n gwenu fel haul canol dydd. Ma'r staff i gyd y gwenu – ma' Mrs Thomas Cwc yn gwenu lawr ar Meryl a ma' Mary Morris yn gwenu ar draws y rhes at Rowli Powli sy wedi troi'i broffeil at y camera. Rhesi o wynebe hapus. Hyd yn o'd Rhian Jones a Sarah Collins, y ddwy ddiflasa yn y byd i gyd.

'Reit te, pawb i wenu!'

Clic!

A neb yn mentro gwgu, neud hen swch, i sbwylo'r llun.

Pawb yn bihafio'n ddestlus yn Ysgol Tan-y-berth.

Does neb wedi galw heibio heddiw eto. Dim ond Whcwl William. Nid oedd wedi bod yma ers amser. Daeth i mewn ac eistedd ar y gwely a dweud "Helo, Branwen! A sut wyt ti heddi?" Ond doeddwn i ddim eisiau siarad gyda fe felly fe droies i at y wal ac esgus mynd i gysgu.

Roeddwn yn gallu ei glywed yn siarad gyda Mami yn y gegin ond doeddwn i ddim yn gallu deall llawer. Dim ond Mami'n dweud "becso, becso, becso" o hyd fel record wedi stico ar y gramoffon.

Gair da ond hyll yw "becso". (Mae e'n dod o'r gair Saesneg "vexoing" sef poeni am rhywbeth.)

Gobeithio y bydd Doctor Simms-neis yn galw. Nid yw wedi bod yma ers dyddiau. Rwy'n edrych ymlaen at ei weld gan ei fod yn gwenu ac yn wincio a dweud jôcs ac yn gwneud triciau gyda'i facyn poced ac yn gofyn i fi sut rwy'n teimlo. Rwyf bob amser yn ateb "Better, thankyou" wrtho. Ac mae e'n gwenu ac yn dweud "Yes, but how do you really feel?" Ambell waith byddaf yn teimlo fel dweud rhai pethau wrtho. Pethau sy'n fy mecso. Ond bob tro y byddaf yn cymryd anadl mae'n rhy hwyr ac mae'r cyfle wedi mynd a bydd e'n dweud "Good girl, you're doing fine. We'll get you better soon." Nid wyf yn gwybod beth yw ystyr "soon." Rwy'n blino bod yn dost.

Rwy'n falch fod Doctor Jenkins-cas wedi marw. Hip hip hwre! Hen ddyn cas oedd e. Mae pobl gas yn gwneud y byd yn gas a phobl neis yn gwneud y byd yn neis. A bywyd hefyd.

O'n i mor falch 'i gweld hi.

Hi a'r babi bach. Wel, stwcyn o fabi mowr. Morgan Cadwaladr Saer. O'dd e miwn i bopeth – yn dringo ar ben stôl y piano a rhoi tonc, yn siglo fel dyn gwyllt ar y gader wrth y ffenest, yn datgymalu'r mansiwn Bayko o'n i wedi'i adeiladu mor ofalus, yn hwpo'i fysedd miwn i gêj Cofi – o'dd yn ddigon call i gwato yn 'i nyth.

A'r hen Lavinia lawen yn anwybyddu'r drwgweithredwr.

'Mrs Saer fydda i o hyn ymlên. Pan af i 'nôl i'r ysgol ar ôl y Pasg. Ma' David – nage, 'Dafydd'! – wedi cytuno, whare teg. Fyddwn ni gyd yn Saers bach piwr – Dafydd, Lafinia gydag "f", Siôn a Llŷr a Morgan. Fe fydd raid i bawb gynefino – a 'na ddiwedd arni. Fydd hi ddim yn hawdd – peth mowr yw arddel enw Cymrêg mewn ardal mor Seisnigedd.'

O'dd hi wedi dod ag anrheg. Collage o 'mhethe i – llond ffrâm fach bert o lunie crayons a storis a thystysgrife – a 'GWAITH BRANWEN DYDDGU ROBERTS' ar draws y top.

'Y pethe ffindes i wrth glirio'r cwpwrdd. Wedi'u cadw'n sêff iti i gyd. Ddim isie iddyn nhw fynd ar goll . . . Hei – beth yw'r dagre 'na?'

Shwt allen i ddachre egluro wrthot ti, yr hen Lafinia fach? A ta beth, fe gyrhaeddodd Irfon.

'Napod 'yn gilydd, Irfon a fi? Otyn, otyn, ers dyddie ysgol.'

Ond do'dd fowr o 'Gymrêg' rhyntyn nhw, a do'n inne ddim yn gwbod pam.

IRFON

Mae Irfon yn dweud ei fod yn hoffi Mami a fi.

Nid yw'n hoffi Tabitha na Cofi. "Hen gath fothlyd a hen fyrmin brwnt sy'n cario baw a jyrms" meddai. Ond mae Doctor Simms-neis a Mr Brown wedi dweud ei fod yn syniad da i fi gael eu cwmni felly maen nhw'n cael bod gyda fi yn yr ystafell ffrynt.

Nid yw Wncwl William yn hoffi Cofi na Tabitha na Doctor Simms-neis na Mr Brown. Mae e'n hoffi Mami a fi, meddai.

Mae Mami'n fy ngharu i, yn "ffrindiau da" gydag Irfon ond ddim yn hoffi Wncwl William.

Mae Irfon ac Wncwl William yn casáu ei gilydd. Mae pethau'n gymleth iawn.

Yr unig beth sydd ddim yn gymleth yw bod neb (gan gynnwys Tabitha!) yn hoffi Wncwl William. (Nid wyf yn siŵr am Cofi. Fe gnoiodd e Wncwl William ar ei fys unwaith ond chwarae oedd e a dyna beth mae hamsters fod i wneud sef cnoi.)

Yn yr ysgol y cwrddodd Mami ac Irfon. (Mae hi'n mynd yno dri diwrnod yr wythnos "i weld sut bydd pethau" ac mae Mrs Mattie Jones yn dod i edrych ar fy ôl i.)

Fel arfer mae e'n gwisgo crys neilon a siaced lwyd a phatshys lledr ar y peneliniau a throwsus ffawn a belt leder frown. Weithiau, pan fydd wedi bod yn "heicio", mae e'n gwisgo sgidiau cerdded ac mae ei goesau'n hir a thenau ac yn flewog iawn fel ei freichiau ac mae ei drwyn yn hir fel trwyn anteater. Mae ei wallt yn seimllyd a'i wyneb yn welw fel petai'n dost. (Mae hyn yn rhyfedd gan ei fod yn treulio

286

llawer o amser yn yr awyr iach. Ond nid yw'n hoffi'r haul meddai.)

Rwy'n gwybod beth fyddai Mamgu yn ei alw sef "hen lynghiryn". Ond nid yw hi wedi ei weld ac nid yw'n gwybod amdano ond mae Bob Go-fetch wedi ei weld ac yn ei alw'n "llinyn trôns". ("Trôns" yw pants dynion yn iaith y Gogledd.)

Mae Irfon yma heno, yn cael swper gyda Mami yn y gegin.

Mae fy swper i fan hyn, ar y tray, ar y gwely. Chips a wy a beans. Fy hoff fwyd. Wedi oeri. Wedi stico wrth y plât. Allwch chi ddim bwyta pan fyddwch yn dost ac yn drist ac yn becso.

Nos da.

Irfon.

Gwynt athro ysgol – sialc a phren a pholish a thybaco. Athro daearyddiaeth, wedi teithio'n helaeth, gweld y byd, a dychwelyd i gwm ei febyd i rannu ffrwyth ei brofiad â'r brodorion.

'Wedi gweld y saith rhyfeddod, Branwen, ond fel gwetws y bardd – a bydde dy fam yn gwpod yn net pwy o'dd e – "Wedi teithio mynyddoedd, dyffrynnoedd, a moroedd, teg edrych tuag adre". Iechyd da i'r enaid yw dychwelyd i'r hen gwm. Cerdded dros y Waun, hibo i'r Twyn a Tyddyn Bowen, reit lan i'r Grib a chroesi draw i Ben-y-cwm a'r Foel. Ma' dyn yn twmlo'i fod e yn y nefo'dd gyda Duw! Dim ond Fe a fi! A ma'r cwbwl fel map ordnans 'danaf i. Y cwm yn ymagor o 'mlên i fel 'se fe'n gweud "Croeso 'nôl, 'rhen foi", yr hen neidr ddu gyfarw'dd yn nofio ar hyd 'i wilod, y nentydd fel mwydod gwyn yn llifo miwn 'ddi. A Nant Las – wel beth wetwch chi amdeni? Dim ond taeru nagyw dyn wedi byw cyn 'i gweld hi, ddim wedi twmlo shwt ddŵr rhyfeddol yn unman ar 'i drafels rownd y byd. Y Rockies, y Punjab Delta, Uluru, Victoria Falls – catwch nhw weta' i, dim ond i fi ga'l dod sha thre i'r cwm.'

Irfon, yn ddall i hacrwch hyll ei gwm, yn boddi mewn gormodiaith sentimental, yn mynnu bod yn droednoeth, yn codi'i draed esgyrnog, corniog ar y ffender a phwyso'i ben yn ôl yn braf a chwythu mwg ei sigarét yn gylchoedd rownd y lampshed.

'Fe gei di ddod 'da fi lan i'r topie 'na, ar ôl iti wella'n iawn. Twmlo'r gwynt yn dy wallt, llyncu awyr iêch i ddod â 'bêch o liw i'r boche 'na. Cel picnic ar y Waun, lan wrth Dyddyn Bowen. Lle dê am bicnic – beth ti'n 'feddwl?'

Rhoi tap i'w sigarét. Lludw mân yn syrthio ar ben lludw bras yr aelwyd.

'Dwcyd perswêd ar Gwenda yw'r broblem fowr. I ddod 'da fi i gel 'bêch o sbort – 'mond hi a fi. Ond ma' hi'n gyndyn iawn i ddod. Ddim isie gatel 'i chroten fêch hi medde hi. Ond allen ni drefnu rhywun i dy garco di – y fenyw ddioglyd Mattie 'na, ne'r ceiliog dandi 'na, dy Wncwl William. Beth ti'n 'feddwl, Branwen?'

Mae e'n tynnu eto ar ei sigarét, yn pyslan am y ferch fach dd'wedwst.

'Ti'n lico fi, on'd wyt ti, Branwen?'

Wrth gwrs ei bod hi.

Er gwaetha mwg ei sigarét a'i hollwybodaeth a'i draed hyll ar ben y ffender. Am fod ei mam yn dwlu arno, yn gwenu arno bob munud, yn paratoi am oriau ar ei gyfer, y powdrach a'r persawr yn cael dod o'r drôr, a'r ffrog goch o'r cwpwrdd. Am ei bod yn brwsho'i gwallt a'i osod yn bert ar dop ei phen, yn rhoi rouge ar ei bochau a lipstic ar ei gwefusau a farnish ar ei hewinedd. Nes ei bod mor bert â Mair y ddoli china. Mor bert . . . Mor frau . . .

Am nad yw Kathleen Ferrier yn canu-torri-calon gyda'r nos. Na'r botel sheri'n cael dod o'r cwpwrdd.

'Dy gariad di yw Irfon, Mami?'

'Nage, Branwen, ffrind. Ffrind da. A ffyddlon.'

Un digon da a ffyddlon i rannu'r gwely mawr â hi.

'Fe gysga i lan lofft heno i roi llonydd i ti. Cofia gymryd dy Ddisprins a neud pî-pî.'

Yr un hen drefn.

'A ble fydd Irfon?'

Yr un hen gwestiwn.

'Yn y stafell sbâr.'

Yr un hen gelwydd gwamal. Yr un hen 'Nos da, cariad', 'Nos da, Mami', a'r cwtsh, a'r cusan ar y talcen. A'r drws yn cau.

Yr un hen sibrwd, chwerthin yn y stafell wely uwch ei phen. Yr un hen 'Sh! Bydd ddistaw, Irfon! Beth am Branwen!' Yr un hen 'Beth *am* Branwen? So'r groten yn deall dim!' A'r un hen 'Ma' hi'n deall digon! Gormod! Un fach gall yw hi!'

Un fach ddigon call i gladdu'i phen o dan y gobenyddion rhag clywed mwy o'u sŵn. Yn ddigon call i ddiolch am sŵn Cofi, druan, yn hapus ar ei olwyn wichlyd.

HAPUSRWYDD

Beth sy'n ein gwneud yn hapus?

Cofi: bwyd a dŵr a chysgu yn ei nyth a mynd round ar ei olwyn.

Tabitha: bwyd a chysgu a chwarae a dal adar a llygod a pheidio cael cathod bach. (Aeth Wncwl William a hi at y fet o'r diwedd gan ein bod gorfod cael eu gwared nhw mor aml.)

Mami: Irfon, peidio bod yn dost, mynd nôl i'r ysgol.

Fi: gweld Mami'n gwella ac yn hapus.

Dylwn fod wedi rhoi "Fi" a "Fy ngweld i'n gwella

ac yn hapus" wrth enw "Mami". Ond wnes i ddim ac nid wyf yn gwybod pam.

A dylwn fod wedi rhoi "Mami'n cysgu gydag Irfon" wrth y gair "Fi" achos dylwn fod yn hapus i gysgu yn gwely bach ar fy mhen fy hunan heb i Mami fy nghadw ar ddi-hun a'i rhaglenni teledu hwyr a'i holl droi a'i throsi yn y gwely. Ond wnes i ddim ac rwyf yn gwybod pam. Nid wyf yn hoffi clywed eu sŵn yn y gwely mawr reit uwchben fy ngwely i. Byddaf yn cofio am Pops a mam Lynette. Ond nid yw Irfon yn sibrwd pethe neis fel "I love you, Gwenda" neu "My lovely Gwenda" na "Rwy'n dy garu, Gwenda." Dim ond "Bitch" a "Cow" a "Hwren." A bydd sŵn "swish-a-swish-a-swish" fel sŵn Mr Flynn y noswaith honno yn y Bute Hotel. A bydd Mami'n gweiddi "Na! Na! Na!" bob-yn-ail a "Paid a stopo, Irfon!" Ac mae e'n gweiddi "Stopo? Sa i'n bwriadu stopo'r hwren fach! Mae'n rhaid i fi dy gosbi di!" Ac yna mae hi'n dweud "Diolch Irfon, roedd hynna'n neis."

Ac yna byddant yn dawel a byddaf i'n gallu cysgu.

Roeddwn yn becso y troion cyntaf y clywais i hyn i gyd ond nid wyf yn becso nawr gan fod Mami'n hapus.

Wel mae hi i weld yn hapus ond efallai ei bod yn actores dda fel fi.

'Pharodd Irfon ddim yn hir.

'A twll dy din di, Pharo' – 'na beth licen i fod wedi gweud wrtho fe. Ond 'ches i ddim cyfle. Fe ddiflannodd e un bore a dda'th e byth 'nôl. A fuodd 'na ddim sôn amdano fe, fel 'se'r neidr ddu o afon wedi'i lyncu'n fyw.

Ac o'dd 'da fi gwmni unweth 'to yn y gwely bach lawr staer, yn sŵn y television hwyr, yn ystod troi a throsi'r orie mân.

A'r crwydro tan y bore bach yn mynd yn rhemp. A'r cwato yn y gwely mowr drw'r dydd. A'r tŷ'n ddistaw fel y bedd.

Heblaw am grawcian crac y brain, toc-toc cloc Mam-gu a thic-tic-tic y meter. A Tabitha'n mewian am 'i bwyd. A glo mân nithwr yn sinco miwn i'r grât.

A sŵn 'y mhisho miwn i'r po bach gwyn.

A'r pot yn ddrewllyd, orlawn.

Ton felen dros y leino.

Llyn o bisho.

A sŵn llefen-torri-calon yn y stafell wely uwch 'y mhen.

MAMGU

Rwy'n caru Mamgu yn fwy na neb arall yn y byd. Heblaw Mami, wrth gwrs. (Rhaid i bawb garu eu mamau, mae hynny'n beth naturiol.) Ond rwy'n caru Mamgu bob amser nid ambell waith fel rwyn caru Mami. Mae hi wastad yn neis wrth bawb ac yn dweud pethau fel "Mae bywyd yn rhy fyr i gwmpo mas." Nid yw hi'n drist nac yn grac na wedi meddwi.

Pan fydd hi'n dod i aros gyda ni mae hi'n pobi bara a rhoi lot o fenyn ar y dafell ac yn gwitho cawl a phwdin reis a thrio'i gorau i fy nghael i fwyta pethau od fel bitrwt a hen sbinej gwyrdd. "Byta, Branwen!" meddai hi, "Neu wnei di fyth brifio i fod yn groten fowr! Ac mae bitrwt yn dda i'r gwaed a sbinej yn rhoi egni i ti." Mae hi'n darno sane a chwiro tyllau yn ein dillad ac yn moyn y Singer mas o'r sang-di-fang er mwyn gwneud dillad o hen gyrtens. Ond nid wyf yn hoffir dillad hynny. Sgert fel cyrtens, blows fel cyrtens, gwn-nos fel cyrtens. Roedd hi hyd yn oed eisiau gwitho ffrog Gymanfa cyrtens i fi cyn i fi fynd yn dost ond diolch byth fe es in dost mewn pryd. Wel, dim "diolch byth" ond doeddwn i ddim eisiau ffrog Gymanfa felfed gwyrdd. Nid yw Mami na fin hoffi'r dillad yma ond nid ydym yn dweud dim rhag ei phechu, dim ond aros nes y bydd hi wedi mynd sha thre ac yna yn eu cwato yn y fasged lawr y basement er mwyn mynd a nhw i jymbl sêl yn Hebron. Rywbryd.

Mae Mamgun od fel yna achos hi sy'n dweud yn aml wrth Mami ei bod hi wedi mynd i edrych yn siabi iawn a ddim yn gofalu ar ôl ei hunan a byth yn prynu dillad newydd i fi, dim ond fy ngwisgo i mewn "handmidowns". Mamgu sy'n prynu ffrog fach bert i fi bob pen blwydd yn Marks and Spencer Pontypridd. Un felen ges i ganddi llynedd, a un las a smocking coch y flwyddyn gynt. Mae hi wedi dweud wrthyf am wellan gyflym er mwyn cael ffrog pen blwydd eleni eto. Gobeithio y gwnaf i wella mewn pryd.

Mae Mamgun gorffen ei "jobs" i gyd erbyn chwarter i ddau bob dydd ac ynan dod i eistedd gyda fi i wrando ar "Listen with Mother" ar y wireless ond mae hin mynd i gysgu cyn i'r stori orffen. Pan fydd hin dihuno mae hin chwilio am ei sbectol ac yn darllen y "Western Mail" (mae hin hoffi'r "Deaths") a'r "Welsh Gazette" a'r "Cambrian News" ac yn ysgrifennu llythyron at ei chyfnither ai chymdogion yn Aberaeron. Mae ganddi ysgrifen ddestlus iawn. Ac yna maen mynd i witho bwyd erbyn pryd y daw Mami nôl o'r ysgol.

Nid wyf yn gwybod pam fy mod wedi ysgrifennu hynna i gyd na pham fy mod wedi dweud "Mae" hyn a "Mae'r" llall. Achos mae popeth wedi newid. Ac rwyf yn drist iawn. Ac yn hiraethu am Mamgu. Nid yw hi wedi bod gyda ni yn Gwynfa ers amser hir. Ac nid yw Mami'n mynd i'r ysgol nawr.

Mae hi'n clywed tincial llestri.

Doctor Simms-neis a'i mam wrth ford y gegin. A fe sy'n gwneud y siarad. 'Mrs Roberts, something must be done.'

Distawrwydd.

'Mrs Roberts, are you listening to me?'

Sŵn llwy yn troi mewn cwpan te.

'You can't go on like this . . .'

Mae ei mam yn mwmial rhywbeth.

'But you've said that many times before . . .'

Dweud beth? Ei bod hi'n trio'i gorau? Trio gwella, peidio bod yn isel? Trio peidio yfed? Bod yn bositif, yn gryf? Yn 'normal'? Mwy o fwmial, mwy o dincial llestri.

Rhaid troi i eistedd ar yr erchwyn er mwyn clustfeinio'n well.

'You need help, but you have to help yourself as well . . .'

Codi a chamu at y drws ar flaenau'i thraed. Gwrando, clywed dim. Agor y drws a phipo ar draws y cyntedd. Mae drws y gegin yn gilagored, a gall weld cornel bach o'r ford a braich Doctor Simms-neis yn pwyso arni.

'I know it's difficult for you . . . It has been difficult for years . . . And you've done well . . .'

Clywed llais ei mam, yn gliriach nawr . . .

'I don't know where to start . . . What to do . . .'

Ac yna rhywbeth am 'work' a 'job' a 'money' . . . Camu'n dawel fach ar draws y cyntedd, teimlo'r teils yn oer. Trwy gil y drws gall weld llaw ei mam, ei bys yn chwarae â chlust ei chwpan, yn troi-a-throi mewn cylch ar hyd y wefus. Syllu ar y llaw – a gweld y fodrwy aur, yr emrallt, yr ewinedd wedi'u cnoi hyd at y byw.

'What you need is an incentive . . .'

Gwthio'r drws ar agor. Mae'r ddau'n troi i edrych arni ac mae Doctor Simms-neis yn pwyso 'nôl i weld beth fydd yn digwydd. Does dim byd yn digwydd, dim ond mam a merch yn syllu ar ei gilydd fel dieithriaid.

'Well – isn't this little girl an incentive, Mrs Roberts? The best one you could ever have?'

Dim byd ond llygaid gwag yn syllu arni o dan fop clymog, gwyllt o wallt.

LLYTHYRON

Pan oeddwn yn ferch fach roeddwn yn hoffi ysgrifennu llythyron. Roeddwn yn anfon un bob wythnos at Mamgu, un bob Nadolig at Siôn Corn yn gofyn am anrhegion ac un arall i ddiolch am beth roeddwn wedi ei gael. Roeddwn hefyd yn ysgrifennu at bawb i ddiolch am eu hanrhegion Nadolig a phen blwydd. Ond nid wyf yn cael llawer o anrhegion nawr fy mod i wedi tyfu. Falle bod pobl wedi anghofio amdanaf.

Roeddwn yn ysgrifennu at Angela a Cheryl ar ôl iddynt symud i'r Tredegar Arms yn Splot, Caerdydd. Ond nid wyf wedi gwneud ers amser ac nid ydynt yn ysgrifennu ataf i. Yr unig lythyron rwy'n ysgrifennu nawr yw ambell un at Mamgu bob hyn a hyn. Rwy'n blino gormod. Rwy'n blino ysgrifennu pethau fel y stori yma hefyd, ond mae ysgrifennu'n help i basio'r amser ac i wella pethau yn fy mhen.

Pan mae Mamgu'n ysgrifennu ataf mae hi'n rhoi "Miss Branwen Dyddgu Roberts" yn ei hysgrifen ddestlus ar yr amlen a bydd Johnny Vine yn gweiddi "Another

letter from your Granny up North Wales!" Mae hi'n
ysgrifennu yn dda iawn ac yn rhoi'r newyddion am bobl
mae hi'n eu nabod ond nid wyf in eu nabod. Ond
does dim ots am hynny. Mae hi'n ysgrifennu mewn
barddoniaeth ambell waith (mae hi'n ei alw'n "talcen slip
") ac yn gwneud i fi chwerthin. Mae hi'n ysgrifennu
at Mami hefyd ac ni fydd Mami byth yn taflu ei
llythyron i'r tân fel y bydd yn gwneud gyda phopeth
arall. Rwy'n darllen y llythyron hyn ambell waith (byddaf
yn codi o'r gwely pan fydd Mami'n cysgu) ac mae pob
un yn dechrau gydag "Annwyl Gwenda fach, gobeithio
dy fod yn gwella" ac yn gorffen gyda "Dy Annwyl
Fam." Mae papur punt yn ambell un a'r geiriau
rhywbeth bach i helpu mas." Ambell waith mae Mamgu
'n ysgrifennu "Rwyf yn ymbil arnat i edrych ar ôl y
groten fach. Rwy'n poeni'n fawr amdani." Bydd Mami'n
cuddio ei llythyron yn y cwpwrdd ar y landin. Byddaf i
'n cuddio fy rhai i yn fy mocs bach newydd sydd o
dan y gwely. (Mae'r tun bisgedi'n dal i fod yn y bedd
mawr du. Rhyw ddiwrnod rwy'n gobeithio mynd i'w moyn.
Gallwn ofyn i Bob ond nid wyf am iddo weld beth
sydd ynddo.) Bocs bach coch yw'r un newydd, anrheg
gan Mamgu. "Rwy'n gwybod dy fod yn hoffi cuddio
pethau, Branwen" meddai hi. Mae hi'n gwybod lot fawr
o bethau. Dyna un rheswm pam fy mod yn ei charu'n
fwy na neb, ond Mami, ambell waith. Mae hi'n gorffen
ei llythyron ataf i a Mami gyda'r geiriau "Hala air
bach nôl yn glou." Byddaf in gwneud hynny fel arfer
ac yn rhoir llythyr i Bob neu Mattie neu Nyrs
Leyshon i'w bostio. Ond nid yw Mami'n ateb y
llythyron. Byth.

Nyrs Leyshon, fawr, fusneslyd.

Sawl gên yn pwyso ar ei gwddw solet, sawl plyg blonegog o dan fola gwyn ei ffedog. Mae hi'n ymweld yn gyson, yn annisgwyl, ddydd a nos.

'Jyst i jeco, cariad. Bo' chi a'r lotes fêch yn iêch. Beth am i chi gwnnu mês o'r gwely 'na er mwyn i fi gel tannu dillad glên? Golwg ddicon di-ra'n arnyn nhw y bore 'ma 'to, on'd o's e? Dewch nawr, cwnnwch, 'na chi lotes ddê!'

Dim cyffro, dim ymateb.

'Gwetwch wrtha i, nawrta, shwt hwyl sy arnoch chi 'te, cariad? Caton pawb – a beth yw'r dagra 'ma? So chi'n hwylus? Beth sy'n whare ar 'ych meddwl chi?'

'Gadwch lonydd i fi . . .'

'O dewch, nawr, cariad, meddyliwch am y pethe dê! A ma' diconedd ohonyn nhw, weten i! Llond arffed o bethe i goti'ch calon chi! Meddyliwch am y groten fêch, mor lwcus otych chi o'i chêl hi. A hithe'n lên 'i hwyneb – a mor ddê â'i llyfre, medden nhw.'

'Plîs gadwch lonydd i fi . . .'

'Wetws hi'r un fêch 'run peth yn gwmws wrtha' i gynna! Wel fe weta i i'ch wep chi, cariad, ma'n rhaid i chi hastu i shiffto i wella – ne' Duw a ŵyr beth ddicwddith i chi'ch dwy. A 'na ffact i chi!'

'Gadwch lonydd i fi, fenyw! A gadwch lonydd iddi hithe hefyd! Y'n ni'n iawn! Yn berffeth hapus gyda'n gilydd! Nawr cerwch o 'ma! Cerwch!'

'Iawn – fe af i, cariad. Ond fe ddof i 'nôl ben bore. A pîtwch chi â thrio'ch gêm fach ddwl, cloi'r dryse, fel nethoch chi pwy ddiwrnod, achos fe alwa i'r polîs. Fe gân nhw dorri miwn – i neud yn siwr bo'r groten fêch, pŵr dab, yn iawn! Nos dê!'

Y bygythiad gwag, wythnosol. A dim yn digwydd. Dim gwelliant, dim gwellhad, dim newid yn y drefn. Mam a merch yn dal i guddio, yn garcharorion pedair-wal y tu ôl i gât fawr Gwynfa, ei ddrysau trwm a'i ffenestri pwdr. Y naill yn gwrando am y llall; yn clywed fawr ddim o fore-gwyntan-nos ond y synau bach beunyddiol – tincl plygeiniol poteli Eric Jones the Cream, plop boreol y *Western Mail* ar lawr y cyntedd a Johnny Vine the Funny Postman yn trio bod yn ddoniol.

'Nice postcard from your Granny up North Wales. See – she's the funny lady at the spinnin' wheel by there! Same spit she is!'

A Nyrs Leyshon a'i phregethu; a Doctor Simms-neis a'i resymu; Mattie wrthi'n esgus brwsho a pholisho wrth glustfeinio'n astud; Bob Go-fetch yn mynd-a-dod o'r ardd yn nhraed ei sanau; Mr a Mrs Godwin Bach yn 'digwydd galw heibio' â'u Ribena a'u Royal Jeli; Miss Morris â'i chardiau cyfarch 'am wellhad llwyr a buan gan holl ddisgyblion yr ysgol orau yn y byd'; Wncwl William yn cael fawr o groeso; y television yn rhygnu a neb yn edrych arno, y wireless yn rhygnu a neb yn gwrando arno. A chlic-clic-clician knit-one-purl-one Mrs George.

'Fi yw'ch Special Tutor chi. Y cownsil wedi'n hala i. I'ch dysgu chi tra byddwch chi'n dost.'

Mrs Dilys George, sy'n debyg iawn i Cofi. Bochau tew, gwawr binc i'w llygaid dyfrllyd, llond ei cheg o ddannedd melyn a whisceren fach sy'n twitsho o dan ei thrwyn bach pwt. Mae ei thasg yn dipyn o grwsâd – rhannu ei gwybodaeth eang â merch fach dost, rwgnachlyd, unig blentyn a ddifethwyd gan ei mam fach ddiflas, sy – medden nhw – yn gaeth i'r botel. Ar ben hynny mae hi'n gorfod diodde hen gath hyll a hamster drewllyd. 'Ma beth yw sialens!

'Nawrte, Branwen, lawr at waith! So chi isie bod yn dwp fel dunce pan ewch chi 'nôl i'r ysgol!'

Two trains passing in a tunnel a tap dripping into a bath three workmen in a trench. A'i bysedd pwt yn gwibio mor ddeheuig dros y gweill. Tynnwch fap o Lapland ble ganwyd William Shakespeare beth yw'r Domesday Book a'r Plimsoll line a NATO. One-row-plain-a-one-row-purl-a-beth-am-ddishgled-fach-o-de? Ble mae Greenland Iceland

Finland a Nyasaland. Baghdad Romania a Rhodesia. Calcutta, Calgarry a Cardigan. Cardigan i'r mab yw hon. Richard Madoc Flynn. Teimlo drosto, druan, a'i wraig e mor ddidoreth. Pwy oedd Ann Boleyn? Houdini? The Welsh Wizard? Lloyd George yw'r ateb. Wy'n perthyn iddo fe, chi'n gwbod. Drw' briodas. Criccieth. Castell. Craig. A lan y môr bach neis. Ice-cream. Picnic ar y promenâd. Which country should we feed? Dewch mla'n, Branwen – jôc yw hi! Dewch mla'n, dewch mla'n! Sit up! Sit up! Wel Hungary, ontefe! Which people do a lot of cleaning? Y Polish people, Branwen! Pwy ddisgyfrodd penicillin? Ac America? Ac Australia? A phwy ddisgyfrodd Television? Wy'n dwlu ar *The Grove Family*. A *Dixon of Dock Green*. Evenin' all! Weloch chi'r un am y dentist yn dwgyd arian 'wrth 'i batients? A nhwthe'n cysgu'n sownd dan anaesthetig? Plismon yw 'y mrawd-yng-nghyfreth. Lan yn Colwyn Bay. Ges i anaesthetig i ga'l Richard. Ych-a-fi 'na brofiad. A fe ges i dynnu 'nannedd mas i gyd pwy ddiwrnod. Gwell mas na miwn! Pwy oedd Sitting Bull? Ac Amundsen? Ac Eisenhower? Ble mae Central Square? Ayers Rock? A Bogota? A Titicaca?'

A Mrs George yn dwp.

Di-glem. Yn deall dim. Dim byd ond cleber wast a slip-one-pass-the-slipped-stitch-over.

'Beth yw cacamwnci, Mrs George? Cachudefed? Cachurwtsh? Ble ma' twll-tin-byd? A twll-tin-dafad? Ble mae'i chaca hi'n dod mas? A'i lond o bryfed glas? A gwa'd a sleim a stecs? Yn drewi fel y dreins sy'n pwmpo mas i'r afon o dan New Century Bridge? Neu fel y toilet adeg sychdwr yn yr haf? Neu fel o'dd e gynne, ar ôl i chi ga'l cachad mowr? Wel, gwedwch wrtha i, yr hen fenyw dwp!'

'Branwen, y'ch chi'n groten ddrwg! A very wicked, wicked little girl.'

298

Croten ddrwg yn uffern Gwynfa.

Ganol nos o'dd waetha'. Y troi a'r trosi, y codi mas o'r gwely, crwydro – yr un hen stori. 'Nôl a mla'n a lan a lawr y staere, mas i'r ardd, mas drw' gât y ffrynt a 'nôl. Law ne' hindda, do'dd dim ots. Gwichan styllod, clic y dryse'n agor ac yn cau, blwmin crensh-crensh-crensh 'i thra'd ar gerrig mân y llwybyr, y blwmin gât yn bango.

Un nosweth dawel, ole leuad, braf, o'n i wedi'i chlywed ar 'i thrafels, yn gwbod 'i bod hi mas 'na'n rhwle, yn yr ardd, wrth y gât, dros y ffordd – do'dd dim dal yn ble. Ond do'n i ddim yn gallu'i chlywed hi. Dim sôn, dim smic . . .

Es i 'nôl i gysgu – a dihuno i glywed sŵn bach reit tu fas i'r ffenest . . . Tabitha, falle, yn trio tynnu sylw, isie ca'l 'i gadel miwn? Na, o'dd y bwdren yn gorwedd ar 'y ngwely, wedi codi'i chlustie i wrando ar y sŵn. Hen grafu ysgafn, fel llygoden, fel Cofi yn 'i nyth, yn whilo am 'i stôr o fwyd.

A beth weles i ond llaw, yn rhwto'r cwarel, yn sychu'r dwst a'r baw. Fe ges i ofon – byrglers 'to? Rhyw feddwyn crwydrol? Bwci Bo? Ond wedyn weles i'r fodrwy, yr emrallt bert – a wedyn, wyneb pert fy mam yn syllu miwn i'r stafell, 'i hwyneb wedi'i fframo yn y ffenest, cylch o aur rownd 'i phen yng ngole'r lleuad. Ne' lamp y stryd yn whare tricie, falle. O'dd y cylch fel halo angel. Angel ar gyfeiliorn – ie, 'na beth o'dd hi. Angel â dagre ar 'i boche hi – neu falle taw'r dafne bach o ddwst o'dd ar y gwydr o'dd yn adlewyrchu yn y gole.

A wedyn o'dd hi wedi mynd. A gadel ôl 'i bysedd ar gwarel gwag y ffenest.

Mae Bob yn curo ar y ffenest.

'Branwen! Sbia!'

Mae'r iâr fach yr haf ar gledr ei law yn ysgwyd ei hadenydd coch yn falch cyn simsanu dros ei arddwrn a dringo'i fraich. Un ysgytwad sydyn arall ac mae hi'n hedfan yn llawn gobaith lan i'r awyr fry. Yn rhydd.

Mae Bob yn codi'i fawd cyn troi 'nôl at y peiriant torri porfa.

GEIRIAU

(Bydd geiriau pwysig y darn hwn mewn PRIF LYTHRENNAU, sef llythrennau mawr.)

Rwy'n hoffi geiriau. Rwy'n hoffi eu SŴN a'u HYSTYR, sef beth maen nhw'n feddwl. Pan fyddaf wedi blino gormod i wneud dim arall byddaf yn gorwedd yn y gwely ac yn DYCHMYGU geiriau'n dawnsio ar y nenfwd, yn TROELLI (troi a throi) o gwmpas ac i mewn ac allan i wneud patrwm pert fel parti dawnsio gwerin.

Byddaf hefyd yn CLUSTFEINIO, sef gwrando'n astud ar bobl yn siarad, yn enwedig pan fyddan nhw'n credu nad wyf yn gwrando.

Weithiau byddaf yn deall popeth ond weithiau ni fyddaf yn deall ambell air a byddaf yn meddwl weithiau fod pobl yn trio siarad mewn ffordd anodd er mwyn i fi beidio deall. Clywais y gair HUNANOL heddiw. (Does dim ots pwy oedd yn siarad ond roedd y person yn siarad amdanaf i.) Mae'r ystyr yn amlwg sef rhywun sydd yn rhoi ei hunan o flaen pawb a phopeth arall. Nid wyf yn siŵr a ydyw'n wir amdanaf i. Rwy'n trio meddwl am bobl eraill, yn trio helpu a bod yn neis. Ond mae'n anodd gwneud hynny pan fyddwch yn teimlo'n DOST AC WEDI BLINO ac yn UNIG drwy'r amser, pan fydd pobl eraill DDIM YN DEALL, pan fyddan nhw'n GWELD BAI O HYD. Efallai taw'r person oedd yn siarad sy'n hunanol ond MAE HI'N DOST. Pan fyddaf yn well byddaf yn trio ei helpu fel yr oeddwn yn gwneud cyn i fi fynd yn dost. Ond MAE'N RHAID IDDI HI HELPU EI HUNAN HEFYD.

Hen gath independent a hamster dall.

'Na 'nghwmni i bryd hynny. Triawd bach hunanol, pob un yn 'i fyd bach 'i hunan, yn troi a throelli rownd-a-rownd a miwn-a-mas fel blwmin dawnswyr gwerin. A finne'n unig, yn whilo am fy mam, yn colli fy mam-gu, yn trio byw o ddydd i ddydd a'r blinder a'r gwynegon a'r diflastod yn mynd yn drech na fi yn amal. Gorwedd yn y gwely, yn gwrando ar whiban oer y gwynt drw' frige'r goeden fwnci – fel rhyw blwmin Gwladys Rhys. ('Sdim ots pwy yw hi. Rhywun ddarllenes i amdani, rywbryd.) Clywed ratlan y ffenestri, gât y ffrynt yn gwichan 'nôl a mlaen, trio cysgu, ffaelu cysgu, ffaelu jengid.

A Bob yn dod yn nhra'd 'i sane a sibrwd 'Sut wyt ti heddiw, hogan?', a cha'l dim croeso, dim ond 'Cerwch o 'ma, Bob!' A'r boi caredica yn y byd yn edrych arna i'n drist a gafel yng nghêj Cofi a sibrwd 'Tyd 'rhen Gofi, mae hi'n bryd llnau dy gaetsh di'. A Tabitha â'i chwt lan yn rhedeg ar 'u hole mas i'r cefen a 'ngadel ar 'y mhen 'yn hunan 'to.

A'r sŵn ofnadw yn 'y mhen fel sŵn yr Hoover, ne' Morris Series Eight Uncle Len yn dringo'r tyle a finne'n cofio am y trip i Caswell a'r holl sbort o'dd ddim yn sbort. Yr un hen stori. Colli mas, ddim yn ffito miwn, ar wahân i bawb . . .

Ody hi'n syndod 'mod i'n blwmin diflas?

Sori.

Stop.

LOT O BETHAU.

Gan fy mod yn dost rwy'n cael lot o amser i feddwl am lot o bethau. Gormod. Ond mae'n anodd peidio pan fyddwch yn gorwedd ar eich cefn yn gweld dim byd ond nenfwd. Yn clywed dim ond chwyrnu neu sŵn Mattie Jones a'r Hoover neu Bob yn torri'r borfa neu'r blwmin television neu'r wireless neu Cofi'n troi ei olwyn neu Tabitha'n mewian. Dim neb i siarad â chi'n gall.

Nid yw Mrs George yn dod yma nawr. Fe ddaeth rhywun yn cario "briefcase" i achwyn fy mod i wedi bod yn cheeky wrthi ac fy mod i wedi ei hypsetio hi. Dyna un o'r pethau sydd ar fy meddwl. Pam fy mod i wedi bod mor gas? Roedd hi'n mynd ar fy nerfau'n esgus gwybod popeth ac yn gwybod dim yw dim. Ond dylwn i ddim fod wedi ei galw'n "fenyw dwp".

Cwestiwn arall sydd ar fy meddwl yw beth yw hanes Lynette a Meryl erbyn hyn? Nid wyf wedi eu gweld ers imi fynd yn dost. Pam nad ydyn nhw na mam Lynette wedi galw yma? Petai un ohonyn nhw yn dost byddwn yn galw i'w gweld a mynd a grêps neu siocled iddyn nhw. Ond i fi, dim byd.

Rwy'n meddwl hefyd pam na fyddai Miss Scary Morris wedi galw'n amlach? (A Rowli Powli hefyd.) Mae Mrs Carpenter (Saer) wedi bod sawl gwaith. Nid yw Mrs Thomas Cwc wedi galw unwaith ond nid wyf yn disgwyl iddi wneud, yr hen jaden dwp.

Nid wyf yn deall pam roedd rhaid i Lynette a Meryl gangio yn fy erbyn. Pam oedden nhw mor gas? Beth oeddwn i wedi gwneud yn rong? A sut oedd Lynette yn gwybod fy mod yn "hoffi" Pops? Mae hynny'n rhyfedd iawn.

Rhywbeth rhyfedd arall. Roedd Lynette yn hoffi cael sylw mawr pan fuodd Pops farw. Fel ei bod yn mwynhau. Roedd hynny'n fy ngwneud yn grac oherwydd fy mod i hefyd ... O, dim ots, nid wyf am ddechrau meddwl am hynny. (Mae rhoi dotiau'n ffordd o ddweud nad ydych yn siwr beth i'w ddweud nesaf.)

Pam oedd raid i Angela a Cheryl symud bant i fyw a ninnau'n tair sut ffrindiau?

Pam oes raid i Mami fod yn dost? Pam na all hi fod yn iach ac yn hapus fel Mamis eraill? Ond rwyf wedi gofyn y cwestiwn yna sawl gwaith o'r blaen ac heb gael ateb. Fell does dim pwynt ei ofyn eto.

(Mae yna lot o bethau eraill ar fy meddwl fel pam fod rhaid i bobl rwy'n eu caru farw? Ond nid wyf am ddweud mwy am hynny chwaith neu fe fyddaf yn dechrau llefain a ffaelu cysgu neu'n cael hunllefau. Ac nid wyf yn gwybod pa un sydd waethaf, bod ar ddi-hun am oriau neu freuddwydio pethau cas. Mae'r ddau beth yn gwneud i chi deimlo'n ofnadwy yn y bore.)

Mae ei ben rhwng ei bronnau . . .
    corun moel
    bouncy ball
    gwynt Brylcreem
    sbrowtiau bach o wallt fel gwellt
    blewiach yn y clustiau
    cwyr yn glwstwr melyn
    . . . rhwng ei chanhwyllau Mair . . .

Sh!
    dim smic!
    dim symud!
    gwrando
    clustfeinio
    chwilota
    am guriad bach
    ei chalon
    rhwng ei bronnau blagur.

A finne'n edrych ar fy mam
   ymbil
   ddim yn deall
   pam? pwy hawl?
   ddim isie!
   ddim yn lico!
   ddim yn iawn!
   stopa fe!

Ond 'na'th hi ddim
   yw dim
   ond sefyll 'na
   a syllu'n ddiymadferth.

A ma' hi'n anodd madde.

Noson fwyn.

Ha' Bach Mihangel ar ei anterth. Dros rŵn a chlanc-di-clanc parhaus y pwll gallwch glywed synau pell y diwetydd – cloch yr eglwys, adar to yn clwydo, sgrechen gwylanod ar gyfeiliorn yn chwilio am eu llwybr dros y Foel i'r môr. Gallwch dyngu clywed lleisiau'n hedfan ar yr awel – sgyrsiau ar gorneli strydoedd, ar riniogau, mewn alotments, yn y gerddi cefn.

'It's a miracle, this weather.'

'Typical it is, now the kids are goin' back to school.'

'We'll pay for it later on we will.'

'Aye, come 'Alloween we'll all be freezin'.'

Trafod prisiau arfaethedig glo a thrydan 'come the winter', rhywun lah-di-dah lawr Hebron yn cael central heating yn y tŷ.

'Not natural, is it? Like a furnace day an' night!'

'Aye, come Christmas they'll all be down with flu!'

'An' expensive – don' you talk to me! You'd think they're the Royal Mint, that family! But poor as church mice they are really!'

'They're payin' on the never-never same as everythin' else!'

Trafod tocio llwyni, clirio'r pridd ar gyfer blwyddyn nesa, plannu bylbiau hyacinths a daffodils, oferedd plannu tatws cynnar yn rhy gynnar, Busy Lizzies hwyr, dahlias mas o dymor, y pla o bicwn ffyrnig a'u dialedd jyst-cyn-trengi – 'Mad an' dangerous they are, like the bloody Luftwaffe!' Trafod bwriad y Red Cross i gynnal Bring and Buy, y Scouts a'u Bob-a-Job, y Mothers' Union ar y warpath a rhyw 'top-nob Tory' yn bygwth dod i'r Con Club i roi araith – 'Over my dead body!' A Joe Fancy wedi cael damwain wrth fynedfa'r pwll.

''Is own fault it was, racin' through the gates on 'is fancy motor bike!'

'Couldn' wait to meet 'is fancy woman!'

'Fancy everythin' in skirts 'e do!

'Well let's 'ope 'e's learned 'is lesson, Fancy Bach, now 'e's only got one 'and!'

'That'll learn 'im, poor dab!'

''E'll still be a dab 'and with the women – if you get my meanin'!'

Trafod bechgyn drwg, â'u bryd ar ysbeilio'r gerddi o blwms a falau.

'I'd give the buggers a whole bagful if they'd only 'eat 'em instead of throwin' 'em at people!'

'An' at windows an' green'ouses too!'

'Sbaddu 'em we should! The little cock-a-dandies ddiawl!'

'Bleddyn Bobby's sleepin' on 'is feet an' all! The kids down Cairo Row an' 'Afod are runnin' rings around 'im!'

Ac yng ngardd Gwynfa, y tu ôl i'r wal â'r darnau gwydr miniog, mae Branwen Dyddgu Roberts wedi cael y job o gasglu'r falau cochion sy'n drwch ar lawr. Mae hi'n gydwybodol, yn eu codi a'u hastudio fesul un, yn gosod y rhai gweddol yn y bwced ac yn taflu'r gweddill pwdr i sach. Rhaid bod yn wyliadwrus. Rhaid eu trin rhwng bys a bawd a gochel rhag y picwn ffyrnig sy'n llechu yn eu crombil. Mae ganddi gof o gael ei phigo – ar ei bys wrth dwrio i gwdyn papur am loshin licrish o siop Whites, ac ar ei gwegil yn Caswell Bay . . .

Yn sydyn fe wêl fflach o streipiau du a melyn mewn stwmpyn afal pwdwr. Mae hi'n ei luchio o'i llaw i'r concrit caled, yn gafael mewn carreg fflat a'i gollwng arno GLATSH! a'i gwasgu â'i holl nerth.

A gwenu.

Lleuad Fedi.

Fel chwilolau enfawr dros y cwm, yn treiddio trwy ffenestri, yn chwilota i bob iard a gwli tywyll, yn troi'r nos yn ddydd.

Mae hi'n gorwedd ar y gwely mawr, ar y ffrwd fach

euraid sy'n llifo trwy'r llenni cilagored, gan dorri'r gwely lawr ei ganol. Mae'r tonnau aur yn ffrydio dros ei hwyneb. Gall synhwyro'u goglais ysgafn er bod ei llygaid wedi'u cau.

Goglais fel basddwr crisial traeth Cei Bach, fel awel haf ar ben y Waun, fel mân ddiferion rhaeadr Pen-y-cwm, fel yr haul a oedd yn gwrlid trosti a hithau'n gorwedd ar ei chefn ar garreg farmor yn y fynwent.

Mae hi'n trio'i gorau i gofio'r teimlad cynnes, saff o fod yn hapus.

Rwy'n hoffi'r gair "bendigedig" oherwydd ei fod yn well na "neis" a "braf" a "hyfryd" hyd yn oed.

Mae hapusrwydd yn deimlad bendigedig. Rydych yn teimlo'n dda, ac eisiau gwenu o hyd, ac weithiau rydych yn ffaelu stopo gwenu. Galluch fod mor hapus fel rydych eisiau canu'n uchel ac weithiau byddwch yn gwneud hynny a bydd pobl yn edrych arnoch fel petaech yn od. Ond nhw sy'n od, dim chi.

Pan fyddwch yn hapus nid ydych yn teimlo'n gas nac yn ofnus ond yn garedig ac yn saff.

Rydych yn hapus wrth godi yn y bore a meddwl am y diwrnod sydd o'ch blaen.

Rydych yn hapus wrth fynd i'r gwely yn y nos a meddwl am y diwrnod sydd wedi bod ac am beth fydd yn digwydd trannoeth. (Rwy'n hoffi'r gair "trannoeth", fel traeth hir a chithau'n rhedeg arno, yn noeth falle, a neb yn eich gweld.)

Mae tywydd braf yn eich gwneud yn hapus, a phobl rydych yn eu hoffi, a natur ac anifeiliaid a mynd i lefydd neis.

Rwy'n hapus pan fyddaf yn mynd i dŷ Mamgu. (Nid

wyf wedi bod yno ers amser gan fy mod wedi bod yn dost.)

Rwy'n hapus pan fydd Mami'n hapus ac yn iach.

Rwy'n hapus pan fydd Tabitha'n cysgu ar y gwely'n gynnes neis ac yn canu grwndi gan ei bod hi'n hapus hefyd.

Rwy'n hapus pan fydd Cofi'n stwffio'i fochau ac mynd round ar ei olwyn gan ei fod yn hapus yn ei fyd bach ef.

Rwy'n hapus pan fyddaf yn cael dillad newydd pert (nid dillad ar ôl pobl eraill, sydd wedi marw).

Rwy'n hapus pan fyddaf yn mynd i dŷ Bob a Mattie Jones gan eu bod yn garedig.

Rwy'n hapus pan fydd gen i rywbeth neis i edrych mlaen ato. Rwy'n hapus pan na fydd rhywbeth drwg yn digwydd.

Rwy'n cofio bod yn hapus pan gawsom y television ond nid yw mor bwysig nawr.

Rwy'n cofio bod yn hapus wrth fynd i guddio yn y fynwent ond nid wyf yn mynd yno nawr.

Rwy'n cofio bod yn hapus yn chwarae gyda ffrindiau ond . . .

Rwyf wedi blino ar hyn i gyd.

Sbotleit.

'Na beth o'dd y Lleuad Fedi'r noson honno. Streipen felen hir trw'r ffenest, yn goleuo'r pentwr dillad teidi – destlus – ar y stôl. Dillad llwyd – sgert a blows a sane – mewn pwll o ole melyn. Llwyd o'dd y fest a'r nicyrs hefyd – wfft i baso'r prawf 'Are YOU a Persil mum?' O'dd y sgidie o dan y stôl yn sheino'n ddu ar ôl i fi 'u polisho nhw.

A'r cwbwl yn barod ar gyfer tranno'th.

A thranno'th yn fwgan mowr.

Trio cysgu. Clywed corddi'r cwpwrdd crasu, carbwl newyddion deg yn codi o'r stafell ffrynt. Cloch y ffôn yn canu. Clywed llais fy mam heb allu deall dim ond ambell 'Ie' a 'Nage' a 'Falle wir' rhwng seibie hir. Gwbod taw Mam-gu o'dd ar y ffôn; ysu isie siarad â hi. Clywed 'Ma' hi'n cysgu, Mama' a 'Iawn, fe weda i wrthi' a 'Diolch' a 'Nos da' a'r ffôn yn mynd 'nôl i'w wely a'r drws yn cau.

A finne'n grac. Yn drist. Yn difaru pido codi a mynnu sgwrs gan milltir â'r unig un a fydde'n deall. Styried mynd lawr y staere'n ddistaw bach a'i ffôno 'nôl. Ne' gamu miwn yn ddewr i'r stafell ffrynt . . .

Ond cwato dan y dillad 'nes i a throi'n wyneb at y pared. At y dail iorwg, y blode glas a'r marcie yn y papur wal. A'r sgrifen goch, blentynnedd tu ôl i bostyn pren y gwely.

A meddylu unweth 'to am dranno'th, a theimlo tyndra yn 'y nghylla fel 'se rhywun yn gwasgu carreg ar 'y mola.

''Ma ni, Branwen!

Y diwrnod mowr i ti a fi!'

Mae'r ddwy'n wynebu'i gilydd wrth ford y gegin, yn esgus bwyta brecwast. Y naill yn twyllo'r llall.

'Wel . . .'

Gair llanw, gair gohirio . . .

'Fe af i 'te. 'Sdim iws bod yn hwyr y diwrnod cynta!'

Gwên fach sydyn, fflach o haul tu ôl i'r llygaid trwm. Un whiff arall cyn diffodd ei sigarét, llwnc arall o goffi ac mae hi ar ei thraed, yn gafael yn ei bag a'i llyfrau a'i hallweddi ac yn anelu am y drws. A throi . . . A thaflu cusan . . .

'Pob lwc iti, 'nghariad i . . .'

'A i tithe, Mami . . .'

'Edrych mla'n at ga'l yr hanes heno . . .'

'A finne 'fyd . . .'

Ac mae hi wedi mynd.

Gan adael ei merch i syllu ar gwpanaid coffi hanner gwag, gwydraid llawn o laeth, a bara-menyn heb ei gyffwrdd. Rhaid peidio chwydu. Codi, dechrau clirio'r ford. Eistedd eto a thrio canolbwyntio ar y pethau pwysig. Cadarnhau, am y pumed tro, bod popeth yn y bag – pwrs arian cinio a'r pumswllt ynddo'n saff, afal coch, macyn pinc, bocs pensiliau – a'r peth pwysicaf oll, yr amlen fach â 'Miss Branwen Dyddgu Roberts' arni. Mae hi'n syllu ar y sgrifen bert, yn penderfynu agor yr amlen am y pumed tro . . .

Wel dyma garden gyda'r post
I Branwen fach a fu mor dost,
Pob lwc it groten, sbort a sbri
Yw dymuniadau dy Fam-gu.

Gwenu, trio rheoli'r dagrau . . . Mae'r talcen slip mor ddoniol, yr hiraeth mor arteithiol . . .

Gan bwyll nawr, groten! Rhaid cadw at y cynllun – meddwl-mlaen-a-meddwl-mlaen. At fentro mas i ddal y bỳs. Fydd y gyrrwr yn ei chyfarch? Fydd hi'n nabod y conductor? Fydd hi'n ddigon dewr i fynd i eistedd ar sedd y gwt? Wrth gwrs na fydd hi! Un o'r seddi eraill fyddai orau, un llai amlwg, saffach. Fydd 'na groeso iddi? Fydd 'na holi'i pherfedd? Fydd 'na ddieithrwch lletchwith neu a fydd popeth mor naturiol ag erioed? Doedd dim 'naturiol' ynghylch ymddygiad rhyfedd Meryl a Lynette a'u dieithrwch ers dros flwyddyn. Hen chwiw fach, falle. Heddiw, y 'diwrnod mowr', fe fydd popeth 'nôl fel oedden nhw.

Reit, dim mwy o ogor-droi. Rhaid clirio'i phen a'i pherfedd, fel brwsh cans yn sgubo'r pelets duon lawr i'r gwter . . .

Fe dda'th Lynette i 'ngweld i.

Unweth – reit ar ddechre 'nhostrwydd hir i. Hi a'i mam a Gransha Morgan. Ond o'n i'n rhy dost i siarad. A do'dd neb arall yn siŵr iawn beth i' weud. Pawb yn ishte'n lletwhith, fy mam yn cynnig dishgled, a phawb yn gwrthod, a hithe'n mynd i sefyll wrth y ffenest, 'i chefen aton ni a'i breichie wedi'u plygu'n dynn. O'dd hi'n esgus syllu mas i'r ardd ond o'dd 'i llyged wedi'u cau. A Morfydd Morgan yn gwbod hynny'n iawn ond yn trio bod yn neis a chynnal sgwrs.

'Hope you like them, Branwen, the bananas. All the fashion they are. And to think they were on the rations.'

'Yes thank you very much . . .'

A'r hen Gransha wedi dod â photel o Lucozade.

'I roi egni i ti, t'wel'. Fyddi di ddim yn hir cyn rhedeg fel ebol mynydd lan a lawr hen lwybre'r fynwent 'na!'

A Morfydd yn neud llyged 'Careful what you're saying, Gransha!' arno fe a'r hen Gransha'n dechre peswch yn 'i ddwble a mynd mas i'r cefen. A fy mam yn anwybyddu popeth yn 'i byd bach pell 'i hunan. A neb yn gweud dim byd nes i Morfydd Morgan godi a mynd ati a gafel yn 'i llaw a dechre sibrwd rhwbeth wrthi. A Lynette yn pigo'r croen rownd 'i h'winedd a throi'r ringlet ar 'i gwar a finne'n mynd i gwato'n is o dan y dillad a syllu ar y lampshed werdd yn siglo yn yr awel o'dd yn dod drw'r ffenest. O'n i isie siarad ond ddim yn gallu. O'dd Lynette yn gallu ond ddim isie. A'r cwbwl o'n i'n 'i glywed o'dd Morfydd Morgan yn sibrwd 'I can sympathise' a 'I understand exactly how you feel' a 'It's so difficult to cope without him' yng nghlust fy mam, a'r geirie'n hofran fel glaw mân rhyntyn nhw.

Fe dda'th Gransha 'nôl o'r gegin yn fyr 'i ana'l a'i facyn wedi'i stwffo wrth 'i geg. Fe wasgodd Morfydd Morgan law fy mam a sibrwd 'Anytime, remember, you'll be welcome'.

'Thank you, you're very kind.'

O'r diwedd, rhyw ymateb. A wedyn pawb yn dawel fel y bedd.

'Right then, Gransha, let's be going! Time to pick up Gwennie from the Centre, and the boys will be waiting for their supper! Lynette, say "goodbye" to Branwen.'

'Ta-ra, Branwen' – ac o'dd hi wedi mynd, hi a'i ringlets a'i gwên fach ffals. Fe dda'th Morfydd ata i a 'ngwasgu'n dynn.

311

'You get well, now, Branwen! We'd like to see your smiling face in Glynmor! Do us good it would – eh, Gransha?'

O'dd e'n peswch gormod i ymateb. Yn peswch bob cam mas drw'r drws a lawr y llwybyr. A wedyn o'n nhw wedi mynd i gyd.

'Diolch byth! O'r diwedd! Diolch am ga'l llonydd – ontefe, Branwen!'

'You're a new girl, eh?'

Conductor dierth. Un bach eiddil, wyneb fferet, yn pipo mas o'r twll-bagej dan y staer.

'Quite a detour, comin' round this way, 'stead of 'eadin' straight down Balaclava. The driver's not 'appy, I can tell you!'

Dyna pam nad oedd e wedi'i chyfarch.

'I'm not new. Just haven't been to school for ages. A whole year. I've been ill.'

Dim ymateb, dim diddordeb. Dim ond canu'r gloch a chwibanu rhwng ei ddannedd. Eiliad o betruster ac mae hi'n mynd i eistedd ar sedd y gwt.

'Wouldn' sit by there if I was you! Gang o' girls 'ave bagged it. There won' be any room for you.'

Mae hi'n symud i sedd arall, lawr y gwaelod, wrth y ffenest, ac yn twrio'n brysur yn ei bag. Ydy, mae hi'n saff. Un bip fach sydyn ar y pennill ac mae'r bỳs yn arafu ac yn stopio.

Mae Lynette a Meryl yn sefyll ar y pafin, yn pwno'i gilydd yn llawn cyffro. Bydd croesawu Branwen Roberts 'nôl i Ysgol Tan-y-berth yn sbort.

'Croeso 'nôl!'

A'r bronne-balconi'n ysgwyd yn groesawgar fel clyche mowr yr eglwys. A Mrs Saer yn rhoi cwtsh i'r ddychweledig un, fel arthes fowr, garedig.

'Neis dy weld di, Branwen.'

O'n i'n gallu teimlo'r Saer bach newydd yn 'i bola caled. A Rowli Powli'n rhoi pat fach ar 'y mhen a sychu'i law â'i facyn gwyn a neud ymdrech fowr i wenu.

'Syrpreisd i 'ngweld i, Branwen? 'Mod i 'ma o hyd?'

Do'n i ddim. O'n i wedi ca'l yr hanes, darllen y *Cwm Leader*, am benodi athro ychwanegol, adeilad mobeil newydd, yr ysgol dan 'i sang.

O'dd dannedd dodi newydd Mary Morris yn fwy scary fyth na'r hen rai.

'A chroeso i'r dosbarth scholarship! Bydd gofyn ymdrech fowr i ddala lan. Ond fel gwedes i wrth Mami, chi'n groten fach alluog. Dim ond ichi ymroi a gwitho'n galed – a bihafio! – fydd dim problem.'

'Na fe 'te – y dyfodol wedi'i drefnu'n ddestlus mewn tair brawddeg. A'r bronne'n hwylio bant, a Rowli Powli ffyddlon yn wadlo ar 'u hôl nhw. A'r hen Lafinia'n rhoi'i braich amdana i 'to.

'Cofia weud os fydd 'na rwbeth yn dy boeni di. Ne' rywrai . . .'

A thowlu un edrychiad at Lynette a Meryl.

'Iawn, chi'ch dwy?'

'Iawn Mrs Carp-en-ter . . .'

'Mrs Saer yw'n enw i.'

A'r ddwy gnawes fach yn rhedeg bant a mynd i gwato draw i'r llwyni. A finne'r dwpsen yn 'u dilyn, yn mentro atyn nhw, a sefyll yn ddisgwylgar. Crynu, coese jeli a sibrwd yn pathetig.

'Plîs ga i fod yn ffrinds â chi?'

A difaru'n strêt. A'r ddwy'n syllu arna i'n oeredd, fel 'sen i'n ddieithryn. A wedyn troi a'n anwybyddu i, fel 'sen i ddim 'na. O'dd hynny'n wa'th na beth o'dd newydd ddigwydd ar y bỳs.

'Well look who's here!'

'Branwen Dyddgu Roberts! Back from the dead!'

'Na'r croeso ges i. Llond bỳs o wawd. Pawb yn gweiddi, wherthin, ca'l lot o sbort. Na, dim pawb – llond dwrn, dan arweiniad Meryl a Lynette. A'r daith yn hir ac Ysgol Tan-y-berth yn bell a'r lleisie'n gras a'r jôcs yn greulon a'r bag yn ca'l 'i agor a'r pwrs bach arian cino a'r afal coch yn ca'l 'u towlu o law i law a Simon Simms y Swot bach neis yn gweiddi 'Stopwch! Pidwch!' a'r macyn pinc yn glwtyn sychu ffenest handi a'r amlen yn ca'l 'i rhwygo a'r pennill talcen slip yn ca'l 'i adrodd mas yn uchel a lot o wherthin a Simon Simms yn gweiddi 'Gadwch lonydd iddi!' a'r lleisie'n gweiddi 'Shut up you four-eyed Pansy!' arno fe a'r garden yn ca'l 'i thowlu mas trw'r ffenest a Simon Simms yn dod i ishte ar 'y mhwys i a rhoi'i fraich amdana i a'r lleisie'n gweiddi 'Pansy! Pansy!' a'r conductor wyneb fferet yn gweiddi 'That's enough!' a'r bỳs yn cyrredd gatie'r ysgol a phawb yn dawel a finne'n gafel yn 'y mag cyn ca'l 'yn hwpo 'ddar y bỳs.

A stop.

DIWRNOD CYNTA'R TYMOR

Heddiw yw fy niwrnod cyntaf yn yr ysgol ar ôl blwyddyn. (Rwyf wedi bod yn dost gyda Riwmatic Fever. Ond rwyn well nawr.)

Rwy'n teimlon hapus iawn bod nôl yma o'r diwedd gyda fy ffrindiau a'r athrawon. Mae pawb wedi rhoi croeso mawr i fi ac wedi bod yn neis ac yn garedig iawn. Ac rwy'n edrych ymlaen at ddod i'r ysgol eto fory.

'Pitw iawn.

A finne wedi gofyn am ddwy ochor. Ond 'na fe, 'sdim syndod, a chithe heb sgrifennu dim byd o werth ers blwyddyn.'

Mae Miss Mary Morris yn syllu ar y ferch fach eiddil sydd â'i llygaid wedi'u hoelio ar y llawr.

'Ond pidwch becso, fe gymerith amser i chi ddod 'nôl i drefen.'

314

Mae hi'n sylwi ar y cylch bach cynulleidfa sy'n awchu clywed rhagor.

'Pawb arall – cariwch mlaen â'ch gwaith!'

A phawb yn ufuddhau ond yn dal i wrando.

'Nawrte, Branwen – o's 'na broblem?'

'Nago's.'

'Ody heddi wedi bod yn anodd?'

'Nagyw.'

'Chi'n gweud y gwir?'

'Odw.'

'Wel, trïwch 'to, 'te. Yn galetach y tro 'ma.'

FY NIWRNOD CYNTAF YN YR YSGOL.

Roeddem fod ysgrifennu 2 ochr tudalen am "Ddiwrnod Cynta'r Tymor". Roedd rhaid i fi ysgrifennu'r peth ddwy waith gan fod Miss Morris wedi dweud fod yr un cyntaf yn "bitw iawn" ac roedd hi "yn llygad ei lle". Doeddwn i ddim wedi dweud y gwir. Doeddwn i ddim eisiau dweud y gwir am sut oeddwn yn teimlo, sef yn ddiflas iawn. Dywedodd hi "Lot gwell, Branwen" am yr ail un ond celwydd oedd hwnnw hefyd. (Fe ddywedais i yn hwnnw . . . Na, does dim ots beth ddywedais i achos celwydd oedd e.) Dyma beth roeddwn am ei ysgrifennu ond ddim yn gallu.

1 Roeddwn yn cachu brics ac yn ffaelu cysgu neithiwr yn poeni am fynd nôl i'r ysgol. Roeddwn yn poeni am Mami'n mynd nôl i'r ysgol hefyd. Mae hi wedi mynd nôl sawl gwaith o'r blaen ac wedi mynd yn dost eto. Ond mae hi'n dweud y bydd yn iawn y tro yma. (Mae hi'n dweud hynny bob tro.)

2 Roeddwn wedi blino'n lân y bore yma am nad oeddwn wedi cysgu. Mae'n anodd cysgu yn y gwely

315

mawr lan lofft ar ôl bod yn y gwely bach lawr llawr ers bron i flwyddyn. Ac roedd Mami ar ddi-hun am oriau.

3 Roeddwn yn poeni y byddwn yn dwp yn yr ysgol. Ffaelu cofio pethau. Ffaelu gwneud dim. Ac roeddwn yn iawn. (Roedd y syms long division a'r long multiplication yn rhy anodd i fi.)

4 Ar ôl mynd i'r ysgol doeddwn i ddim eisiau aros yno. Roeddwn eisiau mynd sha thre. Roedd llawer o'r plant eraill yn od iawn. Yn cadw draw. Yn sibrwd gyda'i gilydd. Yn chwerthin am fy mhen. Roeddwn yn grac a nhw ond yn drist iawn hefyd. Roedd yn well gyda fi guddio yn y toilets amser cinio na mynd allan i chwarae ar yr iard.

5 Roeddwn yn meddwl am Mami drwy'r dydd. Mae hi wedi mynd i'r gwely'n gynnar heno. Roedd hi'n gofyn amser te a oeddwn i wedi mwynhau mynd nôl i'r ysgol. Fe atebais "Do, pob munud." Roedd hi'n edrych arnaf yn od. Amser swper fe ofynnais iddi hi a oedd hi wedi mwynhau mynd nôl i'r ysgol ac fe atebodd "Do." Ac yna aeth i olchi'r llestri.

Rwy'n difaru nawr. Peidio dweud wrthi. Peidio dweud y gwir. Fy mod i wedi cael diwrnod diflas. A nawr mae hi'n rhy hwyr. Mae hi wedi mynd i'r gwely. I'n gwely ni.

Hoffwn i fynd ati a'i dihuno a dweud wrthi sut rwy'n teimlo ac am y pethau cas ddigwyddodd drwy'r dydd yn enwedig am y siwrnai ar y bws ac amdanyn nhw'n taflu carden Lwc Dda Mamgu trwy'r ffenest. Ond allaf i ddim, rhag ofn ei gwneud yn ddiflas. Rhag ofn iddi fynd nôl yn dost. Ac allwn i ddim

diodde hynny. Felly byddaf yn mynd ar fy nhip-tos lan
y staere a mynd mewn i'r gwely ati a thrio mynd i
gysgu. Ond byddaf yn troi a throsi. A byddaf wedi
blino fory eto. Fel heddiw.

Ond byddaf yn mynd i'r ysgol yn y bore ac yn
gwenu ac yn esgus fy mod yn iawn.

A chario mla'n â'r twyll.

Twyllo pawb.

Twyllo fi'n hunan.

'Yn falch bod 'nôl? Wrth gwrs 'y 'mod i! Yng nghanol
bwrlwm Ysgol Tan-y-berth! Yng nghanol ffrindie, athrawon
ffein. Ar ôl blwyddyn o wynegon, gwendid, gorwedd.
'Drychwch arna' i! Wedi gwella! Yn llond 'y nghroen! Yn barod
i ailddechre!'

'On'd yw hi'n groten ddewr', ys gwede Gransha Morgan.
Yn 'rêl hogan', ys gwede Bob Go-fetch. Ond beth wydde'r
rheini shwt o'n i'n teimlo?

Beth o'n inne'n 'wbod am byger ôl yr adeg honno?

FY AIL DDIWRNOD YN YR YSGOL.

Roedd yn wael. Yn waeth na ddoe. Yn waeth na
phopeth cas sydd wedi digwydd i fi sef bod heb dad,
Mami'n dost, riwmatic fever, injecsions, blood tests,
dolur rhydd, bod yn sick a phennau tost. Efallai ei
fod yn waeth na beth mae plant bach yn diodde draw
yn China a thiroedd Japan. Roedd bron yn waeth na
marw.

A dyma'r rhesum - roedd bron pawb yn chwerthin
arnaf ac yn dannod achos doeddwn i ddim yn gallu
gwneud y gwaith. Roedd y symiau'n rhy anodd a dim

317

ond pedwar mas o ddeg ges i am yr English spelling. Pedwar! Fi oedd y gwaetha yn y dosbarth heblaw am Robert James. Ac mae e yn dwp fel slej. Doeddwn i ddim yn gwybod sut i sillafu "ocianography" na "earth-kwake" na "the river Tames" na "afreid" na "freindship". Ac roeddent yn gweiddi "Mae Teacher's Pet yn dwp!" bob tro roedd Miss Morris yn mynd o'r stafell. Ac yn gangio yn fy erbyn. Pawb ond Simon Simms a Sarah Collins oedd eisiau bod yn ffrindiau gyda fi. Roeddwn yn falch o fod yn ffrindiau gyda Simon Simms oherwydd roedd yn gallu fy helpu gyda'r gwaith ond doeddwn i ddim eisiau bod yn ffrindiau gyda Sarah Collins. Does neb eisiau bod, achos mae hin drewi ac fe ddywedais hynny wrthi ac fe ddywedodd "Be like that then!" a mynd nôl i gangio gyda'r lleill. Fe es i guddio yn y llwyni ym mhen draw'r iard. Roeddwn yn gallu llefain yno heb fod neb yn fy ngweld. Ond roeddwn yn teimlo fy wyneb yn goch ac wedi chwyddo felly roedd rhaid i fi aros yno ar ôl i Miss Morris ganu'r gloch diwedd amser chwarae. Yna fe ddaethon nhw i chwilio amdanaf (Miss Morris a Rowli Powli) a gofyn beth oedd yn bod ac fe ddwedais fy mod yn teimlo'n dost. Roedd Miss Morris eisiau mynd a fi sha thre ar unwaith neu alw am ddoctor ond fe ddwedais i fy mod yn well ac fe es i nôl i'r dosbarth. Roedd pawb yn edrych yn od arnaf ac yn gwenu'n rhyfedd ar ei gilydd. Roedd pethau'n waeth erbyn amser cinio. Roedd lot o blant yn fy nilyn round yr iard ac yn gweiddi enwau arnaf, pethau cas fel "Cry baby" a "Babi loshin" ac ar ôl fy nilyn round cornel y toiledau roedden nhw'n tynnu tafod arnaf ac yn fy nguthio yn fy nghefn ac yn tynnu fy ngwallt ac yn chwerthin wrth i fi ddechrau llefain eto. Ac yna daeth Mrs Saer allan i ganu'r gloch ac fe redodd pawb i ffwrdd. Ond roeddwn yn gallu eu gweld yn edrych arnom y tu ôl i'r twmpath. Fe ofynnodd hi "Pam wyt ti'n llefain, Branwen?" ac fe ddywedais fy mod wedi dal fy mys yn nrws y toiled ac yna es i mewn i'r ysgol. Nid oeddwn eisiau dweud celwydd wrthi achos mae hi'n neis. Ac eisiau helpu. Ond does dim y gall hi wneud. Does dim y gallaf i wneud chwaith. Dim ond bod yn dawel a gobeithio'r gorau.

Mae ei chefn at y wal.

Fel cadnoes wedi'i chornelu, yn troi i wynebu'i herlidwyr. Ar flaen yr helfa mae Meryl a Lynette fel dwy helgast fain yn sawru gwaed. Y tu cefn iddyn nhw mae'r stalwart Rhian Jones, ei chorpws fel carreg drom, ddisymud ar draws llwybr. Prin y gwelwch gysgod Sarah Collins yn llechu yn y cefndir.

'Little snitch ti yn, Branwen! Yn gweud wrth Mrs Saer!'

Lynette sy'n siarad, ei llygaid fel botymau du ei chardigan.

'Wedes i ddim byd!'

'Liar! Ni'n gweld ti! Over by the twmpath!'

'Raid ni learno lesson i ti!'

''Wedes i ddim byd! Gadwch lonydd i fi! Pam y'ch chi'n 'y mhoenydio i fel hyn?'

'Oh! Talking posh are we?'

'Ti'n meddwl bo' ti'n well na ni! Just because ti'n siarad gwell Cymraeg! Wel ma' Gransha fi'n siarad tidy Welsh fel ti ond so fe'n lah-di-dah fel ti!'

'Ma' dy Gransha di yn neis! A wy'n dwlu arno fe! Beth wede fe 'se fe'n gwbod am hyn heddi? Am beth ti'n neud i fi bob dydd?'

Camgymeriad. Mae hi'n sylweddoli hynny. Yn rhy hwyr. Mae Lynette yn cymryd cam ymlaen a Meryl yn cymryd cam yn ôl, fel petai'n gwneud lle i'w gwell. Mae Rhian Jones yn cadw'i thraed a'i llygaid yn solet ar y ddaear ond mae Sarah Collins yn cicio'i thraed yn nerfus yn erbyn drws y toilet ac mae ei llygaid yn gwibio o'r naill ferch i'r llall. Mae Lynette yn sibrwd, ei llygaid yn tasgu'u bygythiad.

'Ti'n gweud one teeny-weeny-tiny little thing am hyn wrth Gransha – a ti'n dead! Ti'n deall? Dead!'

Mae'r gloch yn canu fel cnul angladdol.

Ac mae amser chwarae bach yn dod i ben.

"Sticks and stones may break my bones
but words will never hurt me"

Dyma'r geiriau y byddaf yn eu dweud bob tro y bydd rhywun yn dweud pethau cas. Rwyf hefyd wedi ysgrifennu'r geiriau ar dri darn papur bach. Mae un yn fy mag, un arall yn fy mocs pensiliau a'r llall wedii guddio yn fy nesg, reit yn y cefn, fel na fydd neb yn ei weld. Ond rwyf in gallu ei weld, bob tro y byddaf yn agor y caead. A byddaf yn esgus chwilio am bensiliau'n aml iawn er mwyn edrych ar y papur sydd yn y bocs. Bob amser cinio a chwarae byddaf yn gofalu mynd ag un o'r darnau yn fy llaw neu yn fy mhoced neu i fyny fy llawes. Mae teimlo'r papur yn gwneud i fi deimlon saff. (Fel yr oedd pennill talcen slip Mamgu ond mae hwnnw wedi mynd am byth.) Na, nid yn saff, ond yn saffach a ddim mor drist.

Ond twyll yw'r cyfan. Nid yw'r geiriau yn fy helpu. Nid ydynt yn wir, dyna pam. Maen nhw'n gelwydd. "Geiriau gwag", fel mae Mamgu yn dweud. Achos mae geiriau yn brifo. Fel petai rhywun yn rhoi clatshen i chi

320

ar draws eich boch nes bod dagrau'n dod i'ch llygaid. Rydych yn trio peidio llefain ond alluch chi byth a help. A'r mwya rydych yn trio peidio, mwya i gyd o ddagrau sy'n dod nes bod rhaid i chi lefain neu fyrstio.

Heno roeddwn eisiau ysgrifennu at Mamgu i ddweud popeth wrthi. Fy mod i mor anhapus, am beth sy'n digwydd yn yr ysgol. Am Mami. Am Wncwl William. Ond allaf i ddim, achos rwy wedi addo.

I Lynette a Meryl.

I Mami.

I Wncwl William.

Damo nhw.

Damo nhw i gyd.

'Gwynt yr hydref ruai neithiwr,

Crynai'r dref i'w sail . . .'

Ond beth yw'r llinell nesaf? Mae hi'n crychu'i thalcen wrth sgubo'r llwybr â'r brwsh cans. Ond ddaw hi ddim. 'Wedi mynd yn angof,' chwedl ei Mam-gu. A does ganddi ddim amynedd trio cofio. Rhaid canolbwyntio ar y gwaith. Sgubo, casglu, hwpo'r dail i'r sach. A thrio anghofio am neithiwr . . .

Y gŵn-nos gwyn. Y gwallt du. Y breichiau'n chwifio, fel petai'r rheini, hefyd, yn chwyrlïo yn y gwynt. Y cerdded 'nôl-a-mlaen rhwng y tŷ a'r gât, y sefyll stond, y cerdded eto – ac yna'r cwympo ar ei hyd a'r gorwedd yno'n llonydd fel corff mewn amdo.

A'i merch yn gweld y cyfan. Yn edrych mas drwy ffenest y stafell wely fel petai'n edrych ar ffilm mewn sinema neu ar sgrin deledu. Ar actores. Ar ddrama drist. Heb fod yn rhan o'r digwydd. Nes clywed gweiddi'i henw.

'Branwen! Dere glou!'

Rhuthro lawr y staere, mas drwy'r drws, a theimlo'r ofn yn gafael ynddi wrth weld yr wyneb gwelw, y ffrwd o waed ar wegil, y staen ar goler y gŵn nos. Y siom o wynto'r sieri ar ei hana'l, a'r gnawes wedi addo . . .

Ond nawr, rhaid canolbwyntio. Taclo'r pentwr dwfn a hyrddiwyd wrth y gât. A meddwl eto am y gerdd. Rhywbeth am 'henwr wrthi'n sgubo'r dail'. Pam na all hi gofio? Byddai cofio'r gerdd yn well na chofio neithiwr.

'Mami! Rhaid ca'l doctor!'

'Na, dim doctor. 'Sdim byd mowr yn bod. Baglu, slipo ar y blwmin dail 'ma. A finne wedi bwriadu'u clirio nhw, ond heb ga'l amser . . . Fe 'naf i bore fory . . .'

Mae'r pentwr wedi'i sgubo a'r gât yn glir. Gall ei hagor nawr a mynd i sefyll ar y pafin. Mae ambell ddeilen yn siffrwd wrth ei thraed, yn chwyrlïo yn y gwter. Mae hi'n codi'i phen a'u gweld yn troelli ar yr awel fel adar bach amryliw. Mae hithau'n lledu'i breichiau fel aderyn, yn troelli, troelli, yn troi'n aderyn bach sy'n codi'n uwch ac yn uwch, yn hedfan fry i'r awyr lwyd nes bod Gwynfa a'r Waun a'r Foel a'r cwm a'r byd i gyd yn diflannu oddi tani, nes ei bod hi ar ei phen ei hunan yn anelu am y nefoedd.

Mae hi'n chwil. Mae waliau llwydwyn Gwynfa a'i ffenestri tywyll yn troi o flaen ei llygaid, fel y bwthyn bach sy'n codi lan i'r awyr yn *The Wizard of Oz*.

'Oh, my goodness me!'

Gwich fel Judy Garland. Mae hi'n mynd i eistedd ar y pafin, ei welingtons yn nŵr y gwter. Syllu ar y llif sy'n brwydro'i ffordd drwy glymau tyn o ddail, gan gyrglo fel dŵr bath yn gwagio . . .

Cofio . . . Dŵr yn gyrglo . . . Clymau tyn o wallt . . . Shampoo yn llosgi'i llygaid . . . Dagrau a sgrechiadau . . . Ond neb yn clywed, neb yn dod i helpu . . .

Mae hi'n sobri, yn codi ar ei thraed a thaflu'r brwsh drwy'r gât a'i chau'n dynn cyn dechrau cerdded swish-a-swash drwy'r dail. Lawr drwy Bowen Street, heibio i bortsh y Bute Hotel lle mae trwch amryliw'n garped dros y teils a haenen o slwj gwlyb fel cyfog dyfrllyd yn y gwter gornel. Oedi wrth siop-y-gwynto-ffein a gweld y pennau'n siarad a chlywed ambell air o bregeth Mrs White am 'I blame it on the council.' Ceiniog yn slot y peiriant gobstoppers, rhoi'r belen felen yn ei cheg, a symud mlaen, heibio i gât yr ysgol a rhoi cic i bentwr mawr o ddail nes eu bod yn tasgu dros y grisiau serth. Troi lawr Hebron a gweld confffeti priodas ddoe ar wasgar wrth gât y capel a chofio am yr haenen liwgar ar benwisg bert Lavinia Jones.

Anelu am Balaclava a Phont New Century. A stopio'n stond. Na, plîs dim hyn, dim nawr . . . Car du, Morris Series Eight, Uncle Len yn gyrru, Bopa Vi fel Marlene Dietrich wrth ei ochr, sgarff biws, lipstic sgarlad, sbectol haul. Ac yn y cefn mae Meryl a Lynette, a Snowy rhyngddyn nhw, ei dafod pinc yn hongian mas o'i geg. Mae Uncle Len yn chwifio'i law drwy'r ffenest fach agored.

'How are you, Smiler?'

Mae hi'n troi ei phen, yn esgus peidio clywed, yn esgus peidio gweld. Ond mae hi'n gweld y tynnu tafod – tri thafod pinc yn ei gwawdio o'r sedd gefn – a gall dyngu ei bod yn clywed pawb yn chwerthin, Snowy, hyd yn oed, cyn i'r car duchan heibio a throi lawr y rhiw.

Mae hi'n cerdded 'nôl i dop y stryd. O'i blaen mae gatiau'r fynwent yn ddu ac aur a hardd. Dail aur mewn trelis deiliog. Dail coch a brown ac oren yn chwythu o'r llwybr llwyd i borth yr eglwys. Cerdded swish-a-swash, heibio i'r llwyni rhododendron a beddau marmor enfawr Millionaires' Row, lan y llwybr serth at y beddau llwyd, hynafol, at sedd Gransha Morgan.

'Shwt y'ch chi, Gransha?'

Gwynt ci a mints a baco. Mae Mot yn dod â brigyn iddi, yn gorwedd ar ei fola'n eiddgar.

''Co ti, Mot!'

Ffling i'r brigyn, naid i'r awyr ac mae Mot yn carlamu'n wallgo draw drwy'r dail. Ac mae Gransha'n chwerthin ac yn peswch bob yn ail.

'Ma' fe'n dala'r un mor dwp, 'rhen Mot, serch 'i oedran mowr.'

'Ond shwt y'ch *chi*?

'Fel y gweli di fi, groten. Yn ddigon byr 'yn ana'l heddi 'to. Ond yn falch o lot o bethe.'

'Fel beth?'

Rhaid taflu'r brigyn eto, a gwylio'r ci'n carlamu rhwng y beddi.

'Yn falch o fod wedi gallu dihuno'r bore 'ma, a chodi mas o'r gwely, a dod mas am wâc. O fod wedi gallu dringo lan fan hyn heb fogi'n lân. Ond weda i 'thot ti, ma'r fogfa'n mynd yn wa'th bob dydd, a cherdded yn dechre mynd yn drech . . .'

Pesychiad arall, poeri'r minten mas o'i geg. Gwaed a fflems ar finten wen. A deilen goch yn chwythu drosti, yn glynu wrthi a'i gorchuddio.

Ac o'r diwedd mae hi'n cofio beth yw'r llinell olaf.

"Hydref arall, a bydd yntau gyda'r dail."

Dyna sut mae'r gerdd "Dysgub y Dail" gan Crwys yn gorffen. Rwy'n hoff'r gerdd am ei bod yn drist. Mae darllen pethau trist yn help pan fyddwch chi'ch hunan yn drist. Mae hyn yn rhyfedd ond yn wir. Efallai eich bod yn sylweddoli mor hapus a lwcus ydych chi mewn gwirionedd wrth gymharu a phobl eraill.

Yn rhyfedd hefyd mae darllen pethau hapus yn gallu'ch gwneud yn drist. Nid wyf yn siŵr iawn pam, ond byddaf yn crio wrth ddarllen rhai pethau hapus, fel Black Beauty'n carlamu'n rhydd ar draws y cae a tad y Little Women yn dod nôl yn saff o'r rhyfel. Mae pethau trist a hapus ar y television hefyd. Roedd y ferch fach yn marw o diptheria a'r ferch fach unig yn The Secret Garden yn drist iawn, ac mae Charlie Chaplin a Norman Wisdom a Lawrel and Hardy yn ddoniol. (Ond yn drist yr un pryd.)

324

Mae hi'n bwysig meddwl am bethau hapus pan fyddwch yn drist neu'n ofnus. Byddaf i'n gwneud hynny pan fydd plant yn gas yn yr ysgol. Byddaf yn meddwl am Cofi a Tabitha a Mot a Lad a Bob a Mattie Jones a Gransha Morgan. A Mamgu.

Ond wedyn byddaf yn cael ofn mawr wrth feddwl bod y bobl a'r anifeiliaid yma i gyd yn hen a bron a marw. (Nid yw hamsters yn byw yn hir ac mae Bob a Mattie Jones yn weddol hen, maen nhw tua 45 oed). Nid wyf am i neb o'r bobl a'r anifeiliaid yma farw achos bydd hi mor rhyfedd hebddyn nhw fel petai rhywbeth mawr wedi mynd o'ch bywyd chi.

A beth petai Mami'n marw hefyd? Byddai pawb wedi mynd, wedyn.

Wrth gwrs does dim rhaid i chi fod yn hen iawn i farw.

Beth am Jane Hughes sydd yn y bedd mawr du?

A beth am Llinos Edwards?

Beth am Jonathan?

Beth am Dad?

Nid wyf yn gallu credu fy mod wedi ysgrifennu'r ddau enw yna.

Jonathan.

Dad.

Nid wyf yn gallu ysgrifennu mwy amdanynt.

Mae darllen yr holl bethau trist rwyf newydd ysgrifennu wedi fy ngwneud yn drist iawn iawn. Nid yw wedi gwneud i mi sylweddoli mor hapus a lwcus ydw i wrth gymharu a phobl eraill, dim ond mor anhapus ac anlwcus ydwyf.

A ffaelu deall "Pam?"

"Pam fi?"

Pam na fyddwn i wedi sôn?

Am y bwlio a'r becso a'r anhapusrwydd mowr i gyd? Wrth Mary Morris, Lafinia Saer, Brynmor Rowlands, Mrs Thomas Cwc? Am 'mod i ofon Mary Morris, yn ofon colli parch yr hen Lafinia, yn ffieiddo Brynmor Rowlands. Allwn i ddim sôn wrth Mrs Thomas Cwc a hithe'n fenyw gas, yn Nan i Meryl. A beth am Gransha? Snichan wrtho fod 'i annwyl wyres yn hen fwli cas? 'I neud e'n dost, 'i ladd e, falle? Mam-gu yn Aberaeron? Rhy hen, rhy bell, rhy neis i'w hala i fecso.

Fy mam? O, na!

O'n i ar 'y mhen 'yn hunan fach.

'Bob, go fetch some lemonade.

An' make some tea an' all. Now then bach, come an' cwtsh by me. An' tell me all about it . . .'

Cwtsho fel doli yn ei chesail. Gorweddian yn ei chôl anferthol. Gweld tonnau'r bloneg o dan ei gên, y rhychau dyfnion yn ei gwddw, dafaden flewog ar ei boch, blackheads ar ei thrwyn. Blodau glas ei brat, tyllau yn ei chardigan, staeniau ar ei llewys. Gwynt chwys o dan ei chesail, gwynt winwns ar ei dwylo. Whiff o faco shag yn hofran dros y stafell yn gymysg â gwynt glo'n mudlosgi, drewdod caetsh Joey Pretty Boy The Third a Lad yn rhechu yn ei gwsg. Clywed gyrglo'r bola o dan y blodau glas a'r babi yn y pram mawr du yn dechrau tuchan.

'They did what?!'

A Bob yn eistedd yn ei gornel, yn sychu'i ddagrau.

'You cry your little eyes out, bach. Do you good it will. Bob! Go fetch your biggest 'anky! The best one. Quick! Now then, 'ave you told your Mammy?'

'No.'

'Why's 'at?'

'I'd upset her.'

'Upset you are yourself! Bob, pick up 'at cryin' baby! 'Ave you told the teachers?'

'No.'

'You'll 'ave to, bach! Upset 'em all you will, an' thassa fact! Upset they should be too! Eh Bob?'

A Bob ddagreuol yn nodio'i ben, a Robert Errol yn ei gôl yn ei ddynwared.

'Bob, mind 'is little 'ead, poor dab! Right 'en, bach, we're fetchin' you 'ome to your 'ouse right now! To tell your Mammy! Bob – go fetch a shawl for baby Robert.'

'No! Please don't!'

'Well then, Bob an' me'll be down your school first thing tomorrow mornin'! We'll learn 'em bullies, won' we Bob?'

Mae Bob yn llyncu'i ddagrau ac yn sibrwd 'Pwy sy'n hogyn da i Taid?' wrth Robert Errol sy'n syllu arno'n syn.

'Bob! Stop tha' talkin' Welsh! Mix 'im up you will! Right 'en, Beryl will 'ave to stop off work tomorrow mornin'. Look after 'er baby for a change. An' Bob can 'ave the mornin' off. Bob – you can say you're bad.'

'No! I don't want you to come to school! I don't want you to say anything – to Mami, to the teachers, no-one!'

'Why's 'at 'en, bach?'

'I'll have to do it on my own.'

O'n i wedi penderfynu.

Dal 'y nhir. Bod yn gryf. Dangos nag o'dd ots 'da fi. Ac o'n i'n crynu fel bedwen arian mewn storom fowr o geser.

Wrthi yn y neuadd o'n ni, yn neud cardie calan gaea – tasgu paent dros ddail yr hydref a'u stico nhw ar ddarne cardbord. O'dd Meryl a Lynette yn 'u cornel fach arferol a Rhian Jones a Sarah Collins fel dwy gohort y naill ochor. Ac o'dd Mary Morris wedi mynd o'r stafell gan fygwth pethe mowr os na fihafien ni. Munud o ddistawrwydd a phawb yn gwitho'n dawel a finne'n trio magu plwc i fentro atyn nhw – do'n i ddim yn siŵr i beth . . .

Rhy hwyr. Rhy dwp a rhy ddiniwed. Rhy ddall i weld y dansher a'r olwg fach bryderus ar wyneb Simon Simms pan

327

dda'th Meryl a Lynette draw ata i a gwenu'n neis . . . A dechre fflico paent nes o'dd 'y ngwaith i wedi'i sbwylo. A neb yn trio'u stopo nhw – ambell un yn wherthin, ambell un yn sefyll 'nôl i joio'r sbort. Pawb ond Simon Simms. Fe waeddodd e 'You're all so very childish!' 'I lunie fe o'dd nesa. A'i sbectol, druan.

'Like your coloured glasses, Simon!'

'Very smart!'

Pan dda'th Mary Morris 'nôl o'dd llond stafell o angylion wrthi'n gwitho'n dawel.

NOSON CALAN GAEAF

Neithiwr roedd hi'n Noson Calan Gaeaf ac yn y prynhawn roedd pawb wedi bod yn gwneud mygydau gwrachod ac ysbrydion ac roeddem wedi mwynhau gwisgo lan a gwneud lanterni pwmpen a chwarae conkers a twco afalau sydd yn hen arfer yng Nghymru meddai Miss Morris ac mae llawer o hen arferion fel hyn ond nawr maent yn brin oherwydd mae pawb yn dechrau anghofio amdanynt ac mae hyn yn drueni mawr ac

Nid wyf yn mynd i orffen y gwaith cartref yma. Byddaf yn dweud wrth Miss Morris fy mod wedi blino. Neu'n well byth, wedi bod yn dost. Ac mae hynny'n wir. Yn sick, sawl gwaith, am fy mod wedi cael diwrnod ofnadwy arall. Roedd Meryl a Lynette a'r "gang" wedi spwylio'r twco afalau gan eu bod yn gwthio fy wyneb mewn i'r dŵr bob tro roedd yr athrawon yn troi eu cefnau. Ac un tro fe wthion nhw (a Rhian Jones a Sarah Collins) fy mhen reit o dan y dŵr nes roeddwn yn ffaelu anadlu ac roedd fy ngwallt a fy siwmper yn wlyb. A doedd Simon Simms ddim yn helpu, dim ond edrych yn drist a chadw'n dawel. A phan ddaeth Miss Morris nôl roedd hi'n grac ofnadwy ac yn holi pawb beth oedd wedi digwydd ond doedd neb yn ateb na dweud dim byd ac roedd hi'n gweiddi mwy a mwy ei bod yn siomedig iawn a bod yr ysgol yn mynd "ar i lawr" ac roedd pawb yn ei chael hi yn eu tro gan gynnwys Alun Wyn a Robert James a Rhian Jones a Sarah Collins gan eu bod yn mynnu sbwylio popeth i bawb arall er nad oedden nhw wedi gwneud dim. Ond doedd hi ddim yn grac wrth Meryl a Lynette oedd yn edrych fel dwy wrach fach bert.

Ac ar y bws roedd llawer o fygydau hyll yn gweiddi pethau cas am Mami.

Ond nid wyf eisiau sôn am hynny.

Mae hi'n ysu eisiau dianc.

Rhag y mwg a'r gweiddi, sgrechen y rocedi, Catherine Wheels yn tasgu, jac y jympers yn bla dieflig rownd ei thraed a sbarclers yn ei hwyneb. Mae'r goelcerth anferth yn goleuo'r bancin fel haul Gorffennaf a'r hen Guto, druan, wedi'i glymu wrth y stanc, yn gwenu'n rhadlon wrth i'r fflamau ddringo dros ei gorpws tew a'i larpio. Mae hithau'n gwenu ei gwên fach ffug, yn troelli'r sbarcler yn ei llaw nes creu breichledau hardd o sêr.

Mae'r sbort ar ei anterth; ffaglau, concers a hot chestnuts, fflasgiau o gawl, bagiau chips o fan Ricardo Gambarini, poteli pop, mygiau o de a fflagons o gwrw. A phawb yn gymdogol, yn ymdaflu i'r sbort. A hithau'n actio'i rhan . . .

Dim ond iddi beidio edrych draw at deulu Glynmor – Morfydd Morgan a'i thri phlentyn – wrth y stondin chestnuts, a Meryl a Mrs Thomas Cwc yn mynd atyn nhw a'u cyfarch. Dim ond iddi beidio tynnu sylw Uncle Len a Bopa Vi sy'n helpu ar y stondin te. Dim ond iddi osgoi Phil a David Meades sy'n gwibio ac ochorgamu fel chwaraewyr rygbi rhwng y dyrfa, gan lwyddo i osgoi eu tad wrth chwilio am ddrygioni. Dim ond iddi anwybyddu Mikey Meades sy'n strytan fel ceiliog dandi gyda'r slipen o ferch goesog sydd wrth ei ysgwydd. Dim ond iddi beidio dal llygad Mrs Meades, sy'n sefyll rhwng ei merched bach – Jacqueline, a beth yw enw'r llall? – gan dynnu'i siol yn amddiffynnol dros ei bola mawr . . .

Dim ond iddi beidio codi'i llygaid draw dros bennau'r hapus dyrfa, ar draws y bancin, at y golau llachar ar dalcen Gwynfa, at ffenest y stafell wely ffrynt, rhag gweld ei mam yn sefyll yno, yn edrych mas . . .

Ond yn sydyn – penderfyniad. Taflu stwmp y sbarcler, gwibio mor ddeheuig â Phil a David, rhedeg lan y bancin, heibio i'r alotments a chroesi'r ffordd a mewn drwy'r gât a'i chau tu cefn iddi'n solet, saff . . .

Troi, mynd ar ei chwrcwd, pipo trwyddi. Gweld y mynd-a'r-dod ar hyd y ffordd, grwpiau bach wrth wal y Waun. Gweiddi, chwerthin, canu, rhegi'n llenwi'i chlustiau.

Sibrwd . . .

Sibrwd?

Yn ei chlust.

'Fan hyn wyt ti! A finne'n ffaelu deall . . . Dechre becso . . . Pam ddiflannest ti heb weud dim byd?'

Ei law feddal yn gafael yn ei llaw. Gwynt y Brylcreem yn ei ffroenau.

'Dere, ewn ni miwn i'r tŷ.'

O'n i'n sownd.

Wedi 'nghlymu wrth y stanc. A chrowd o Guto Ffowcs yn sefyll rownd y goelcerth, yn eiddgar am y sbort. Pob un â'i fwgwd, yn wên o glust i glust, pob un â dannedd du a gwallt fel gwellt a breichie hir a dwylo main a bolie crwn a choese bandi. Pob un â'i sbarcler yn 'i law yn troi a throi a'r sbarcs yn tasgu lan i'r awyr ddu a diferu dros y goelcerth sy'n ffrwydro'n belen fflam o dân. A'r fflame'n dringo, yn ffyrnigo, yn dod yn nes a nes o hyd . . .

Teimlo'r gwres ofnadw, clywed brige'n craclo, gweld rheseidi o ddannedd du'n crechwenu a dwylo gwyn yn wafo. O'dd 'y nhra'd i'n dechre llosgi, a godre trowsus 'y mhyjamas, a o'dd pawb yn wherthin, gweiddi, gwatwar jabar-jabar. A finne'n ffaelu'n lân â chredu, ffaelu deall pam . . .

Pam fi, o bawb?

Pam fi?

A wedyn sylweddoles i – do'n nhw ddim yn sylweddoli pwy o'dd wrth y stanc. Shwt allen nhw, a finne'n gwisgo mwgwd hefyd? Na, dim mwgwd – bwced. Bwced dros 'y mhen a dou dwll-llyged wedi'u torri yndo fe er mwyn i fi ga'l gweld. O'n i'n gallu gweld y gynulleidfa'n gwylltu heb iddyn nhw 'y ngweld i na gwbod dim pwy o'n i. O'n i'n gallu clywed lleisie . . .

'Bob, go fetch some chestnuts! We can put 'em in the fire!'

'Digwydd pasio heibio mae Mrs Godwin Fach a minna!'

'Ci da, Mot bach, ci da!'

'Bydd ddistaw, Lad, be quiet!'

'Pawb yn dawel ac yn ddestlus!'

'Odych chi'n syrpreisd i 'ngweld i?'

'Un fach annw'l o'dd hi, druan fach â hi . . .'

Pawb yn joio – Bob a Mattie'n waltzo rownd y goelcerth – 'We're competin' on Come Dancin'!' – a Robert Errol yn y siol yn gyrglo'n hapus wrth feddwi rownd-a-rownd-a-rownd a Beryl yn 'i ffrog frocêd yn danso gyda Lad a Brynmor Rowli-Powli yn 'i string fest yn gweiddi 'Yipee!' a thowlu Mary Morris lan i'r awyr nes bod 'i dannedd dodi'n cwmpo i gôl Rapunsel sy'n 'u towlu draw at Rumpelstiltskin sy'n 'u towlu nhw i grwtyn hyna'r hen Lafinia Saer sy'n 'u paso nhw i David Meades sy'n sgoro cais yng nghornel pella'r lawnt reit ar bwys y shed.

A thrw'r cwbwl o'dd Mr Godwin Bach Gweinidog yn pregethu tân a brwmstan o stondin chips Ricardo Gambarini, a'r fflame'n cripan lan a lan nes dechre llosgi'r satin rownd 'y ngwddw i a llyo miwn trw'r twlle yn y blydi bwced ond dim fflame o'n nhw ond Lynette a Meryl yn poeri yn 'yn wyneb i ond dim poeri o'n nhw ond sibrwd pethe cas nes o'dd 'y nghroen i'n llosgi a pilo bant i gyd ond dim nhw o'dd yn sibrwd ond rhywun arall . . .

'Branwen! Beth yw hyn? Dim gwên i Wncwl William? Ti'n bertach pan ti'n gwenu!'

Yn sydyn, dim ond fe a fi.

Fe a fi – a neb.

Neb yn sefyll yn ffenest Gwynfa, neb yn syllu, neb yn gwrando, neb yn gweld. Neb yn gwneud dim byd.

Fel arfer.

Stop.

Eira cynta'r gaeaf.

Powdrach mân dros goed yr ardd, ffluwchion dros y Waun, y Foel Ddu yn dwlpyn gwyn yn erbyn llwydni'r awyr.

Mae'r gwynt yn fain a'r bŷs yn hwyr. Mae hi'n rhynnu, ei chlustiau a'i dwylo a'i thraed a'i thrwyn ar dân, a'r cap a'r menig ffwr cwningen a'r sgarff fach goch ar ford y cyntedd. Rhy hwyr. Dim amser, dim amynedd i fynd 'nôl i'r tŷ i'w mofyn. Ac fe gaiff rhyw bleser od wrth deimlo'r gwynt yn garwhau ei gwallt.

Mae'r darnau gwydr ar ben y wal fel rhimyn crisial yn haul y bore. Mae'r ffordd yn disgleirio'n wyn, fel y rinc sglefrio a welodd ar y television. Y ferch osgeiddig â'r gwddw hir yn troelli'n bert fel alarch a breichiau'r dyn mewn trowsus tyn yn saff amdani. Neidio, troi deirgwaith yn yr awyr, glanio, a'r dorf yn dwlu. Troelli, neidio eto – a syrthio, ei choesau fel dwy styllen ar y rhew, ei phen yn hongian, a'r dorf yn dal ei hana'l. Dim ond am eiliad. Ac yna roedd hi ar ei thraed drachefn, yn ddianaf, yn wên i gyd, fel petai dim byd wedi digwydd.

Mae Tabitha'n camu'n ofalus ar hyd y wal. Un cam o'i le a byddai'r gwydr yn rhwygo'i phawennau a gwaed yn diferu dros y cerrig, lawr i'r eira a chreu sbotiau bach o binc fel defnydd organza polka-dot.

'Ffrog barti Llinos, druan fach. Wedi'i chadw hi'n sbesial ar eich cyfer. Dim ond unweth ga'th hi gyfle i'w gwisgo . . .'

'Cadwch y blwmin ffrog! Rhowch hi i'r jymbl sêl! I'r Genhadeth Dramor! Bydde merch fach Geisha draw yn China ne' Japan yn falch ohoni! Ne' towlwch hi i'r bin! Achos wisga i ddim dillad rhywun sy wedi marw!'

A'r tawelwch yn llethol. A llais yr hen wraig fach drist yn crynu.

'Pidwch becso, Mrs Roberts. Dydw i ddim dicach. Wedi'r cyfan, mae hi'n dost. Y cyffuriau sy'n cael effaith, druan fach.'

'Disprin, Mrs Edwards? Pidwch bod yn sofft!'

Beth ddigwyddodd nesa? Dyw hi ddim yn cofio, ddim yn siŵr.

'Ddim isie'r ffrog! Ddim isie dim! Ddim yn teimlo'n dda! Gadwch lonydd i fi! Cerwch o 'ma!'

Falle . . . Yr unig beth sy'n siŵr yw bod ffrog organza wedi'i stwffo i'r cwpwrdd ar y landin. Gyda'r ffrog goch. A bod yr oerfel, nawr, yn annioddefol.

'Hello, lovely! Skis I need this weather! Or 'em roller skates you got!'

Johnny Vine the trying-very-hard-to-be-a-Funny Postman, yn cymryd un cam bach ymlaen a llithro hanner cam yn ôl.

'I don't go on them any more.'

'Grown too big for 'em I expect! Well, I know a little girl who'd be glad to 'ave 'em! Just the thing for Christmas! I'll 'ave a word with your Mam . . .'

'She's asleep. She's ill – a bit . . .'

'Again! I thought she was back at work. Anyway, I gorra Christmas card for you today – your name is on it, see? – off your Granny from up North. I like the Santa sticker! An' these two letters for your Mam – bills they are, more's the pity, so close to Christmas, too. 'Ope to God I don' fall on these steps! See you, lovely!'

Mae e'n llithro mewn drwy'r gât. A dyma'r bỳs yn cripan lan y rhiw fel tractor coch, yr olwynion yn creu dwyres dywyll yn yr eira. Rhaid rhoi'r garden yn ddiogel yn y bag, a chodi llaw ar Derek the Daring Driver sy'n esgus llywio'r bus yn wyllt a breco'n sydyn cyn dod i stop o fewn modfedd i wal y Waun. Mae e'n gweiddi arni o'i gaban.

'Haia, kid! An' wharra skid! An' I'm a po-it an' I don' know-it! Gerrit?'

'Derek! You'll be the death o' me!'

Charlie'r Cheerful Conductor sy'n neidio oddi ar y platfform a chodi'i ddwrn.

'We've gorra a special little passenger by 'ere – so you be'ave! Come on, darlin', on you get.'

Pigo'i ffordd fel balerina at y bus, yn falch o ddringo ar y platfform a theimlo awyr gynnes ar ei hwyneb a chael suddo ar sedd y gwt. Mae Charlie'n gwasgu bwtwn y gloch ddwywaith.

'Gerra move on, Derek!'

Mae rhyw reddf yn peri iddi godi'i llygaid at ffenestri tywyll Gwynfa wrth fynd heibio. Ond mae'r tŷ fel corff mewn amdo gwyn.

'Wharra mornin', darlin'! Trouble down the depot. Buses slidin' everywhere. An' we thought we'd never climb the 'ill at all. Forecast's bad an' all . . . An' you'll 'ave to move sharpish from off 'at seat when your friends gerr on. I seen 'em givin' you the shove. Stand up to 'em you should!'

Tri o'r gloch y prynhawn.

Y diwrnod wedi tynnu ato'n llwyr a'r cwm dan drwch o eira. Crocodeil hir o blant yn llithro trwy ryfeddod gwyn yr iard, eu hana'l yn codi'n gymylau bach crwn, fel peli eira, cyn toddi 'nôl i'r gwynder.

'Pwyll! Dim rhuthro! Cerddwch at y bws mewn llinell daclus! A dim sglefrio!'

Haws dweud na gwneud, Miss Morris fach. Mae hyn yn sbort – cael mynd adre'n gynnar, y bỳs mawr coch wrth gât yr ysgol yn debyg i Siôn Corn – aeliau gwyn dros ffenestri'r llofft a'i enjin dan farf wen, drwchus.

EIRA MAWR

Rwy'n hoffi eira. Mae e'n gwneud pethau hyll yn hardd. Biniau sbwriel, cytiau sinc, tipiau glo, adeiladau Pwll y Waun, Pont New Century a chreigiau'r Foel – maen nhw i gyd yn hardd dan garped gwyn. Mae'r afon hyd y oed yn bert, fel neidr ddu yn sleifio drwy dywod gwyn anialwch y Sahara.

Rwy'n hoffi eistedd wrth y ffenest yn edrych ar yr eira'n syrthio'n dawel fach. Byddaf innau'n teimlo'n dawel hefyd ac mae'r byd i gyd fel petai ar stop. Dim sŵn, dim hast, dim ffwdan. Mae eira'n gwneud i bawb a phopeth dawelu a llonyddu.

Rwy'n hoffi mynd i gysgu yn nos pan mae hi newydd ddechrau bwrw eira. Erbyn dihuno yn y bore rydych yn gallu teimlo'r gwynder yn dod drwy'r llenni a phan edrychwch mas mae'r cyfan fel yr Arctic neu eisin gwyn ar gacen.

Mae'n neis gweld ôl traed adar yn batrymau yn yr eira ac ambell waith mae ôl traed Tabitha'n eu dilyn. Ond ôl fy nhraed i, fel arfer, sy'n sbwylio'r llwybr perffaith at y gât yn y bore ac yna traed mawr Johnny Vine y postman.

Roedd hi'n bwrw eira ddoe ac yn anodd mynd i'r ysgol. Roedd y bws yn llithro ac roedd y conductor yn gweiddi ar y gyrrwr "Careful, Derek!." (Mae e'n gonductor neis, yn wahanol i Barrie White. Ond nid yw hwnnw'n gonductor nawr.) Ar ôl cyrraedd yr ysgol aeth i fwrw eiran waeth ac roedd yr athrawon yn poeni y byddai'n rhaid i ni gysgu yno ar y llawr dros nos. "O, dyna sbort!" meddai'r plant i gyd (wel, bron i gyd), ond mynd adre'n gynnar oedd yr ateb. Roedd hynny'n sbort hefyd. Roedd rhaid i'r gyrrwr fynd mor araf a malwoden ond erbyn cyrraedd gwaelod Balaclava fe ddywedodd "I can't go up that hill, so everybody out!." Ac roedd rhaid i Meryl a Lynette a fi gerdded lan y rhiw drwy'r eira dwfn. Roedd hynny'n sbort hefyd gan ein bod yn llithro i bobman ac yn taflu peli eira at ein gilydd ac yn chwerthin dros y lle. Ac ar ôl cyrraedd adre fe godes i ddyn eira yn yr ardd.

Roedd ddoe yn sbort o fore gwyn tan nos ac yn ddiwrnod i'w gofio ac roeddwn yn hapus iawn.

Celwydd.
Roedd yn uffern.
A heno, mae'r eira wedi toddi'n sluj mewn glaw a niwl.
Mae popeth nôl fel oedden nhw.
Yn hyll.

O'n nhw"n bracso lan y rhiw.

Nhw'u dwy ar y bla'n, fraich ym mraich, a finne'n dilyn. O'n nhw'n sleido ar yr eira, yn stopo ambell waith i gasglu dyrned odd'ar walie a sils ffenestri a'i dowlu at 'i gilydd. O'n nhw'n wherthin a gwichan ac o'dd tarth yn codi lan o'u cege. A finne'n camu yn ôl 'u tra'd, deirllath tu ôl iddyn nhw, yn gofalu stopo bob tro o'n nhw'n stopo, rhag 'u gneud nhw'n grac. O'dd 'y nhra'd i'n sopen, 'y nghlustie a 'mysedd yn llosgi achos do'dd 'da fi ddim cap na menig. Ond y tristwch o'dd y dolur gwaetha. A'r unigrwydd. Isie bod yn rhan o'u sbort a ddim yn ca'l. A gwbod taw 'u sbort mwya nhw o'dd 'y ngweld i mor pathetig.

Ond o'dd gwa'th i ddod . . .

Fe blygodd Meryl lawr ac esgus clymu'i sgidie. Fe 'nath Lynette 'run peth – a fe stopes i, rhag ofon, ddim yn siŵr . . .

A wedyn – poen y belen eira yn 'yn wyneb. Un arall, un arall 'to. O'n nhw'n 'y mhelto i a finne'n sefyll 'na, yn ffaelu symud gewyn.

Ond yn sydyn, o'n nhw'n llonydd. Fel delwe wedi'u rhewi. Yn syllu arna i'n od i gyd. A wedyn – bant â nhw drw'r eira, lan y gwli rhwng Balaclava a Hebron nes diflannu rownd y cornel. A finne'n sefyll 'na, yn y distawrwydd gwyn . . .

A wedyn – gwa'd. Yn diferu lawr 'y moch i, lawr 'y ngwddw, lawr tu fiwn i goler 'y nghot . . .

A wedyn – pisho. Yn llifo lawr 'y nghoese nes o'dd patshyn melyn yn yr eira.

A hithau'n cofio amser maith yn ôl . . .

Y dŵr berwedig yn tasgu mas o big y tegell a gwreichioni ar ei braich. A'r dŵr oer o'r tap yn lleddfu'r boen, y menyn yn ysu fel y diawl a darnau mân o'r bandej yn glynu yn y clwy. A Mrs Saer yn sylwi drannoeth ar y lwmpyn llidus a dweud wrth Mary Morris sy'n galw'r Nyrs sy'n edrych yn ddifrifol iawn. A Doctor Simms-neis yn dod i'r tŷ a siarad yn ddifrifol iawn. A hithau'n eistedd ar dop y staere, yn gwrando ar ei bregeth.

'This is very serious, Mrs Roberts . . .'

'An accident . . . She told you – she was making tea . . .'

'. . . Mrs Roberts, you must get help.'

A 'constant supervision' a 'she could be taken into care' yn codi o'r parlwr fel nodau piano mas o diwn. A'i mam yn ateb yn ei llais-diniwed-croten-fach.

'I can do it on my own, I promise.'

Addewid gwag.

Fel arfer. Ond o'n inne wedi goffod addo hefyd – iddi hi.

'Gwed "Addo", Branwen! "Addo!"'

'Addo!'

Addo pido gweud wrth neb. Am y dŵr berwedig dros 'y mraich. Am y medd-dod mowr – yr yfed slei, y slobo rownd y tŷ, y rhuthro lan y staere pan fydde'r ffôn yn canu neu rywun yn cnoco ar y drws, y cwato ddydd a nos.

'Ma' Mami mas yn siopa.'

'Ma' Mami yn y gwely, ddim yn dda'.

A geirie Doctor Simms – 'You must get help, you must get help' – fel adlais cragen yn 'y nghlustie i.

A neb yn cynnig help i *fi*.

A nawr mae'r dagrau'n llosgi.

Cwt bach dwfn, reit o dan ei llygad.

'Sorry, Branwen, this is going to hurt.'

A'r nodwydd yn disgleirio a Doctor Simms yn ymddiheuro eto a'r nyrs yn gafael yn ei phen a'i mam yn dal ei llaw yn dynn.

'Close your eyes – and think of something nice. What presents will you get for Christmas?'

Cau ei llygaid, trio'i gorau i ddychmygu . . . Dihuno'n gynnar, cwtsho'n gynnes dan y dillad, teimlo'r pwysau ar ei thraed. Mentro edrych dros yr eiderdown, gweld y cas gobennydd gorlawn. Codi ar ei heistedd, estyn amdano, ei fyseddu, twrio, tynnu pethau fesul un ac un. Fountain pen, dyddiadur, tortsh, bocs paents, pensiliau, llyfr arlunio, *The Observer Book of Animals*, Fruit Gums, arian siocled, afal, tanjerîn. Ac ar y gadair byddai ymbarél a chamera Brownie – falle.

'Right, that's done and finished. You're a brave girl, Branwen.'

'No I'm not . . .'

'Well I know children who scream before I touch them,

let alone stitch them up like this. What do you think, Nurse?'

'Yes, she's very brave . . .'

'I'm not, I tell you! I'm a cowardy, cowardy custard! And I hate myself! I hate you all! Ti'n clywed, Mami! Wy'n casáu ti, reit? Casáu, casáu, casáu! Ti a phawb a phopeth yn y byd i gyd! Everyone, everything in the whole wide world! I hate and hate and hate! But most of all, I hate myself. And I always will!'

A'r cyfan yn ei phen.

Ei hen ddychymyg afiach hi.

'It's just a sedative.

To get her off to sleep, keep her quiet, dull the pain.'

Cysgu, cadw'n dawel, lleddfu'r boen.

Eto.

Cysgu-cadw'n-dawel-lleddfu'r-boen.

Eco . . .
  cysgu . . .
  cwsg . . .
  yn diferu
  lawr
  o'r brigau . . .
  Brigau?
  Cwestiynau
  yn diferu
  lawr a
  lawr.

Carthen ddeiliog
  cwrlid
  cysgu
  ci

339

bwtshwr
henffych
fam a merch
dwy jopen lyfli
jop-jop-jop
a cholli cyfri
drysu
yn y storm
o beli
eira
bouncy-balls
yn syrthio
lawr o'r
awyr
rhedeg
cyrraedd
cuddio
llonydd
lleddfu
llecyn
llannerch
lle bach tlws
dim byd ond coed
a
mwclis
coch
ar frigau
brain
crawcian
pigo
llygaid
dafad ddall
lladd
drysu
drysi
cachu

carreg
murddun
marw

stop

pop
coch
fel gwaed a
gwaed a
gwaed
a

STOP!

Mae Lynette yn chwarae â'i rhuban gwallt.

Cudynnau syth; dim ringlets a dim cyrls. Mae Meryl yn cicio blaen ei throed yng ngherrig mân yr iard nes bod ei hesgid patent du yn drwch o bowdrach llwyd. Mae'r ddwy'n llygadu drws swyddfa Mary Morris. Yn y cefndir mae Rhian Jones a Sarah Collins yn hofran fel fulturiaid. Camgymeriad mawr . . .

'Hey, you two! What you starin' at? Dim o busnes chi!'

Gwthiad chwyrn i'r ddwy ac mae Meryl yn cilio 'nôl at ddiogelwch drws y gegin lle mae Mrs Thomas Cwc, ei breichiau wedi'u plethu'n gwlwm tyn, yn gwylio'r datblygiadau.

'Good girl! You tell 'em, bach!'

Mae Meryl yn rhoi arwydd bach o wên i'w Nana. Mae Mrs Thomas Cwc ar fin mynd 'nôl i daclo'r potiau sy'n ffrwtian yn ei chegin, ond mae drws y swyddfa'n agor.

'Meryl Thomas, Lynette Morgan!'

Mae'r ddwy ferch yn edrych ar ei gilydd ac ar Mrs Thomas Cwc sy'n gweiddi 'Best o' luck' a chodi'i bawd. Ac yna maen nhw'n sleifio fel dwy sliwen heibio i'r bronnau balconi ac mae'r drws yn cau. Mae Mrs Thomas Cwc yn ochneidio, yn sythu'r cap bach gwyn sydd ar ei phen, yn sgyrnygu ar Rhian Jones a Sarah Collins cyn dychwelyd at ei saim a'i semolina.

MAE HWN YN BWYSIG.

Rhyw ddiwrnod byddaf eisiau cofio popeth. Popeth!

Mae Mami newydd fynd i'r gwely. Er taw dim ond wyth o'r gloch yw hi. Ond mae hi wedi cael llond bola meddai hi. Rhwng poeni amdanaf i a busnes Meryl a Lynette mae ei nerfau'n rhacs a does dim rhyfedd ei bod yn cael "nervous breakdown", meddai. Nid wyf yn siŵr beth yw ystyr hynny. Nid wyf eisiau gwybod.

Ond rwy'n gwybod rhywbeth pwysig. Rwy'n gwybod ei bod eisiau mynd i'r gwely'n gynnar am reswm arall. Mae hi'n gwybod fy mod i'n gwybod ond nid yw hi na fin dweud dim. Bydd hi'n chwyrnu cyn bo hir ac rwy'n gobeithio y bydd hi wedi yfed digon i gysgu'n drwm drwy'r nos fel na fydd yn dod i chwilio amdanaf yn y gwely sbâr a gwneud i fi fynd i'r gwely ati hi. Pan fyddaf yn hen ac yn darllen hwn byddaf yn cofio teimlad mor drist yw peidio cael stafell wely i fi fy hunan.

Roedd Mami wedi cael "prynhawn uffernol" heddiw meddai. Roedd hi wedi mynd i Ysgol Tan-y-berth i gwrdd a Miss Morris a rhyw bobol bwysig o ryw swyddfa yn y cyngor. Roedd mam Lynette a mam Meryl yno hefyd. Roedd mam Meryl yn grac iawn ac yn dweud fy mod i'n "little liar". Dywedodd "Our Meryl is a lovely little girl, gentle and freindly." Ond roedd mam Lynette yn fy nghredu ac yn ffaelu deall

342

pam na fyddwn wedi sôn am y peth lot cyn hyn. Dyna beth mae Mami'n ffaelu deall hefyd. "Pam na fyddet ti wedi sôn? Er mwyn i ni wneud rhywbeth amdanyn nhw, yr hen fwlis drwg." Dyw hi ddim yn deall. Does neb yn deall. Sut allwn i ddweud? Byddai popeth lot yn waeth.

Pan aeth Meryl a Lynette mewn i'r ystafell roedd Miss Morris a rhyw fenyw yn eu holi'n dwll meddai Mami. Roedd Lynette yn llefain ac yn cyfaddef y cyfan. Ond roedd Meryl yn dal i wadu ac roedd y ddwy ferch a'r ddwy fam yn ffraeo trwy'r trwch meddai Mami. Roedd pawb yn ffraeo cymaint roedd yn bryd gorffen a mynd adref.

Nid wyf yn gwybod beth fydd yn digwydd nesaf. Mae Doctor Simms-neis yn dweud y gallaf fynd nôl i'r ysgol drennydd er mwyn i fi gael mynd i'r parti Nadolig ac i'r cyngerdd. Ond nid wyf eisiau mynd. Bydd pawb yn gweld y graith fach ar fy wyneb. A bydd pawb yn holi a rhai yn chwerthin a rhai yn teimlo trueni drosof. Ac nid wyf yn gallu wynebu hynny.

'Lynette!

Say what you've been told to say!'

Mae Morfydd Morgan yn ysgwyd ei doli racs o ferch sy'n syllu'n styfnig ar y llawr fel petai'n cyfri'r dolenni yn y carped.

'Well? We're waiting!'

Mae Lynette yn tynnu swch anfodlon, yn cosi'i gwegil â blaen ei bys, yn dilyn dolen felen â blaen ei throed.

'We're still waiting!'

'Sori.'

'What's that you said? Speak up! And lift your head, you naughty girl!'

343

O'r diwedd mae hi'n codi'i phen, yn trio peidio edrych ar y dressing pinc.

'Sori, Branwen.'

'And what exactly are you sorry for?'

'Wy'n sori am neud dolur i ti.'

'Come on! There's more to it than that!'

'Wy'n sori am y belen eira . . . Am roi carreg . . .'

'It wasn't a stone, it was a nasty piece of slate!'

'Am roi slaten yn y belen . . .'

'And what else are you sorry for?'

'Am fod yn gas, a spiteful, a neud sbort . . . Am gango gyda Meryl, neud ti'n sad . . . Wy'n sori, sori . . . A fi'n moyn bod 'nôl yn ffrindiau . . .'

O'n ni'n tair yn llefen.

Lynette a fi a Morfydd Morgan, yn gafel dwylo'n gilydd, a hithe'r hen Morfydd, druan, yn gweud 'Now, now, there's no need to cry like this' ac yn llefen yn fwy na neb.

A'r bedwaredd yn y cwmni'n watsho'r cwbwl, er 'i bod hi'n esgus edrych mas drw'r ffenest. O'n i'n gwbod 'i bod hi'n llefen hefyd – o'dd hi'n codi'i llaw i sychu'i boch bob hyn-a-hyn. Ond o'dd hi'n pallu troi i edrych arnon ni, yn pallu dod aton ni, i fod yn rhan o'r ddolen. Er 'mod i wedi llwyddo i ddala'i llyged hi sawl gwaith, wedi ymbil arni heb weud gair.

Na, do'dd dim symud arni. A do'n i ddim yn deall pam.

A 'ma fi, hanner canrif yn ddiweddarach, yn dala i ffaelu deall pam.

NEWID

Mae newid yn gallu digwydd yn gyflym neu'n araf neu ddim o gwbl. Ambell waith rydych eisiau gweld rhywbeth yn newid ac rydych yn aros am amser hir (drwy eich bywyd efallai) ac yn dymuno a gobeithio a gweddïo ond nid yw byth yn newid. Ambell waith mae rhywbeth yn newid gan bwyll bach heb i chi sylweddoli ei fod yn digwydd neu <u>wedi</u> digwydd hyd yn oed. Ac ambell waith mae rhywbeth yn newid yn sydyn iawn heb i chi ddisgwyl na sylweddoli na dymuno na gobeithio na gweddïo. Mae e jyst yn digwydd.

Un newid sydyn yw Lynette. Nid yw hi yr un un y dyddiau hyn. Mae hi wedi cael "troedigaeth" fel Scrooge yn "Carol Nadolig". Mae hi'n ymddwyn yn neis iawn tuag ataf, yn gwenu, yn garedig, yn dod i eistedd gyda fi bob cyfle, yn gadael i fi eistedd gyda hi ar sêt y gwt ac yn rhannu ei Mars gyda fi amser chwarae. (Nid yw Meryl yn hoffi hyn ond byddaf yn sôn amdani hi eto.)

Rwyf wedi bod yn nhŷ Lynette yn cael te. Fel yr hen amser. Roedd popeth fel oedd e pan oeddwn yno'r tro diwetha – amser maith yn ôl! – ond bod ambell beth wedi newid. Roedd papur wal newydd yn y Best Room a rug newydd yn y Middle Room. A chwpwrdd newydd ("kitchen cabinet") yn y gegin. Y newid mwyaf oedd bod lluniau o Popsi ym mhob ystafell. Llun ohono fe a'r teulu i gyd yn Trecco Bay, fe a'r plant yn yr ardd, fe a Lynette ar y "Water Shoot" yn Barry Island. (Yn stafell Lynette oedd hwnnw, ac roedd hi wedi rhoi blodyn bach glas ar ben y ffrâm.) Mae'n siŵr bod llun o Popsi yn stafell wely John a Jeff hefyd. Ac yn stafell wely Mam Lynette roedd y llun mawr ohoni a Popsi ar ddiwrnod eu priodas, yr un oedd arfer bod yn y Best Room. (Fe gymeres i un bip tra bod Lynette yn y tŷ-bach.)

Roedd Mam Lynette yn siarad lot amdano fe ac yn

345

cofio'r pethau hapus. "Remember this? Remember that? Remember when?" ac roedd pawb yn chwerthin wrth gofio ac roeddwn yn meddwl bod hynny'n neis iawn.

Rhaid i fi sôn am MERYL.

Mae ei Mam a Mrs Thomas Cwc wedi penderfynu ei bod yn aros yn Ysgol Tan-y-berth yn lle mynd nôl i Waun Juniors. "Even though chi lot wedi bod yn cruel iawn ac mae Mam fi a Nana fi'n ypset" meddai hi. Mae hi wedi pwdu gyda Lynette a fi am ein bod nôl yn ffrindiau. Mae hin dweud ei bod yn ffaelu deall beth sydd wedi digwydd. Mae hi'n gofyn "How can you change so suddenly, Lynette?" bob dydd ac mae Lynette yn ateb "That's why!" ac yn gafael yn fy mraich ac rydym yn cerdded i ffwrdd.

Nid wyf yn gallu deall y newid chwaith ond rwyf wrth fy modd felly nid wyf yn gofyn dim.

Rhaid trio mynd i gysgu nawr gan fod fory'n DDIWRNOD PWYSIG IAWN yn enwedig yn y nos.

'Sioe Gerddorol.'

Chwiw fach ddiweddara Rowli Powli.

'Llawer mwy diddorol a chyffrous na "Stori'r Geni", sy'n ddiflas a hen ffasiwn. A Branwen Roberts – chi fydd "Seren Fawr y Sioe."'

Fi! O'r diwedd! Yn ca'l bod yn seren! A 'na beth o'n i – yn llythrennol. Wedi'n stico'n sownd wrth seren enfawr aur o gardbord.

'Fi yw Seren Bethlehem! Fe'm gwelir yn disgleirio'n llachar ers noson geni Iesu Grist ym Methlehem, Jiwdea. Rwy'n crwydro ers canrifoedd, tros fryn a dôl drwy wledydd pell y byd, yn gweld y cyfan, y da a'r drwg, gan daflu fy ngoleuni

346

dwyfol dros bob man! A heno, rwyf wedi cyrraedd Cymru! I Ysgol Tan-y-berth!'

Goleuade'n fflachio fel myrdd o sêr, symbals yn crasho, triongle'n tincial a Robert James yn curo'r drwm i groesawu llond llwyfan o angylion nefol a bugeilied o'dd yn gwylied 'u praidd liw nos.

O'dd e'n brosiect uchelgeisiol, ymhell uwch benne'r plant i gyd a'r rhan fwya o'r gynulleidfa. Ac o'dd pawb yn bôrd. Ond fe ges i gymeradwyeth fowr – wel, Seren Bethlehem yn fflachio i'r gogoniant â phishyn mowr o lint wedi'i stico at 'i boch? O'dd hi'n werth 'i gweld!

Ond rheswm arall s'da fi dros gofio'r noson.

'Good luck charm fi yw e.'

'Na beth wedodd Meryl, yn y clôcrwm, a ninne'n newid miwn i'n dillad. O'dd hi'n fflasho'r freichled ar 'i braich, un fach arian, â'r clo-bach-lleia-yn-y byd.

Nid wyf yn siwr beth i'w ddweud na'i wneud. Dyna pam rwyf yn ysgrifennu hwn.

Mae'n hwyr y nos – un o'r gloch y bore! – ar ôl y cyngerdd, wel, 'Y SIOE', fel mae Rowli Powli wedi mynnu dweud.

Mae cymaint o bethau ar fy meddwl.

Roedd popeth wedi mynd yn dda. Pawb yn canmol, pawb yn neis. (Roedd pawb yn dweud fy mod i'n "ardderchog" fel "Y Seren".)

Ond roeddwn i'n poeni drwy'r amser. Nid am y byddwn yn anghofio fy ngeiriau neu'n canu allan o diwn neu'n symud i'r lle anghywir, ond am bethau a phobl eraill.

a) Mrs Saer.

Roedd hi yno gyda Mr Saer a'r bechgyn bach ac roedd hi'n edrych yn "anghysurus". Am fod Rowli Powli wedi

347

dwyn y sioe? Am na chafodd wneud fawr ddim heblaw
dysgu'r grwp recorders? Am ei bod yn cofio pob
cyngerdd pan oedd hi'n cael gwneud y cyfan? Am ei
bod yn meddwl nad oedd yn sioe dda? Am ei bod yn
fawr a thrwm a babi arall yn ei bola? Nid oeddwn yn
siwr. Ond roedd hi - a lot o bobl eraill - yn edrych yn
ddifrifol iawn ar Mami.

b) Mami.

Roeddwn yn hollol siwr o hyn. Fod yn gas gyda fi bod
Mami wedi dod i'r sioe wedi meddwi. Roedd ei hanal
hi'n gwynto o sheri ac roedd hi'n chwerthin yn y
mannau anghywir ac yn cau ei llygaid fel petai yn
cysgu ac yn codi'n aml i fynd i'r toilet. Roedd yn
anodd bod yn "Seren Bethlehem ardderchog" drwy hyn i
gyd.

c) Meryl Thomas.

A beth oedd wedi digwydd yn y clôcrwm.

Roeddwn wedi cael sioc fawr iawn pan roedd Meryl yn
showan off ei breichled newydd ac yn gofyn "Do you
like my Good Luck Charm?" "Wedi cael e off
Mam fi" meddai, "Achos chi lot wedi bod mor cruel.
Ac er mwyn helpu fi baso'r Scholarship."

Breichled arian oedd hi, yn debyg i freichled Mami,
yr un oedd yn y bocs bach du. Yr un ddwgodd y
byrglers pan o'n i'n fach. Ond nid honno oedd hi,
wrth gwrs. Sut byddai Mam Meryl wedi'i chael hi?
Mae'n rhaid eu bod yn debyg, dyna'i gyd ac yn
rhywbeth sydd yn cael ei alwn gyd-ddigwyddiad.

Wel, rhaid trio mynd i gysgu nawr.

Mae fy moch yn gwella'n dda. Byddaf yn cael y
pwythau allan cyn hir meddai Doctor Simms-neis. Ac mae

e a fi'n gobeithio na fydd y graith yn amlwg ar ôl hynny.

Nid wyf yn gallu stopio meddwl am y freichled. Ond maen rhaid achos does dim pwynt "chwarae meddyliau", fel y mae Mamgu'n dweud. Ond rwyf wastad wedi hoffi gwneud hynny achos mae e'n gallu bod yn help.

Rwy'n edrych ymlaen at Nadolig. Bydd Mamgu'n cyrraedd fory ac yn aros gyda ni tan Nos Galan. Bydd hynny'n neis. Bydd Mami ddim yn yfed sheri. Wel, dim cymaint.

'Ma'r tŷ'n dywyll fel y cythrel!'

Stwcyn bach rhadlon ag AMBULANCE SERVICE ar ei gap-a-phig ac ar ysgwyddau'i got las.

'Odych chi'n siŵr bod rhywun sha thre?'

'Odw – a diolch i chi am bopeth.'

'Croeso mowr. Helpu'n gilydd y'n ni fod neud yn yr hen fyd 'ma, ontefe?'

'O'dd hi'n neis ca'l Cymro i ddod â ni.'

'O, ma' ambell un ohonon ni ar ôl! Reit 'te, byddwch chi'n garcus nawr – a Nadolig Llawen i chi'ch dwy.'

Mae e'n dringo 'nôl i'r ambiwlans ac yn troi i edrych ar yr hen wraig a'i hwyres sy'n sefyll dan y lamp. Mae'r groten fach yn gafael yn y bagiau siopa – Marments, David Morgan, Evan Roberts – ac yn arwain yr hen wraig at y gât fawr haearn rhwng y waliau cerrig. Mae e'n cynnau'r enjin, ond yn aros nes eu gweld yn dringo'r grisiau cerrig at ddrws y tŷ – hen dŷ mawr tywyll er gwaetha'r un lamp llachar wrth y talcen. Mae'r groten fach yn troi i godi'i llaw – arwydd amlwg iddo fynd â'u gadael. Un fach ryfedd yw hi – '"Uchelwydd" yw'r gair Cymraeg am "mistletoe", chi'n gwbod' a '"Siôn Corn" yw'r enw iawn am "Father Christmas."' Druan fach â hi.

Yn David Morgan o'n ni.

Yn y cyntedd mowr, yng nghanol y trimins a'r scents a'r streamers a'r baubles lliwgar a'r celyn ffug. A Santas smart yn hongian o'r nenfwd, a band y Sally Army tu fas yn yr Hayes yn whare 'Once in Royal David's City'.

A Mam-gu'n griddfan ar y sedd rhwng y revolving door a'r cownter lingerie, yn welw a chrynedig.

'She's had a heart attack!'

'Fetch a doctor!'

'My pills . . . Branwen – yn 'y mag i. Dere â nhw glou . . .'

Tun bach toffis â llun o dŷ Anne Hathaway . . .

'Agor e! Y pils bach gwyn . . .'

'Water! Bring some water!'

Crowd o bobol.

'Stand back!'

'I'm a doctor. Can I help?'

'Thank you. Paid â becso, Branwen, fydda i'n olreit.'

'She'll be allright. She's getting over it.'

'Can someone come and get you? You can telephone . . .'

'My Mami . . .'

If she's there. If she's awake. If she'll answer. If she's sober.

Y gloch yn canu, canu.

A neb yn ateb.

A finne ddim yn gwbod beth i' neud.

Mae hi'n noswyl Nadolig (Christmas Eve). Dim ond fi a Cofi sydd ar ddi-hun. Mae e'n hapus reit yn troi-a-throi ar ei olwyn. Mae Tabitha'n cysgu o flaen y tân. Pan o'n i'n fach roeddwn yn gofalu ei chau yn y gegin ar noswyl Nadolig rhag ofn i Siôn Corn sathru arni neu syrthio drosti. Roedd Mami'n arfer jocan falle y byddai e wedi meddwi ar y sheri roedden ni'n gadael iddo ar y silff-ben-tân. Roeddwn i'n rhy dwp i sylweddoli taw Mami oedd yn ei yfed ac yn yfed y gweddill o'r botel Bristol Cream. (Roeddwn arfer hoffi'r poteli glas, pert ac yn eu casglu a'u gosod yn rhesi yn y shed ac yn chwarae tafarn a chaffi a siop gyda nhw. Ond nawr rwy'n eu casau ac yn eu taflu i'r bin bob un. Bob bore dydd Mawrth pan fyddaf yn aros am y bus byddaf yn gweld un o'r dynion sbwriel yn cario'r bin ar ei gefn ac yn arllwys popeth mewn i'r lori. Bydd yr holl boteli glas yn llifo fel tonnau mewn i ganol yr holl bethau afiach sydd yn y lori ac rwy'n siwr bod y dynion yn wincio ar ei gilydd. Dyna pam rwy'n rhoi pob potel sheri mewn papur newydd nawr. Trueni nad yw'r siop sy'n gwerthu sheri'n gwneud yr un peth a ffatri Corona ac yn derbyn y poteli gwag yn ôl.)

Roeddwn i'n rhy dwp i sylweddoli llawer o bethau. Neu diniwed. (Rwy'n hoffi'r gair "DI-NIWED" gan ei fod yn meddwl eich bod heb gael niwed.)

Mae Mamgun iawn erbyn hyn, diolch byth, ar ôl mynd yn dost yn David Morgans. Roedd yn biti achos roedden ni'n cael amser da, hi a fi. Wedi mynd lawr i Gaerdydd ar y bus a siopa tipyn bach a chael cinio yn Howells ble mae'r caffi'n debyg i long (pysgod aur y tu ôl i wydr "port-holes" fel yn y llong danfor yn "Twenty Thousand Leagues under the Sea"). Ac yna roedd y siopau'n dechrau cau'n gynnar gan ei bod yn noswyl Nadolig ac aethom i David Morgans i brynu potel fach o bersawr i Mami. I dorri stori hir yn fyr, aeth Mamgun dost ac fe ges i ofn mawr ac roedd rhaid cael ambiwlans i ddod a ni nôl i Gwynfa.

351

Pan ysgrifenais fod Mamgún "iawn" beth oeddwn i'n ei feddwl oedd ei bod yn iawn o ran ei chorff. Ond nid yw'n iawn o ran ei meddwl. Mae hi wedi bod yn llefain am oriau. A Mami hefyd. Roedd y ddwyn ffraeo oherwydd fod Mami wedi meddwi pan ddaethom adref yn yr ambiwlans. Roedd Mamgu wedi cael sioc o weld pa mor ddrwg oedd Mami. Doeddwn i ddim, wrth gwrs, gan fy mod yn ei gweld yn aml.

Mae'r ddwyn dawel nawr.

Rwy'n bwriadu cysgu yma ar y soffa ac esgus y bydd Siôn Corn yn dod lawr y shimne. Rwy'n hoffi esgus a dychmygu. Rwyf wedi gwneud hynny ers oeddwn i'n ferch fach.

Gobeithio na fydd Mamgún mynd sha thre i Aberaeron yn syth ar ôl Nadolig fel mae hi'n bygwth. Neu fe fyddaf i'n drist iawn.

Rwy'n edrych mlaen at fory.

1. Yr anrhegion. Rwy'n gwybod beth yw anrheg Mamgu i fi. Cardigan mae hi wedi'i weu yn arbennig, un streips glas a llwyd. (Mae darn o'r papur Siôn Corn sydd amdani wedi rhwygo.) Byddaf yn cael compendium (sef casgliad) o lyfrau gan Mami sef llyfrau Louisa M. Alcott i gyd. Rwyf wedi darllen "Little Women" (y copi oedd gan Mami pan oedd hi'n ferch fach) ac wedi ei fwynhau (rwyf yn hoffi meddwl fy mod yn debyg i Jo March ac i George yn "The Famous Five") ac yn edrych ymlaen at ddarllen "Little Men" a "Jo's Boys".

Ffoto mewn ffrâm yw fy anrheg i i Mamgu. Hi a fi ar y llwybr lawr i draeth Cei Bach ac roedd hi "wedi mynd ar streic" ac yn gwrthod cerdded dim pellach. Rwy'n gwisgo fy siwt nofio las a'r bybls drosti felly haf cyn diwetha oedd hi ac felly nid "gwrthod" oedd hi ond "ffaelu". Fi sydd wedi gwneud y ffrâm. O gardbord, a'i beintio'n goch, a stico sêr bach arian drosto.

Mae Scary Mary'n dda am ddysgu pethau fel yna.

Rwy'n rhoi 4 anrheg i Mami. 1. "Bookmark" wedi ei wneud o gardbord a phapur sêr drosto fel na fydd yn colli ei lle pan fydd yn darllen yn y gwely yn hwyr y nos. 2. Papur blotio mewn ffrâm o bapur sêr er mwyn ei helpu i ysgrifennu dyddiadur a llythyron a storiau fel roedd hi arfer gwneud cyn iddi stopio. 3. Mat bach cardbord a phapur sêr rownd iddo fel y gall roi ei chwpanaid o de arno rhag sarnu'r ford neu fraich y gadair. Neu gall roi ei gwydr sheri arno. 4. Calendr o gardbord a phapur sêr fel y bydd yn gallu trefnu popeth o flaen llaw a pheidio anghofio pethau pwysig fel penblwyddi.

2. Y cinio a'r te a'r swper iym-iym. Twrci (o fferm Pen-banc ar bwys tŷ Mamgu), grefi a thato rhost Mamgu, a'i phwdin Nadolig (a bydd yn gofalu fy mod yn cael y pishyn chwech) a chacen Nadolig, a fi fydd yn cael y marzipan ac mae ei mins peis yn enwog drwy'r byd i gyd! Iymi-iym-iym!

3. Gweld pawb yn ffrindiau. Dyna beth yw ystyr "Nadolig Llawen" a "Merry Xmas" a "Llawenydd mawr yr Wyl".

Ha ha.

Nos da.

Tridie fuodd hi.

Cyn paco'i bag a mynnu mynd sha thre. Ar ôl yr holl baratoi a chwcan – stwffo'r twrci, berwi'r ham, pilo powlen fowr o lysie, gosod y ford yn bert a wedyn clirio a golchi'r llestri. Ar ôl lot o sbort – whare whist a draughts a Ludo, byta cnou a Caramels a Roses a gwisgo'n gynnes a mynd am wâc fach gyda'n gilydd fraich-ym-mraich mor bell â'r fynwent a galw hibo Bob a Mattie i roi 'thankyou present' bach i Robert Errol 'for you two lovely people being nice to my daughter and grand-daughter' a Bob yn sychu'i ddagre a Mattie'n gweud 'Our pleasure' a phawb yn ishte i edrych ar y Queen a ninne'n cerdded 'nôl i Gwynfa a cha'l sgwrs ag Emrys Rees wrth 'i alotment a dod sha thre a joio paned a mins pei a chacen eisin a slwmbran o fla'n y television a llwytho'r tân a thosto bara ar y fforc fowr hir a byta ham a salad a mwy o dwrci a winws picl a gweld *Special Christmas Crackerjack* a *Christmas at the London Palladium* a *Brian Rix's Whitehall Farce* a dryse'n agor ac yn cau'n glep.

A fy mam yn ymddangos a diflannu fel rhyw freuddwyd.

A Mam-gu a finne'n whilo, yn ffindo ambell botel las yn wag, yn hanner-llawn, yn llawn – ar dop y cwpwrdd crasu, cefen y cwpwrdd ar y landin, y dreser yn y gegin, pen draw'r sang-di-fang.

A finne'n gwbod bod 'na ragor. Am y stoc o'dd wedi'i gwato yn y wardrob fach. Ond ddim yn gweud.

Am fod y llyged tywyll yn ymbil arna i. Am 'i bod hi'n bert yn y kimono coch. Yn gwynto'n neis â'r persawr David Morgan. Yn trio'i gore yn 'i medd-dod. Yn ffaelu. Yn teimlo'n llai na dim.

'Cer o 'ma, Gwenda! Ti'n fwy o drafferth nag o les!'

'Na – cerwch chi, Mama! Cerwch o 'ma! Cerwch gartre! Gadwch lonydd i Branwen fach a fi!'

A thridie hir o dristwch yn dod i ben yn swta yng ngorsaf bysus Castell-nedd.

'Single to Lampeter, please . . . A Blwyddyn Newydd Dda iti Branwen fach . . . A Blwyddyn Newydd Well i tithe, Gwenda – calon fach dy fam . . .'

A stop.

'Calennig i chi, Calennig i'r ffon!

   Calennig i bawb y flwyddyn hon!'

   'Bob! Come quick! It's Branwen an' 'er friend Lynette. Glad that you are friends after all 'at silly fallin' out! Bob! Where are you? Go fetch some pennies!'

   Mae Mattie'n camu dros Robert Errol sy'n chwarae â sosbanau ar y llawr.

   'Excuse the mess. It's like a fair this mornin'! Beryl's still in bed – not feelin' very good. Only got 'erself to blame, down the Ressurection until late! An' Baby Robert's into everythin'! Bob mun – where's 'em pennies!'

   Tair ceiniog ym mhob llaw.

   'Dyma chi, ylwch, a Blwyddyn Newydd Dda i chi'ch dwy . . .'

   'Bob! Don' start the weeps! Go make a cup o' tea, an' pop for 'em.'

   'No thank you, we're on our rounds.'

   'Hel Calennig yn waith sychedig cofiwch . . .'

   'Whassat you said, Bob?'

   'Thirsty work this – be 'di hel Calennig yn Saesneg, genod?'

   'Ddim yn gwbod . . .'

   'Tydi o'm yn arfar yn 'rardal acw. Mynd i saethu cwningod yng Nghwm Silyn fyddan ni.'

   'What was 'at about rabbits? Did you know our Beryl's expectin' another baby? Tha's why she's bad this mornin' so she says. I told 'er she should go an' see about some contradiction. An' where they're goin' to live, God only knows!'

   'Efo ni y byddi di, yntê'r hen Robat bach? Hogyn Taid wyt ti yntê? A sbïwch ar hyn, genod . . .'

   Mae Bob yn codi'r babi a'i osod ar ei lin.

   'Ŵan, hogyn . . . "Gee, geffyl bach yn cario ni'n dau . . ."'

   Mae'r babi'n gyrglan . . .

   'Stop it, Bob or 'e'll be sick! An' teach 'im somethin'

355

useful! An' don' switch on 'em waterworks! An' I'm still waitin' for 'at cup o' tea!'

'No, we must be going . . .'

'Where you off to, now?'

'See my Gransha Morgan. He likes to hear us singin' Welsh.'

''E would an' all, 'im comin' from North Wales. You like my new staircarpet? Got it cheap I did in Ponty market.'

Mae sŵn canu'n dod o'r stafell ganol, a babi'n gyrglan.

'''Sy-rthio ni'n dau –
Wel dyna i chi dric!'''

'Aye, I do know your tricks an' all Bob Jones! Speakin' Welsh to 'im as soon as my back's turned! Well – look who's 'ere – the Queen o' Sheba! Beryl – go an' rescue Baby Robert from your father!'

'Dad – 'ands off my baby!'

Mae Beryl yn camu mewn i'r stafell ganol ac mae'r drws yn cau.

'''Blwydd-yn Ne-wydd Dda i-chi,
Ac i bawb sydd yn y tŷ,
Dyna y-w'n dymuniad ni,
Ar y Flwy-ddyn – New-ydd – Hon!'''

Mae corff bach bregus Gransha Morgan yn cael ei lyncu gan y gadair freichiau wrth y tân. Mae golwg drychiolaeth arno, ei fochau'n esgyrnog a'i ddwylo'n glymau creithiog er ei lin. Mae Mot wrth ei draed, ei lygaid od yn syllu arno'n drist.

'Diolch, ferched bach . . .'

Llais cryg, fel sŵn tram y pwll yn llusgo ar y graean. Peswch, sychu'i geg â llawes ei gardigan lwyd, gwingo â phob ana'l . . .

'Wy'n falch sobor . . .'

Oedi, crafu ana'l arall . . .

'. . . Yn falch 'u bod nhw'n dysgu pethe fel'na i chi yn yr ysgol. Yr hen ganeuon, traddodiade . . . Ma'n nhw'n bwysig . . .'

Ochenaid, sychu'i dalcen . . .

'O'n ninne, blant, yn casglu Calennig. Rownd y tai a'r ffermydd . . . Waun Helyg, Eithingleision, Cwm Byr, Pwll Pridd, Tŷ Capel . . . A cha'l ffyrling fan hyn, dime fan draw, cinog ambell waith. A mins pei wrth gwrs . . .'

Gwenu, clirio'i wddw, cymryd ana'l hir sy'n ratlo fel tegan babi . . . A dechre canu.

'"Dydd Calan yw hi heddi,

Rwy'n dyfod ar eich traws,

I mofyn am y geiniog

A thoc o fara caws,

Fydde'n well 'da fi ga'l ceiniog . . ."'

Peswch, poeri mewn i'w hances . . .

''Bennwch chi hi, ferched bach . . .'

Mae'r ddwy'n llygadu'i gilydd, a Lynette yn siglo'i phen.

'Dewch! 'Bennwch hi! 'Newch hen ŵr yn hapus!'

'Ddim yn gwbod hi, Gransha . . .'

'Wyt *ti*, Branwen?'

'Odw, ma' Mam-gu'n 'i chanu hi . . .'

'Fydde'n well 'da fi ga'l ceiniog,

I fynd i ffair New-Inn,

A stwffo cacs a bara

Nes bo' 'mola bach i'n dynn.'

O'dd e'n syllu miwn i'r tân, yn ymladd am 'i ana'l, yn rhoi maldod bach i Mot.

A wedyn – gwên. . .

'Da iawn, groten . . . Da iawn ti . . .'

A sythu yn 'i gader . . .

'Nawrte, addo rhwbeth i fi . . . Dysga hi i Luned. Addo?'

'Addo.'

Ochened cyn sinco 'nôl i'r gader.

'Reit – ewch nawr . . . Wy wedi blino . . . Pob lwc i chi, a gw-bei 'ych dwy fach neis . . .'

Fe ddilynodd Mot ni at y drws a siglo'i gwt yn drist.

Roedd angladd Gransha Morgan heddiw. Roedd yn cael ei gladdu gyda Vera, ei wraig. Roedd hi wedi marw amser maith yn ôl pan oedd Popsi a Bopa Vi a Gwennie Fach yn ifanc iawn. Roedd llawer o bobl yno gyda mam Lynette a'r plant i gyd a Bopa Vi ac Uncle Len. Ond roedd Gwennie wedi aros yn "Maesycoed", y cartref ble mae hi'n byw nawr. Byddai wedi bod yn ormod iddi, meddai pawb. Nid yw hi'n gwybod ei fod wedi marw. Falle na fydd hi byth yn gwybod.

Roedd llawer o hen ddynion yn yr angladd. Hen goliers, "bytis" fel y byddai Granshan dweud. (Mae Mamgu'n dweud "ffrindiau oes" pan mae hi'n sôn am rywun wedi marw neu'n darllen "The Deaths" yn y Western Mail. Mae hi'n ochneidio ac yn dweud ei bod hi "ar y ffrynt lein nawr" sef ei bod hi'n mynd i farw cyn hir. Gobeithio ddim.) Roedd llawer o'r hen ddynion yn debyg i Gransha, wedi plygu'n fach i gyd, yn peswch ac yn poeri. Ond roedd rhai hen ddynion yno oedd ddim yn edrych yn dost, dim ond yn hen. Roedd ganddyn nhw fochau coch a dwylo mawr. Whcwl Dai, brawd Gransha, oedd un, a Dan, ei gefnder, oedd un arall. Ffermwyr ydyn nhw ac roedden nhw'n siarad a Lynette a fi yn y te ar ôl yr angladd. Roedden nhw'n synnu ei chlywed yn siarad Cymraeg mor dda achos doedd hi ddim yn gallu gwneud hynny pan ddaethon nhw i angladd Popsi. "Ti'n parablu fel pwll y môr, groten" meddai Wncwl Dai gan swno'n debyg iawn i Gransha. Ac fe ddywedodd Lynette taw fi oedd wedi ei helpu ac roeddwn i mor falch.

Doedd dim sôn am Mot ac roedd pawb yn siarad amdano ac yn poeni blér oedd e a beth fyddai'n digwydd iddo. Dywedodd Mam Lynette y byddai'n cael dod i fyw atynt hwy, a dywedodd Wncwl Dai y gallai fynd "nôl i'r wlad" gyda fe ac fe ddywedodd hi "We'll see."

Ar ôl y te gofynnodd Lynette i'w mam a allem ni'n dwy fynd nôl i'r fynwent. Atebodd hi "Yes, allright" ac aethom lan y rhiw at y bedd mawr sgwâr lle mae Popsi wedi ei gladdu gyda'r dynion eraill a gafodd eu lladd. Ar y ffordd roeddem wedi pigo tusw bach o saffrwm ac eirlysiau ac un neu ddau o ddaffodils bach cynnar ac fe roiodd Lynette nhw ar y bedd, gyda'r holl flodau oedd yno'n barod. Ac yna rhoiodd hi'r gweddill o'r blodau yn fy llaw a dweud y gallem . . .

Na, nid wyf am ysgrifennu beth ddywedodd hi y gallem ei wneud. Doeddwn i ddim am fynd yno. Ddim yn agos. Nid wyf wedi bod yno ers blynyddoedd.

Ac yna dechreuodd Lynette lefain a dweud bod hiraeth arni ar ôl Popsi ac fe wnes i ei chysuro. Ac yna aethom lawr y rhiw.

A dyma beth sy'n rhyfedd. Pwy welson ni'n eistedd wrth fedd newydd Gransha ond Mot. Fe ddywedodd Bob ei fod ef a'r dynion newydd orffen rhoi pridd ar ben yr arch pan welson nhw fe'n dod i eistedd yno a phallu symud. Does neb yn deall sut yr oedd yn gwybod ble oedd bedd Gransha. Ond roeddwn i'n cofio geiriau Gransha "Mae Mot yn gallach na lot fawr o bobl."

Buodd e wrth y bedd am oriau ac yna aeth Uncle Len iw mofyn a mynd ag e i dŷ Lynette. Bydd yn cael aros yno gan fod Wncwl Dai wedi mynd nôl ir wlad hebddo a doedd mam Lynette ddim eisiau iddo fynd beth bynnag. "The poor dab should die of old age, not of hiraeth" meddai hi. Maen siwr y bydd yn aros gyda nhw nes y bydd yn marw. Gobeithio hynny ac na fydd neb yn mynd ag e i lér Destructor.

O'n i'n ffaelu deall.

Ôl pawenne yn yr eira. Ac ôl welingtons. Lan y steps at ddrws y ffrynt. A'r welingtons wedi'u gosod yn deidi wrth y drws. Es i rownd y cefen, miwn i'r gegin, a rhoi'r dorth a'r sigaréts ar y ford. Wrth dynnu'n welingtons a rhoi 'nghot i hongian wrth y Rayburn o'n i'n clywed siarad – a miwn â fi i'r stafell ffrynt i weld pwy o'dd 'na. Mot – a Morfydd Morgan.

'Here she is at last! Branwen, ma' syrpreis bach i ti.'

A'r syrpreis o'dd Mot. Wedi dod aton ni i fyw. Fy mam yn credu y bydde'n 'syniad da' ca'l ci.

'Cwmni i ni, cadw byrglers draw. A ma' Mrs Morgan yn cytuno.'

Ond do'dd Mrs Morgan ddim yn deall, ddim yn gwbod dim. 'Branwen, stopa'r achwyn 'ma! Do's dim ci i fod! Ma'n nhw'n niwsans. Isie lot o sylw. Yn cachu dros y lle' – 'na beth wedw'd wrtha' i ers blynydde. Pan o'n i isie cwmni, yn becso am y byrglers. A nawr o'dd hi a Mrs Morgan wedi bod yn trafod, a'r ddwy'n credu y bydde'n 'syniad da' i ni ga'l Mot – gan nad o'dd e wedi setlo gyda nhw yn Glynmor. Hiraethu, crwydro, mynnu mynd miwn i ardd Gransha, ishte 'na am orie, watsho'r drws. A chan fod y tŷ ar werth, pobol newydd, niwsans fydde fe i bawb . . .

360

'He'll never settle down with us. The children aren't that fussed about him – says he's smelly – but he's not. Just good clean dog smell. And Vi and Len my in-laws don't want him – Mot can't stand poor Snowy. So I thought – well Branwen could look after him. They know each other well, and he's no trouble in the world . . .'

'Mrs Morgan, it's a very good idea. Company for Branwen, and he'll be good for me as well – I'll take him walking, get some fresh air.'

'Out', 'walking', 'get fresh air'?

Dwli.

A fuodd Mot ddim 'da ni'n hir.

Does dim sôn am Mot heno eto.

Er bod pawb – fi a Mami a Bob Jones ac Emrys Rees ac Wncwl William – wedi bod yn chwilio. Rhaid ei fod wedi crwydro meddai Mami. Wedi mynd i rywle i farw, falle, meddai Wncwl William. "Ond doedd e ddim yn dost" dywedais i. "A! Henaint ni ddaw ei Hunan!" meddai Wncwl William.

Nid oedd Bob yn dweud dim, dim ond edrych yn od ar Wncwl William. Nid ydynt yn hoffi ei gilydd.

Doedd Mot ddim yn hapus gyda ni am ei fod yn colli Gransha ac roedd yn mynnu mynd nôl i'w dŷ a lan i'r fynwent bob dydd ac roedd rhaid i fi fynd i'w moyn e. Nid wyf yn deall pam fi oedd yn gorfod edrych ar ei ôl. Nid wyf wedi deall pam nad oedd Lynette a Jeff a John eisiau ei gadw. Nid yw Mot yn hapus yma gan fod Tabitha'n ei sgramo ac un waith roedd ei drwyn yn waed i gyd.

Hen gi neis a phert yw e er ei fod yn colli'i flew

ac roeddwn yn hoffi mynd ag e am dro ond does neb arall yn gwneud dim ag ef ac roedd yn gyfrifoldeb mawr.

(Rwy'n cymysgu rhwng "yw" a "roedd" gan nad wyf yn gwybod a yw e'n fyw o hyd.)

Yn fyw?

Wrth gwrs nag o'dd e! O'dd Wncwl William wedi bod wrthi 'to, on'd o'dd e? Wedi ca'l 'i wared e. Wedi mynd ag e i'r afon, falle, neu i Raeadr Pen-y-cwm a'i dowlu miwn i'r dŵr mewn sach. Ne' whiff o glorofform ne' bigad o ryw wenwyn?

O na, dim byd mor gwrs! O'dd e siŵr o fod wedi llwyddo i gadw'i ddwylo bach yn lân. Rhoi'r jobyn i'r Destructor, yr hen ddiawl. Yr hen Fot pert â'i gwt fel baner, yn ca'l 'i lusgo miwn i uffern. A'i lygad frown a'i lygad las yn cau am byth mewn ffwrnes.

A neb ddim callach, falle. Teulu'r Morgans na'r Dudleys na neb arall. Beth wy'n siarad! Len o'dd wedi helpu mynd ag e i uffern, siŵr o fod.

'Pity, nice old dog he was,' o'dd unig sylw Morfydd Morgan.

A'r cwbwl wede Bob o'dd 'Dwi'm yn trystio'r cono dauwynebog, hogan.'

A fy mam? Yn gwbod beth o'dd wedi digwydd – ond wedi cadw'n dawel.

Yr un hen stori . . .

'Wyt ti'n groten bert . . .'

Mae e'n gwenu ar ei nith, y dafnau chwys ar ei gorun moel ac yn rhychau mân ei dalcen yn disgleirio yn haul annisgwyl Ebrill. Mae ei fola noeth yn ei hatgoffa o'r mochyn tew sy'n gwrthod mynd i'r farchnad. Ac mae hithau'n gwenu 'nôl, yn dychmygu'r hen wraig â'i ffon a'i chi a'i gafr a'i cheffyl yn ei gwrso'n ddidrugaredd dros y gamfa.

''Na welliant! Wyt ti'n bertach pan ti'n gwenu.'

''Na beth y'ch chi'n 'weud o hyd.'

Mae e'n codi'i aeliau. Yn edrych arni'n syn. Yn synhwyro'i chynnen. Mae ei lygaid duon yn disgleirio fel mwyar duon wedi glaw – yn wahanol yn yr ardd fan hyn, i'r ddau fotwm du a syllai arni gynnau o'r Orseddfainc Fawr Frenhinol yn y basement. Mephistopholes ac yntau, y naill yn glafoerio arni o'i bedestal yn y cornel, y llall yn gwenu arni'n werthfawrogol. A Beni'r bwgan brain â'i ben ar dro yn pwyso'n amyneddgar ar ei un-goes simsan. A hithau'n iâr-fach-yr-haf amryliw ar ben y ford, yn troelli yn y gwisgoedd sidan o'r bocs dilladach, a'r goleuadau sbot o'r bocs **THEATRICAL ELECTRICALS** yn ei hynysu yn y tywyllwch.

'Tro i'r whith . . . A nawr i'r dde . . . Cwyd godre'r sgert yn uwch . . . 'Na ti. Neis iawn . . . Wyt ti'n neud dy Wncwl William yn ddyn bach hapus heddi 'to.'

Fan hyn, yn yr ardd, mae ei wên yn fwy ansicr.

'Paid â bod yn grac â dy Wncwl William, druan!'

Ei orchmynion heb fod cweit mor awdurdodol.

Mae hi'n syllu arno'n oer, yn ffieiddio'r coesau Daddy-long-legs o flewiach dan ei geseiliau, a'r clwstwr tywyllach ar bob ysgwydd.

'Wyt ti'n 'studio 'nghorff i'n galed.'

Mae hi'n dal ei lygaid ac mae yntau'n estyn am ei oferôl a'i gwisgo cyn eistedd eto a gafael yn ei llaw. Mae hi'n sylwi ar ddwst a baw'r basement yn rhimyn du o dan ei 'winedd. Teimla'r chwys sy ar ei gledrau a rhwng ei fysedd, ac yntau'n gwasgu'i llaw yn dynnach.

'Y'n ni'n bartners da, ni'n dou. Ma'r basement yn werth 'i weld ar ôl 'i glirio. A drycha ar y pentwr sbwriel wrth y shed! 'Na beth o'dd clirians! Spring Clean iawn!'

Winc a gwên fach anghysurus arall.

'Allen ni ddechre busnes, ti a fi – "Roberts and Roberts, Rubbish Removers"! Beth ti'n 'feddwl? "The Four R's". Fe 'nelen ni'n ffortiwn, dim ond i ni ga'l cart a cheffyl fel o'dd 'da'r hen – beth o'dd 'i enw fe? Dando – ti'n 'i gofio fe? Na, wyt ti'n rhy ifanc, sbo.'

'Wy'n cofio'n iawn. Ma' cof da 'da fi.'

'O's e nawr . . .'

'O's. Ma' cofio pethe'n bwysig.'

Mae hi'n tynnu'i llaw o'i afael a'i wylio'n crafu'r cudynnau tenau, trwm gan Brylcreem, dros ei gorun nes bod dafnau bach o bowdrach gwyn yn syrthio ar ysgwyddau'i oferôl.

Mae e'n syllu arni'n hir . . . Mae hithau'n troi ei hwyneb at yr haul, yn gwthio'i gwallt o'i thalcen, yn cau ei llygaid, gan ddisgwyl am ei eiriau nesaf.

'Gwranda, Branwen . . . Wyt ti wedi addo . . . Cofio?'

Mae hi'n troi i edrych arno, yn gweld ei wyneb tyllau-plorod fel pancosen wrthi'n ffrwtian yn y ffreinpan, yn llawn swigod melyn, mân. Mae hi'n gwenu arno, ei gwên oeraidd, orau.

'Pidwch becso, Wncwl William. Weda i ddim wrth neb.'

''Mornin', lovely!'

O'r diwedd!

'I'm late today.'

Mae hynny'n amlwg, a hithau wedi bod yma wrth y gât, ers awr, yn siglo arni 'nôl a mlaen cyn croesi'r ffordd a mynd i eistedd ar wal y Waun i'w wylio'n crwydro ling-di-long lan Bowen Street, yn cyfarch, cloncan, fel ffilm 'slow-motion' ar y television. Ond dyma fe, o'r diwedd.

'Big day it is! Lots o' children sittin' on their gateposts I can tell you! Like lots o' little Buddhas! An' I'm enjoyin' every minute.'

Dere â'r llythyr, Johnny Vine.

'A little girl down Balaclava – real little Shirley Temple – ran to meet me with 'er mother an' 'er Granny followin' close be'ind. Real pantomime it was – but she'd passed, thank God!'

Dere â'r llythyr, Johnny Vine.

'Mind you, there was this little boy down 'Ebron – disappointed? – don' you talk to me! But as I told 'is mum . . .

Dere â'r llythyr, Johnny Vine!

'The letter – please?'

Mae hi'n dal ei llaw'n agored, yn syllu arno'n heriol.

'Okay – just wanted a little chat, thassall. You youngsters don' know nothin', what it is to do this job. Very lonely, on your own . . .'

'I want the letter – now!'

'Okay, okay! No need to be like 'at!'

Ac mae'r llythyr yn ei llaw. Amlen frown, enw'i mam a chyfeiriad Gwynfa wedi'u teipio'n glir.

'An' somethin' tells me you won' be disappointed.'

'No.'

'Clever little girl like you . . .'

'Yes.'

'Very sure of yourself an' all! Well give it to your Mammy. No kids allowed to read 'em, the council 'ave

365

passed a law – so you be careful! Don' wan'no see you goin' down to Cardiff jail!'

Gwên fach ffug i'w blesio ac mae Johnny Vine ar ei ffordd – ar ôl gwneud sioe o gau'r gât yn sownd a rhoi winc fach slei.

'Learnt my lesson 'bout this gate. Your Mammy's razor-tongue since years! Ta-ra!'

'Branwen – dere 'weld y llythyr 'na!'

O'n i wedi paso.

Wrth gwrs 'y 'mod i. I'r County ar 'y mhen. Dim problem.

A Mam-gu'n gweiddi 'Wyt ti'n gredit i ni gyd!' lawr y ffôn a hala Platignum Fountain Pen i fi drw'r post. A Bob a Mattie'n hala carden â llun tylluan ddoeth a sgrôl o dan 'i haden arni a 'Congratulations on passing your Exam' mewn llythrenne coch. A Bob yn gwenu a llefen yr un pryd wrth stwffo hanner coron miwn i'n llaw. Potyn o geraniums ges i 'da Emrys Rees a Mars 'da Mrs White y siop – 'I do give one to everyone who's passed to County'. (Bar bach o Aero i blant y Sec – a dim briwsionyn o ddim byd i'r rhai o'dd wedi ffaelu.) Fe ges i garden swyddogol Tan-y-berth 'Oddi Wrth Staff yr Ysgol Orau yn y Byd', carden fach siâp seren o'wrth 'Lafinia a Dafydd Saer a'r bechgyn' a charden â llun ci defed arni o'wrth Morfydd Morgan – 'To remind you of old Mot and Gransha and I'm so glad you'll be company for Lynette in County.'

A set geometry o'wrth Wncwl William.

A 'Da iawn ti. Yr iwnifform fydd dy bresant di' o'wrth fy mam.

Dyma Ddiwrnod Mawr Iawn yn fy Mywyd!
Rwyf wedi pasio'r Scholarship i'r Cwm County Grammar School for Girls!

Ac rwy'n falch iawn, iawn. Doeddwn i ddim yn gallu dychmygu mynd i'r Sec heb sôn am y Sec Mod lle mae'r twpsod a'r plant drwg i gyd yn mynd a lle mae pethau ofnadwyn digwydd.

Erbyn hyn mae popeth yn bell yn ôl – yr holl fecso a'r paratoi a Mamgun ffonio'r noson gynt i ddweud "Gwna dy orau, Branwen, alli di ddim gwneud mwy na hynny" a Mami'n rhoi pregeth i fi yn y bore a mynd dros y tablau anodd a phethau fel "mawr", "cymaint", "mwy" a "mwyaf" a gwneud yn siwr fy mod yn gwybod y gwahaniaeth rhwng "mae" a "mai" a "tonau" a "tonnau" a "sun" a "son" a "nice" a "neice" a lot o bethau pwysig fel hynny. A dweud "Rwy'n dibynnu arnat ti, Branwen". Ac roeddwn yn teimlo'n dost ar y ffordd i'r ysgol ac ar ôl cyrraedd ac roeddwn eisiau mynd i'r toilet ond doedd dim amser cyn y "trowch y papurau trosodd a dechreuwch ysgrifennu" a "neb i gopïo gwaith neb arall" a "Correct this sentence", "work out this sum", "ysgrifennwch baragraff yn disgrifio..." a "write the answer to the following" nes roedd fy mhen yn troi a fy mysedd yn stiff ac yn llawn inc. Ac roedd Miss Morris yn disgwyl amdanom ar ôl cwpla er mwyn clywed ein hatebion ac roedd Simon Simms wedi cael pob sym yn iawn. Roedd y cyfan yn eich blino. Ond roedd yn werth pob ymdrech.

Nid wyf yn siwr pwy arall sydd wedi pasio, heblaw am Meryl a Lynette sydd wedi pasio i'r County hefyd. Nid oedd yn syndod am Lynette am ei bod yn ferch glefer ond roedd hi wedi "mynd ar gyfeiliorn" ar ôl marw Popsi ac roedd Gransha Morgan newydd farw cyn y Scholarship felly fe wnaeth yn dda iawn er nad oedd hi wedi cael chwarae teg. Ond roedd yn sioc clywed am Meryl. Efallai y cafodd hi lwc dda gan y freichled arian wedi'r cyfan. Beth bynnag, bydd Mrs Thomas Cwc yn falch. Ac mae Geraint Williams a Simon Simms (wrth gwrs!) wedi pasio i'r Boys School. (Dim ond i Sec mae Carys Howells wedi pasio felly fe fydd hi a Geraint Williams ar wahan!) Roedd Miss Morris wedi ffonio Mami i ddweud pwy oedd wedi pasio i ble a phwy oedd wedi methu ond doedd Mami ddim yn gallu cofio heblaw am Rhian Jones sydd yn mynd i'r Sec Mod (ac nid yw hynny'n syndod!).

Nid wyf wedi ysgrifennu llawer ers y Scholarship. Wel dim ers i Gransha Morgan farw ac y diflannodd Mot. Roeddwn wedi dechrau meddwl "Beth yw'r pwynt?" Ac nid oeddwn yn siŵr beth oedd yr ateb. Weithiau roedd ysgrifennu pethau'n help ac yn gwneud i fi deimlo'n well ac yn hapusach. Weithiau roeddwn yn teimlo'n waeth.

("Da", "Gwell", "Cystal", "Gorau". "Drwg", "Gwaeth", "Cynddrwg", "Gwaethaf". Marciau llawn! Byddai Mami'n falch ohonof! Ac mae hi'n "well" hefyd! Yn teimlo'n "dda" meddai. Nid yw wedi teimlo "cystal" ers amser. Ac rwyf i'n gobeithio'r "gorau".)

Rwy'n bendant nawr fy mod am ddechrau ysgrifennu eto.

Mae e'n bwysig ac yn help.

Ac rwy'n edrych ymlaen YN FAWR IAWN at fis Medi ac rwy'n teimlo'n HAPUS IAWN.

Bi-bîp!

Corn y Morris Series Eight, Uncle Len yn gyrru, Bopa Vi a Morfydd Morgan yn y cefen, a Lynette fel brenhines yn y bla'n. Pawb yn wafo arna i.

'We're on our way down Cardiff!'

'Minus John an' Jeff an' Snowy. They're fendin' for themselves today.'

'We're 'avin' a big day out.'

'Ni'n mynd i brynu iwnifform fi!'

'Aye, we'll kit 'er out. Complete from top to toe in Evan Roberts.'

'And when will *you* be goin', Branwen?'

'I'm not sure. When Mami says . . .'

HWRE!

Dydd Sadwrn nesaf yw'r diwrnod mawr! Byddwn yn mynd i Gaerdydd i brynu'r iwnifform! Ac rwy'n edrych mlaen gymaint nes fy mod fel jac-yn-y-bocs!

Byddwn yn mynd i siop Evan Roberts, wrth y Castell. Nhw yw siop yr iwnifforms. Mae Lynette wedi bod yno ac wedi cael yr iwnifform i gyd ac wedi mwynhau yn fawr. Roedd hi'n gorfod cael ei mesur, a ffitio popeth yn ofalus. Roedd y fenyw'n dweud "The blazer fits you perfect – but let's go up a size so that it lasts two years." Roedd yr un peth yn wir am y gymslips a'r blowsys a'r siwmperi. Ac fe gafodd hir esgidiau yn Meekes Shoe Shop a'r satchel yn siop sadler Mr Bevan lawr yn High Street. Rhaid i'r esgidiau a'r satchel fod yn frown. Rwy'n hoffi gwynt lledr newydd. Mae Lynette wedi cael jar o bolish arbennig "Leather Cream" i gadw'i satchel yn neis. Mae popeth yn barod ganddi, hyd yn oed y nicers nefi-blŵ a festiau Aertex, gwyn.

A fi fydd nesaf! Rwy' mor hapus, rwy'n teimlo fel gweiddi dros y lle! (Ond wnaf i ddim – dim ond sibrwd i fi'n hunan, rhag ofn dihuno Mami!)

'Fe bases i!

   I County!'

   Mae ei sibrwd yn cario ar yr awel sy'n chwythu lawr o'r Foel. Mae'r bysedd main yn aflonyddu'i gwallt a dail y llwyni bocs a rhododendron, a'r gwair crin wrth ei thraed a'r blodau yn y potyn du. Mae papur **Phillips Florist** yn chwyrlïo lawr y llwybr ac yn glynu wrth gornel pella'r bedd.

JOHN EMLYN ROBERTS

GWYNFA, STRYD BOWEN

Gŵr Gwenda, tad Branwen

Gafael yn y papur
   a'i wasgu'n belen galed.

Cofio

         un tro
         amser
         maith yn
         ôl
         atgof
         ofon du
         a thristwch
         llwch
         i'r
         llwch
         tywyllwch
         dwfwn
         dwnshwn
         Na!
         Dim fan'na!
         Dim miwn i'r twll!
         Ddim yn iawn!
         Pidwch!
         Stopwch!

Cau
    ei llygaid
    diffodd
    darfod
    gweld dim byd
    ond
    dawns ei
    sêr bach aur
    seren mewn
    ffurfafen
    dywyll
    'na beth wyt ti
    Branwen
    croten fowr
    dy dad
    fy rara avis fach.

Agor
    craith
    corff
    morffin
    rhagor
    da-iawn-good
    rhagor 'to
    dim hanner digon!
    more!
    and more!
    a rhagor! rhagor!
    doctor
    dewch â rhagor!

Digon . . .
    gormod
    gorwedd 'nôl a
    suddo
    lawr
    a

lawr
and call me
if you need me
da-iawn-good.

A bydd di'n groten dda i Mami.

A dim
    ar
    ôl
    ond
    ffiol
    wag.

Taflu'r sgrwnsh o belen papur ar y pentwr sbwriel.

Pelen wen ar ben hen bapurau, hen flodau wedi gwywo, hen, hen dorchau wedi sychu'n grimp.

Syllu draw ar draws y cwm . . .

'. . . Turn your face to the west . . .'

Gwawr binc i'r machlud . . . Awyr fel cragen binc, a'r Foel fel hen granc yn cuddio yn ei phlygion.

Cymylau gwawn, petalau pinc yn hofran dros y brig.

Troi ei hwyneb at graster pinc y Waun. Cerdded rhwng y beddau, ar hyd llwybrau pinc, trwy fyd sy'n binc fel breuddwyd.

Cofio'i breuddwyd binc o stafell wely . . .

'Lucky you are 'avin' a bedroom of your own!'

A Baby Jacqueline yn rhoi chwerthiniad bach a thaflu'i dummy pinc drwy fariau'r cot . . .

**IN LOVING MEMORY
OF
JONATHAN ALAN MEADES
AGED 8
SO CRUELLY TAKEN FROM US**
SUFFER LITTLE CHILDREN

O'n nhw'n gwitho'n fishi.

Golchi. Rhwto. Sychu. Sheino.

Bwced. Clwtyn. Dwster. Polish.

A finne'n watsho yn y dirgel, wedi cwtsho yn 'y nghwrcwd wrth y wal. A Mr Meades yn sefyll 'nôl i syllu ar 'i waith. A Mrs Meades yn rhannu'r rhosys coch, un bob un i'r plant – Mikey, Phil a David, Jacqueline a Baby Janey. Rhoi un i'w gŵr a chadw un 'i hunan.

Saith rhosyn coch yn ca'l 'u gosod yn y potyn. Fflam o rosys coch mewn potyn du, yn bert, mor bert . . .

A Mr Meades yn arwain Mrs Meades lawr y llwybyr. A'r bechgyn yn 'u dilyn a Jacqueline a Baby Janey'n dala dwylo, yn sgipo rhyngddyn nhw i gyd.

A'r cymyle pinc yn gwrlid dros y bedd, yn bert, mor bert . . .

A Mrs Meades yn dechre llefen.

'No! I can't leave 'im on 'is own! Can't leave 'im on 'is own again!'

A Mr Meades yn gafel yndi, yn trio'i rhwystro rhag rhedeg 'nôl.

'But 'e needs me! Like 'e needed me that day! But I wasn't with 'im, was I? Nobody was with 'im! 'E was on 'is own. 'E died, poor little dab, all on 'is own!'

O'n i'n ffaelu godde. A fe benderfynes i redeg atyn nhw i gyfadde popeth.

'I was with him! But I wasn't supposed to be there! My mother would be angry. . . I didn't know what to do. So I left him. On his own . . .'

Anghofia i byth mo'r olwg ar 'i hwyneb . . .

'I left him on his own – to die . . . And I'm sorry, very sorry . . .'

Celwydd.

Wedes i ddim shwd beth.

Fy hen ddychymyg afiach i.

O'dd y fenyw'n cerdded o'na'n dawel, yn urddasol, hi a'i gŵr a'i phlant. A fe arhoses i le o'n i, yn cwato wrth y wal, yn saff mewn cragen binc. A'u watsho nhw'n diflannu'n deulu bach anghyflawn lawr y llwybyr.

A cha'l 'y nhynnu gan y fflam fowr goch . . . Fel iâr fach yr haf at rosyn . . .

Sibrwd . . .

'Jonathan, I've passed . . . I'm off to County in September! I'm a proper cleversticks I am!'

'Nice red rose for you . . .'

'No! You stealed it! From Emrys Rees you did!'

'Okay – I'll give it to my Mam.'

'No! We'll play weddings with it. You're the bridegroom, I'm the bride.'

'Thassa silly game!'

'"Ar lan y môr mae rhosys cochion . . ."'

'What?'

'Red roses on the seaside.'

'You are mad you are.'

'"Ar lan y môr mae carreg wastad . . ." A flat stone on the seaside. Her sweetheart's grave.'

'Branwen! Stop your nonsense! Come on, lessgo!'

'First time you said my name.'

'No issnot!'

'Yes it is. Do you love me, Jonathan?'

'Don' be daft!'

'Do you love me? Cross your heart and hope to die?'

'Aye – now lessgo an' play.'

'We'll play Peter Pan and Wendy. I'm Wendy and you are Peter Pan and we fly off together and live forever and never-ever die.'

'Okay! Lessgo! Lessgo!'

Celwydd arall.

Fe wedes i 'First time you said my name.'

'Silly name an' all.'

'Na beth wedodd e, a finne'n gwylltu'n gacwn.

'It's a princess's name, so there!'

'So you told me lots o' times. Iss still a silly name!'

'Allright, I'll tell you something different. It means "rare bird"!'

Y gyfrinach fowr. Wedi'i rhannu â'r ffrind gore o'dd 'da fi yn y byd. A fynte'n edrych arna i'n syn – a wherthin.

'Thass a good one! "My friend Branwen is a rare bird!" Wait till I tell my brothers!'

'Jonathan, you are ignorant you are.'

'An' you're just a silly billy cleversticks! Now lessgo, lessgo!'

A fe ddilynes i fe, fel arfer.

Ond o'n i'n grac.

Pelydrau drwy frigau'r coed.

Fel bysedd hir drwy wallt.

Gwallt lliw blodyn haul.

Llygaid fel Nant Las.

Clwstwr siwgwr brown ar drwyn.

'Jonathan!

Stop fooling and get up! You're frightening me!'

Rhosyn
    coch.
    ar foch.

Gwythïen
    las
    yn
    pwmpo'n
    goch.

Fe gachgïes i.
A rhedeg o 'na.
A'i adel ar 'i ben 'i hunan bach.
I farw.

Stop.

Croten fach yn syllu arni o ddrych y wardrob fawr.

Mae hi'n gwisgo iwnifform y County. Blazer werdd, blows wen, cardigan a gym-slip a beret nefi-blŵ, tei streipiog gwyrdd a melyn. Mae hi'n craffu ar y geiriau Gorau-Arf-Arf-Dysg go-chwith ar fathodyn mawr y blazer.

'Popeth wedi'u glanhau a'u golchi'n lân, wrth gwrs. Ma'r blazer wedi ffado tipyn bach, ond ma' lot o wisg ar ôl ym mhopeth arall. Fe benderfynes i gadw'r satchel, gan 'i bod hi wedi sgrifennu'i henw arno fe mor bert. A chan 'y 'mod i'n cofio'i hwyneb hi yn siop Mr Bevan Sadler. "Mama!" medde hi, "Dyma'r presant gore ges i 'riôd! Diolch, diolch, diolch!" Ie, un fach neis o'dd Llinos, druan fach . . .'

BECSO

Mae Mam i'n dweud fy mod yn becso gormod. "Rwyt ti'n becso am bawb a phopeth" meddai ac yn "mynd yn hen o flaen dy amser". Ac mae hynny'n wir ond mae'n anodd peidio ambell waith. "Ti'n becso am bethau pitw, bach" meddai hi. Ond nid "pethau pitw bach" yw'r dillad newydd i'r County. Nid "dillad newydd" ydyn nhw, ond hen ddillad merch sydd wedi marw. Ac rwyf yn becso'n fawr amdanynt.

Bydd pawb ond fi'n edrych yn smart ar y bore cyntaf ond byddaf i fel jipsi. Blazer, gymslip, beret – popeth ag enw Llinos Hefina Edwards ar y labels. Hyd yn oed ei nicers nefi-blŵ. A'r bloody sgidiau? Rhai pinc sydd nawr yn nefi-blŵ gydag ambell batshyn bach o binc yn dangos dan y Dylon Jet Black Shoe Dye. Roedd Mam Llinos wedi rhoi ei sgidiau brown i'r jymbl sale ond fe gefais i ei sgidiau gorau hi ac

377

mae Mami wedi eu lliwio a rhoi lasys newydd ynddyn nhw. Mae Mamin gwybod mai rhai brown sydd i fod (dyna oedd ar y rhestr gawson ni) ond mae hi'n dweud "Twt, i beth mae eisiau gwario a'r rhain yn gwneud y tro?" Mae hi'n dweud yr un peth am y satchel, yr un nefi-blŵ llawn lluydni o'r sang-di-fang. "Wedi ei bolisho'n lân fel newydd" meddai Mami ond nid yw fel newydd o gwbl, mae e'n hen ac yn nefi-blŵ ac un brown sydd fod mae e'n dweud ar y rhestr ac mae hi'n gwybod hynny'n iawn ac ruy'n becso ond does dim pwynt. Does dim y gallaf ei wneud a beth bynnag ruy'n hen groten fach hunanol ac aniolchar meddai Mami. Felly nos da a thwll tin pawb.

Matryd.

Taflu pilyn ar ôl pilyn ar y gwely mawr. Rhoi ffling i'r satchel a'r sgidiau nefi-blŵ nes eu bod yn bowndian dros y llawr.

Syllu ar y groten ddiamddiffyn yn y drych. Yr wyneb gwelw, cylchoedd duon dan y llygaid, gwallt seimllyd, bronnau blagur o dan y fest fach lwydaidd.

Dringo ar y gwely.

Rhoi cic i'r dillad County.

Gwrando.

Clywed yr un hen synau. Y television yn y stafell ffrynt, dŵr yn cronni yn y cwpwrdd crasu, brân yn crawcian ar y goeden fwnci.

Codi, gafael yn y dillad, eu plygu fesul un ar hanger a'u hongian yn ddestlus ar ddrws y wardrob fach.

Gwisgo'i phyjamas a dringo 'nôl i'r gwely.

Troi ei hwyneb at y pared.

Ymbalfalu am y bluen wen sy wedi'i chuddio tu ôl i bostyn pren y gwely.

Syllu ar y sgribl goch.

B. D. R. xxx J. A. M.

A chau ei llygaid.